FRÈRES ET RIVAUX

La Fille prodigue, Presses de la Cité, 1984.

Les Allées du pouvoir, Presses de la Cité, 1985.

Faut-il le dire à la présidente?, Presses de la Cité, 1986.

Dans la gueule du dragon, Presses de la Cité, 1987.

La Main dans le sac, Presses de la Cité, 1988.

Le Souffle du temps, Presses de la Cité, 1992.

Opération silence du désert, Presses de la Cité, 1994.

Le Seul Commandement, Lattès, 1999.

Kane et Abel, Lattès, 2000.

JEFFREY ARCHER

FRÈRES ET RIVAUX

traduit de l'anglais
par Jean-Paul Mourlon

l'Archipel

Ce livre a été publié sous le titre
Sons of Fortune
par Pan MacMillan Londres, 2003.

Si vous désirez recevoir notre catalogue et
être tenu au courant de nos publications,
envoyez vos nom et adresse, en citant ce
livre, aux Éditions de l'Archipel,
34, rue des Bourdonnais 75001 Paris.
Et, pour le Canada,
à Édipresse Inc., 945, avenue Beaumont,
Montréal, Québec, H3N 1W3.

ISBN 2-84187-688-8

I
GENÈSE

1

Susan écrasa fermement son cornet de glace sur la tête de Michael Cartwright. C'était leur première rencontre, du moins à en croire le témoin de Michael quand, vingt et un ans plus tard, tous deux se marièrent.

Ils avaient alors trois ans. Le petit garçon fondit en larmes, la mère de Susan accourut pour voir ce qui se passait.

— C'est lui qu'a commencé ! répondit simplement la fillette.

Ce qui lui valut une bonne fessée. Mauvais début pour une romance.

Toujours selon le témoin, leur deuxième rencontre eut lieu à l'école primaire. Susan déclara d'un air entendu que Michael n'était qu'un pleurnichard, et de surcroît un rapporteur. Michael annonça aux autres garçons qu'il partagerait ses petits-beurre avec quiconque serait prêt à tirer sur les couettes de Susan Illingworth. Rares furent ceux qui essayèrent deux fois.

À la fin de l'année scolaire, Susan et Michael reçurent conjointement le premier prix, l'institutrice jugeant que c'était le seul moyen d'éviter un nouvel incident. Susan dit à ses amies que la mère de Michael lui faisait ses devoirs ; il répliqua qu'au moins, les siens étaient de sa propre écriture.

Leur rivalité se poursuivit tout au long de leur scolarité, jusqu'à ce qu'ils partent pour des universités différentes : Michael vers celle du Connecticut, et Susan vers celle de Georgetown. Au cours des quatre années suivantes, ils se donnèrent beaucoup de mal pour s'éviter.

Ironiquement, leurs chemins ne se croisèrent de nouveau que lorsque les parents de Susan décidèrent de donner une soirée pour fêter le diplôme de leur fille. Non seulement Michael accepta l'invitation, mais il s'y rendit bel et bien.

Susan ne le reconnut pas tout de suite, en partie parce qu'il avait pris dix bons centimètres, si bien que, pour la première fois, il était plus grand qu'elle. Ce n'est qu'en lui offrant un verre de vin qu'elle comprit qui il était, lorsqu'il remarqua :

— Au moins, cette fois, tu ne me l'as pas renversé sur la tête !

— Je me suis très mal conduite, répondit-elle en espérant qu'il dirait que non.

— Oui, mais je crois que je l'avais bien cherché.

Ils bavardèrent en vieux amis, et Susan fut surprise de son propre agacement quand une de ses amies de Georgetown s'en vint flirter avec Michael. Leur conversation s'arrêta là.

Le lendemain, il lui téléphona pour lui proposer d'aller voir Spencer Tracy et Katharine Hepburn dans *Madame porte la culotte*. Elle avait déjà vu le film, mais accepta quand même, et fut stupéfaite de constater le temps qu'elle passa, avant qu'il n'arrive, à essayer différentes robes.

Au cinéma, Susan se demanda si Michael poserait un bras autour de ses épaules quand Spencer embrasserait Katharine, mais il n'en fit rien. Toutefois, une fois qu'ils eurent quitté la salle, il prit sa main alors qu'ils allaient traverser la route, et ne la lâcha pas avant qu'ils soient arrivés au petit café. C'est là qu'ils eurent leur premier désaccord. Michael reconnut qu'en novembre, il voterait pour Thomas Dewey, tandis que Susan lui fit comprendre qu'elle tenait à ce que Harry Truman demeure à la Maison-Blanche. C'est à ce moment que le serveur vint lui apporter une crème glacée qu'elle contempla rêveusement.

— N'y pense pas ! dit simplement Michael.

Susan fut d'autant moins surprise qu'il appelle le lendemain qu'elle attendait depuis plus d'une heure près du téléphone en feignant de lire.

Ce matin-là, lors du petit déjeuner, Michael avait avoué à sa mère que c'était le coup de foudre.

— Mais tu la connais depuis des années! avait-elle remarqué.

— Non, justement. Je l'ai rencontrée pour la première fois hier.

Leurs parents respectifs furent ravis quand, un an plus tard, ils se fiancèrent. Tous deux avaient trouvé du travail quelques jours après avoir quitté la fac : Michael dans une compagnie d'assurances, Susan comme professeur d'histoire au lycée. Aussi décidèrent-ils de se marier pendant les grandes vacances.

Ils n'avaient pas prévu que Susan tomberait enceinte pendant leur lune de miel. Michael ne put dissimuler son ravissement, qui redoubla quand, au sixième mois, le Dr Greenwood leur annonça que ce seraient des jumeaux.

— Ça résoudra au moins un problème!

— Et lequel? demanda Susan.

— L'un pourra être Républicain, et l'autre Démocrate!

Susan assura ses devoirs d'enseignante jusqu'au huitième mois qui, fort heureusement, correspondait aux vacances de Pâques. Elle entra à la clinique avec une petite valise. Michael quitta son travail un peu plus tôt que d'habitude et lui annonça qu'il avait été nommé gestionnaire de comptes.

— Qu'est-ce que c'est? demanda-t-elle.

— C'est un terme pompeux pour désigner un vendeur d'assurances. Mais ça me vaudra une petite augmentation, ce qui sera fort utile quand nous aurons deux bouches de plus à nourrir.

Le Dr Greenwood suggéra au futur père d'attendre dehors pendant l'accouchement : comme il s'agissait de jumeaux, il pourrait y avoir des complications. Michael marcha de long en large dans le couloir, faisant demi-tour chaque fois qu'il atteignait le portrait de Josiah Preston accroché au mur du fond. Au début, il ne prit pas la peine de lire la longue biographie placée sous l'effigie du fondateur de l'hôpital mais, quand le médecin sortit de la salle d'accouchement, Michael avait eu le temps de l'apprendre par cœur.

La silhouette vêtue de vert se dirigea lentement vers lui avant d'ôter son masque et de sourire :

— Félicitations, monsieur Cartwright : vous avez deux fils en excellente santé !

Nathan était né à 16 h 37, et Peter sept minutes plus tard. Les parents les cajolèrent pendant une heure, puis le Dr Greenwood suggéra que la mère et les nouveau-nés se reposent un peu :

— Nous allons les placer dans la pouponnière, précisa-t-il.

Michael y accompagna ses fils et, restant dans le couloir, les contempla à travers la vitre, souriant à l'infirmière qui leur plaçait des bracelets d'identité au poignet.

Il finit par retourner vers la chambre de sa femme, qui dormait déjà. L'embrassant doucement, il quitta la pièce et se dirigea vers l'ascenseur, où il retrouva le Dr Greenwood, qui avait revêtu une veste de sport et un pantalon de flanelle grise.

— Si seulement toutes les naissances étaient aussi faciles ! dit le médecin comme ils arrivaient au rez-de-chaussée. Mais je repasserai ce soir, monsieur Cartwright, pour voir où en sont votre épouse et vos jumeaux – bien que je ne m'attende pas à des problèmes !

— Merci, docteur, merci.

Le Dr Greenwood s'apprêtait à quitter les lieux pour rentrer chez lui quand il aperçut une femme élégante, accompagnée d'une autre, qui entrait par la porte à tambour de l'établissement. Il se dirigea aussitôt vers Ruth Davenport et sa compagne, et leur tint la porte de l'ascenseur, l'air brusquement soucieux.

Michael partit vers sa voiture, souriant toujours aux anges, en se demandant ce qu'il devait faire ensuite. Ah, oui : téléphoner aux parents, pour leur dire qu'ils étaient désormais grands-parents.

2

Ruth Davenport avait déjà accepté l'idée que ce serait sa dernière chance. Pour d'évidentes raisons professionnelles, le Dr Greenwood ne pouvait présenter les choses aussi crûment. Mais, après deux fausses couches en deux ans, il ne pouvait conseiller à sa patiente de courir le risque d'une nouvelle grossesse.

Robert Davenport, quant à lui, n'était pas lié par de tels euphémismes et, apprenant que sa femme était enceinte pour la troisième fois, lui avait posé un ultimatum : « Cette fois, tu vas y aller doucement ! » Tout en sachant que ce serait difficile, voire impossible, à sa femme. Après tout, elle était la fille de Josiah Preston ! On disait souvent que si elle avait été un garçon, jamais Robert n'aurait été président de Preston Pharmaceuticals. Toutefois, Ruth était bel et bien devenue présidente du conseil d'administration de l'hôpital Saint-Patrick, établissement auquel la famille Preston était associée depuis quatre générations.

Si, au début, certains membres du conseil ne paraissaient pas convaincus que Ruth était du même bois que son père, quelques semaines leur suffirent pour reconnaître qu'elle avait hérité de son allant et de son énergie.

Ruth ne s'était mariée qu'à trente-trois ans. Pas faute de prétendants, dont beaucoup s'étaient donné infiniment de mal pour mettre la main sur les millions des Preston. Mais aucun n'avait pu la séduire, et elle commençait à se demander si elle tomberait jamais amoureuse. Et elle rencontra Robert.

Robert Davenport était entré à Preston Pharmaceuticals après avoir étudié à l'université John Hopkins et à

Harvard. Nommé vice-président de la société à vingt-sept ans, il en avait trente et un quand il devint le plus jeune président adjoint de l'histoire de la firme, battant un record établi par Josiah lui-même. C'était un homme que n'impressionnaient ni le nom des Preston, ni leurs millions – peut-être est-ce pourquoi Ruth se prit de passion pour lui.

Quelques semaines après leur mariage, elle annonça qu'elle était enceinte, et sa fausse couche ultérieure fut le seul malheur dans une existence par ailleurs épanouie et, bientôt, un simple nuage dans un ciel parfaitement bleu. Car, onze mois plus tard, Ruth entama une nouvelle grossesse.

Elle présidait une réunion du conseil d'administration de l'hôpital quand elle fut prise de contractions ; aussi lui suffit-il de prendre l'ascenseur pour retrouver, deux étages plus haut, le Dr Greenwood. Mais ni l'extrême compétence de celui-ci, ni le dévouement du personnel et le matériel dernier cri de l'établissement ne suffirent à sauver le bébé. Kenneth Greenwood ne put que se souvenir comment, bien des années auparavant, alors qu'il était jeune médecin, il avait mis Ruth au monde : pendant une semaine, personne n'avait cru que la petite fille pourrait survivre. Trente-cinq ans plus tard, un nouveau et plus grand traumatisme s'abattait sur la famille.

Le Dr Greenwood décida donc d'avoir un entretien privé avec le mari de Ruth, à qui il suggéra de songer à une adoption. Robert en convint de mauvais gré et dit qu'il en parlerait à son épouse dès qu'elle aurait repris des forces.

Une année s'écoula avant que Ruth accepte de visiter un centre d'adoption. Par une de ces coïncidences dont le destin a le secret, elle se rendit compte la veille qu'elle était enceinte.

Cette fois, Robert était bien résolu à ce que leur fils vienne au monde. Elle démissionna donc de son poste de présidente du conseil d'administration et accepta la présence d'une infirmière à plein temps, que Robert choisit lui-même. Il ne retint que les postulantes qu'il estimait qualifiées, puis s'efforça de trouver parmi elles celle qui aurait assez de force de caractère pour tenir tête à son épouse et la convaincre d'y « aller doucement ».

Son choix se porta sur une infirmière de Saint-Patrick, nommée Heather Nichol, dont il aimait le bon sens, mais aussi le statut de célibataire, et un physique qui garantissait qu'en ce domaine les choses ne changeraient pas. Elle avait déjà aidé plus d'un millier de bébés à venir au monde.

Robert fut ravi de voir avec quelle aisance Mlle Nichol s'installait chez eux ; à mesure que les mois passaient, même lui commença à croire que la tragédie ne se produirait pas une troisième fois. Au septième mois, il commença à parler prénoms : Andrew si c'était un garçon, Victoria si c'était une fille. Ruth acquiesça, mais elle espérait avant tout donner le jour à un bébé en bonne santé.

Robert était à New York, pour une conférence médicale, quand Mlle Nichol l'appela pour le prévenir que sa femme était sur le point d'accoucher. Il répondit qu'il allait revenir aussitôt par le train, puis prendrait un taxi jusqu'à l'hôpital.

Le Dr Greenwood, après la naissance des jumeaux Cartwright, allait quitter l'établissement quand il vit Ruth accompagnée de Mlle Nichol, et se dirigea aussitôt vers elles.

Une fois sa patiente installée dans une chambre, il se hâta de rassembler la meilleure équipe dont il pouvait disposer. Si Ruth Davenport avait été une future mère comme les autres, il se serait chargé de l'accouchement avec Mlle Nichol. En outre, un examen préliminaire lui montra qu'une césarienne serait nécessaire.

L'accouchement ne prit que trois quarts d'heure. Ruth, qui était sous anesthésie générale, ne put voir le sourire soulagé du médecin, qui sortit en hâte et annonça à Robert :

— C'est un garçon !

La mère dormait paisiblement ; Mlle Nichol se chargea d'emmener Andrew jusqu'à la pouponnière, où il profiterait de ses premières heures dans le monde en compagnie d'autres nouveau-nés. Après quoi elle revint dans la chambre de Ruth, s'installa dans un fauteuil et s'efforça de rester éveillée.

La nuit tirait à sa fin quand elle s'éveilla en sursaut et entendit Ruth demander :

— Puis-je voir mon fils ?

— Bien sûr, madame Davenport, répondit l'infirmière en se levant en toute hâte. Je vais chercher le petit Andrew, je reviens tout de suite.

Ruth se redressa, s'appuya contre l'oreiller, alluma la lampe de chevet et attendit, pleine d'impatience.

Dans le couloir, Mlle Nichol jeta un coup d'œil à sa montre : 4 h 30 du matin. Elle descendit à la pouponnière, ouvrit la porte sans bruit et, à la lueur de la petite lumière fluorescente au-dessus de sa tête, vit que l'infirmière de service somnolait. Pas question de la réveiller : c'étaient sans doute ses seuls moments de sommeil pendant son service de huit heures.

S'avançant sur la pointe des pieds, elle jeta un coup d'œil aux jumeaux Cartwright, dont le double berceau avait été placé à côté de celui d'Andrew Davenport.

Elle le contempla – un enfant qui, de toute sa vie, ne manquerait de rien. Mais, en se penchant pour le voir de plus près, elle se figea. Elle avait trop vu de nouveau-nés pour ne pas reconnaître la mort. La pâleur de la peau, le regard immobile, rendaient inutile la vérification de son pouls.

Des décisions prises, souvent par d'autres, au hasard du moment, peuvent parfois bouleverser nos vies.

3

Quand, en pleine nuit, le Dr Greenwood fut réveillé par un coup de téléphone qui lui apprenait la mort d'un bébé, il sut aussitôt duquel il s'agissait. Il comprit également qu'il lui fallait retourner à l'hôpital sur-le-champ.

Kenneth Greenwood avait toujours voulu être médecin. Quelques semaines à la fac lui suffirent pour savoir dans quel domaine il comptait se spécialiser. Il se répétait tous les jours qu'il avait de la chance d'accomplir sa vocation. Mais, de temps à autre, comme pour compenser, il lui fallait apprendre à une mère que son enfant était mort. Ce n'était jamais facile, mais l'annoncer à Ruth Davenport pour la troisième fois...

À 5 heures du matin, il y avait si peu de voitures sur la route qu'il gara la sienne sur le parking de l'hôpital moins de vingt minutes plus tard. Il entra en coup de vent, sans que personne ait le temps de lui parler.

Au cinquième étage, l'infirmière l'attendait :

— Qui va la prévenir ? demanda-t-elle.

— Moi, répondit Greenwood. Je suis un vieil ami de la famille.

Elle parut surprise :

— Au moins, l'autre a survécu.

Le médecin s'arrêta net :

— L'autre ?

— Oui, Nathan. C'est Peter qui est mort.

Le Dr Greenwood resta silencieux un instant, comme s'il avait du mal à comprendre :

— Et le fils de Mme Davenport ? demanda-t-il enfin.

— Autant que je sache, il va bien. Pourquoi me poser la question ?

— Je l'ai mis au monde juste avant de rentrer chez moi.

Le médecin s'avança lentement entre les berceaux. Certains nouveau-nés dormaient à poings fermés, d'autres hurlaient à pleins poumons. Il s'arrêta devant le double berceau dans lequel, quelques heures plus tôt, il avait laissé les jumeaux. Nathan était endormi, son frère demeurait immobile. Le Dr Greenwood jeta un coup d'œil au berceau voisin. Davenport, Andrew. Celui-là dormait aussi, sa respiration était parfaitement régulière.

— Je ne pouvais pas le déplacer tant que le médecin qui l'a mis au monde...

— Inutile de me rappeler la procédure ! lança-t-il d'un ton sec. À quelle heure avez-vous pris votre service ?

— Minuit.

— Et vous êtes restée là depuis ?

— Oui.

— Personne n'est entré ?

— Non, docteur.

L'infirmière avait décidé de ne pas lui dire qu'un peu plus d'une heure auparavant, elle avait cru entendre une porte se refermer – du moins pas tant qu'il serait de mauvaise humeur.

— Emmenez l'enfant à la morgue, dit Greenwood à voix basse. Je vais écrire le rapport tout de suite, mais je ne préviendrai pas la mère avant qu'il fasse jour. Inutile de la réveiller à cette heure.

— Bien sûr, docteur.

Quittant la pouponnière à pas lents, le Dr Greenwood marcha dans le couloir et s'arrêta devant la porte de Mme Cartwright, l'ouvrit sans bruit et découvrit, soulagé, qu'elle dormait. Puis il monta à l'étage supérieur et constata que Mme Davenport dormait également. Jetant un coup d'œil dans la pièce, il aperçut Mlle Nichol, assise dans son fauteuil. Il crut la voir ouvrir les yeux, mais décida de ne pas la déranger. Refermant la porte, il s'éloigna et emprunta l'escalier de service pour descendre jusqu'au parking. Pas question d'être vu par le personnel de la réception. Il lui fallait du temps pour réfléchir.

Vingt minutes plus tard, il était au lit, mais ne put fermer l'œil. À 7 heures, il se leva, sachant ce qu'il devait faire, mais redoutant que les conséquences ne se fassent sentir des années durant.

Il lui fallut du temps pour se rendre à l'hôpital, et pas seulement parce que la circulation était bien plus dense. Il redoutait d'avoir à annoncer à Ruth Davenport que son enfant était mort pendant la nuit. Il fallait lui expliquer ce qui s'était passé, sinon jamais il ne se le pardonnerait.

Il passa devant la réception sans répondre au bonjour de l'infirmière de garde, prit l'ascenseur jusqu'au sixième étage, et se rendit compte que, plus il approchait de la chambre de Mme Davenport, plus il ralentissait le pas. Ouvrant la porte, il vit aussitôt Robert, assis au chevet de sa femme, qui tenait un bébé dans les bras. Mlle Nichol restait invisible.

M. Davenport se leva :

— Kenneth, dit-il en serrant la main du médecin, nous vous serons éternellement reconnaissants.

— Vous ne me devez rien.

— Bien sûr que si, répondit Robert en se tournant vers sa femme : Ruth, on lui dit ce que nous avons décidé ?

Elle embrassa le front du bébé :

— Pourquoi pas ? Nous avons quelque chose à fêter !

— Mais… je dois d'abord vous dire…

— Pas de mais ! répliqua Robert. Je veux que vous soyez le premier à savoir que je vais demander au conseil d'administration de Preston de financer la construction d'une aile supplémentaire de l'hôpital, qui accueillera un service de maternité ultramoderne.

— Mais…

— Les plans sont prêts depuis des années ! Pourquoi attendre ? À moins que vous…

Le Dr Greenwood resta silencieux.

Quand Mlle Nichol le vit sortir de la chambre de Mme Davenport, elle en eut le cœur serré. Le bébé

dans les bras, il se dirigeait vers l'ascenseur qui l'emmè-
nerait à la pouponnière. Comme il passait à sa hauteur,
leurs regards se croisèrent et, s'il resta silencieux, elle
comprit qu'il savait.

Si elle devait s'enfuir, c'était maintenant ou jamais.
Après l'échange des bébés, elle était restée éveillée
toute la nuit, à se demander si elle serait découverte.
Quand le Dr Greenwood avait ouvert la porte pendant
la nuit, elle s'était efforcée de rester immobile, certaine
qu'il allait lui dire qu'il connaissait la vérité. Mais il était
reparti sans bruit, si bien qu'elle resta dans l'expectative.

Elle se remit en marche, les yeux fixés sur l'escalier de
service au bout du couloir et s'efforça, une fois dépassée
la chambre de Mme Davenport, de ne pas presser le pas.

— Mlle Nichol ? dit une voix qu'elle reconnut sans peine.

Elle s'arrêta net puis fit volte-face.

— Je crois qu'il faudrait que nous discutions en tête
à tête, déclara M. Davenport.

Il entra dans une alcôve, de l'autre côté du couloir.
Mlle Nichol crut bien que ses jambes allaient se dérober sous
elle avant qu'elle ait le temps d'atteindre un fauteuil, dans
lequel elle s'effondra. On ne pouvait rien lire sur le visage
de Robert Davenport ; il n'était pas dans sa nature de révéler quoi que ce soit. N'osant le regarder en face, Mlle Nichol
fixa un point par-dessus son épaule gauche et vit les portes
de l'ascenseur se refermer sur le Dr Greenwood.

— Vous savez ce que je vais vous demander, poursuivit M. Davenport.

— Oui, je crois, répondit-elle, en pensant : *retrouve-
rais-je jamais du travail ? Vais-je finir en prison ?*

Dix minutes plus tard, quand le Dr Greenwood revint,
elle était fixée sur ce qui l'attendait.

— Pensez-y, Mlle Nichol, puis appelez-moi au bureau.
Si votre réponse est positive, il me faudra en discuter
avec mes avocats.

— C'est tout réfléchi, répondit-elle, cette fois en
regardant M. Davenport bien en face : c'est oui. Je serai
ravie de pouvoir continuer à travailler pour vous comme
gouvernante.

4

Susan tenait Nathan dans ses bras sans pouvoir dissimuler sa détresse. Elle était lasse d'entendre parents et amis lui dire de remercier Dieu que l'un des jumeaux ait survécu. Peter était mort, elle avait perdu un fils! Elle ne cessait de parler de lui, de montrer la photo des jumeaux prise dans sa chambre d'hôpital.

Mlle Nichol l'étudia de près quand elle fut publiée dans le *Hartford Courant*, et fut soulagée de constater qu'on distinguait mal leurs visages. Mais ce fut Josiah Preston qui la rassura en remarquant que son petit-fils avait le nez et le grand front typiques de la lignée.

Moins de quinze jours après son retour à la maison, Ruth redevint présidente du conseil d'administration de l'hôpital, et entreprit aussitôt d'honorer la promesse de son mari : doter Saint-Patrick d'un nouveau service de maternité.

Mlle Nichol devint la gouvernante d'Andrew, mais il ne se passait pas un jour sans qu'elle ne redoute que la vérité fasse surface. Elle s'inquiéta quand Mme Cartwright téléphona pour dire qu'elle donnait une fête pour célébrer l'anniversaire de son fils. Andrew étant né le même jour, elle comptait l'inviter.

— C'est très aimable de votre part, répondit Mlle Nichol, mais une fête a déjà été organisée pour Andrew! Merci pour l'invitation, en tout cas.

Il n'en était rien, bien entendu. Mais, le soir, quand Mme Davenport rentra, Mlle Nichol lui suggéra d'organiser une fête pour le premier anniversaire d'Andrew. Ruth jugea que c'était une idée superbe, et fut ravie de laisser à la gouvernante le soin de tout arranger.

L'important était d'éviter que les deux mères aient l'occasion de se rencontrer. Même si c'était très difficile, lors de l'inauguration de la nouvelle maternité, par exemple.

Ce fut d'ailleurs le Dr Greenwood lui-même qui, à cette occasion, présenta les deux femmes l'une à l'autre en leur faisant visiter les lieux. Il ne put croire que personne n'avait remarqué à quel point les deux bébés se ressemblaient. Mlle Nichol détourna les yeux quand il regarda dans sa direction, et se hâta de placer un bonnet sur la tête d'Andrew pour dissimuler ses boucles.

— Dr Greenwood, demanda Mme Cartwright, vous resterez à Hartford, une fois à la retraite ?

— Non, ma femme et moi comptons retourner dans l'Ohio ; mais nous reviendrons ici de temps en temps, bien sûr.

Le médecin allait donc quitter les lieux ; les risques de découverte du secret de Mlle Nichol s'amenuisaient de plus en plus.

Par la suite, chaque fois qu'Andrew était invité à prendre part à une quelconque activité, à se joindre à un groupe ou à pratiquer un sport, la première priorité de la gouvernante était toujours de faire en sorte qu'il n'ait aucun contact avec les membres de la famille Cartwright. En ce domaine, elle connut au fil des années un succès complet, sans jamais éveiller la suspicion de Mme Davenport.

Deux lettres arrivées un matin convainquirent Mlle Nichol qu'elle n'avait plus à redouter quoi que ce soit. La première, adressée au père d'Andrew, lui annonçait que le jeune garçon était admis à Hotchkiss, la plus vieille école privée du Connecticut. La seconde venait de l'Ohio ; ce fut Ruth qui l'ouvrit.

— Comme c'est triste ! dit-elle. Un homme si remarquable !

— Qui donc ? demanda Robert.

— Le Dr Greenwood. Sa femme m'écrit qu'il est mort jeudi dernier, à l'âge de soixante-quatorze ans.

— Un homme remarquable, en effet. Peut-être devrais-tu assister à son enterrement?

— Bien sûr! Et Heather pourrait m'accompagner; après tout, elle a travaillé pour lui.

— Oh, bien sûr, madame! répondit Mlle Nichol en espérant que son air éploré paraissait sincère.

Susan relut la lettre, très attristée. Le Dr Greenwood avait pris très à cœur la mort de Peter, comme s'il s'en jugeait responsable. Peut-être devrait-elle se rendre aux funérailles. Elle allait en parler à son mari, quand brusquement celui-ci s'écria :

— Bien joué, Nathan!

— Comment?

Il agita la lettre dont il venait de prendre connaissance :

— Nathan vient d'obtenir une bourse de Taft!

Susan ne partageait pas l'enthousiasme de Michael à l'idée d'envoyer leur fils, si jeune encore, en pension avec d'autres enfants dont les parents, beaucoup plus aisés, appartenaient à un monde différent du leur. Nathan aurait pu, tout simplement, suivre les pas de son père et aller au lycée Jefferson – où, de surcroît, elle-même enseignait!

Nathan était allongé sur son lit, à relire son livre préféré, quand il entendit son père s'exclamer. À regret, il se leva et passa la tête par la porte pour savoir ce qui se passait. Ses parents débattaient furieusement de l'école où il devrait faire ses études secondaires – sans se quereller, ce qui n'arrivait jamais, en dépit du célèbre incident de l'ice-cream.

— C'est la chance de sa vie! lança son père. Nathan pourra côtoyer des enfants qui seront plus tard des chefs en tous les domaines, ce qui aura une influence sur sa propre vie. Et il a obtenu une bourse! Cela ne nous coûtera pas un sou.

— S'il va à Jefferson, ça ne nous coûtera rien non plus.

— Mais il faut penser à son avenir! S'il va à Taft, c'est la voie royale pour Harvard ou Yale…

— On y arrive aussi en passant par Jefferson!

Nathan écouta avec attention la suite du débat; ses parents discutaient sans jamais élever la voix, ni perdre leur calme.

— Je préfère que mon fils soit élevé en démocrate qu'en patricien! dit Susan.

— Ça n'a rien d'incompatible! répliqua Michael.

Nathan rentra dans sa chambre sans vouloir en entendre davantage. Il alla consulter le dictionnaire pour vérifier le sens du terme « patricien ». Ni son père, ni sa mère n'appartenaient à cette catégorie, et il n'était pas sûr de vouloir en être.

Une fois son chapitre terminé, il sortit de nouveau de sa chambre. L'ambiance semblait s'être apaisée, aussi descendit-il l'escalier pour rejoindre ses parents.

— Peut-être devrions-nous laisser Nathan décider, dit sa mère.

— C'est déjà fait, répondit-il. Vous m'avez toujours dit de peser tous les arguments avant de parvenir à une conclusion.

Il ouvrit nonchalamment le journal, tandis que Susan et Michael restaient silencieux, comprenant qu'il avait dû surprendre leur conversation.

— Et quelle est-elle? demanda sa mère.

— Je préfère aller à Taft.

— Comment t'es-tu décidé? dit son père.

Nathan ne se hâta pas de répondre:

— *Moby Dick*, finit-il par dire.

Il attendit pour voir qui serait le premier des deux à répéter la phrase.

— *Moby Dick?* s'exclamèrent-ils ensemble.

— Oui. Les braves gens du Connecticut considéraient la grande baleine comme le patricien des mers.

5

— Un véritable élève de Hotchkiss ! s'exclama Mlle Nichol en contemplant Andrew dans le miroir du couloir.

Chemise blanche, blazer bleu, pantalon de velours côtelé beige... Elle arrangea un peu sa cravate rayée de bleu et de blanc.

M. Davenport vint se joindre à eux.

— J'ai mis tes valises dans la voiture.

Andrew se raidit : cette fois-ci, c'était sûr, il quittait la maison.

— Thanksgiving est dans moins de trois mois ! ajouta son père.

Le quart d'une année, ce qui n'est pas rien quand on n'a que quatorze ans.

Andrew sortit et s'avança dans la cour semée de gravier, bien décidé à ne pas regarder la demeure qu'il adorait et ne reverrait pas avant trois mois. Il serra la main de Mlle Nichol comme si c'était une vieille amie, lui dit qu'il attendrait avec impatience de la revoir à Thanksgiving. Elle avait l'air d'avoir pleuré, mais il ne l'aurait pas juré. Il eut un geste de la main à l'intention de l'intendant et de la cuisinière, puis monta dans la voiture.

Comme ils roulaient dans les rues de Farmington, Andrew contempla ces bâtiments familiers qui, jusqu'à présent, avaient été pour lui le centre du monde.

— Et surtout, n'oublie pas d'écrire chaque semaine ! dit sa mère.

Il ne répondit pas. Cela faisait un mois que Mlle Nichol le lui répétait au moins deux fois par jour.

— Et si tu as besoin d'argent, n'hésite pas à m'appeler ! intervint son père.

Encore un qui ignorait les règles ! Les élèves, lors de leur première année à Hotchkiss, n'avaient droit qu'à dix dollars par trimestre. C'était précisé en page sept du livre des règlements, Mlle Nichol l'avait souligné en rouge.

Personne ne dit plus rien au cours du bref trajet menant à la gare. M. Davenport gara le véhicule puis descendit. Andrew resta immobile jusqu'à ce que sa mère ouvre la portière. Après s'être extirpé, il la suivit, bien décidé à ne pas montrer à quel point il était nerveux. Ruth voulut prendre sa main, mais il alla aider son père à sortir les valises du coffre de la voiture.

Un porteur arriva, les chargea sur un trolley, puis conduisit les Davenport sur le quai, voiture huit. Andrew se retourna pour dire au revoir à son père. Il avait tenu à ce que seule sa mère l'accompagne jusqu'à Lakeville, mais il regrettait déjà sa décision.

— Bon voyage ! dit Robert en lui serrant la main.

Les parents disent vraiment des choses idiotes dans les gares, songea Andrew. Il était quand même plus important qu'il travaille dur une fois arrivé là-bas !

— Et n'oublie pas d'écrire !

Quand le train s'ébranla, Andrew prit soin de ne pas tourner la tête pour regarder son père, en espérant que cela lui donnerait l'air plus adulte.

— Tu veux déjeuner ? demanda sa mère.

— Oh ! oui, répondit le jeune garçon en s'égayant un peu pour la première fois de la matinée.

Dans le wagon-restaurant, un serveur en uniforme les conduisit jusqu'à une table. Andrew étudia le menu et se demanda si sa mère le laisserait commander un breakfast complet.

— Prends tout ce que tu veux ! dit-elle, comme si elle lisait dans ses pensées.

Quand l'homme réapparut, Andrew lui dit en souriant :

— Double ration de pommes de terre sautées, deux œufs sur le plat, bacon et toasts.

— Et vous, madame ?

— Café et toasts, merci.

— C'est le premier jour du garçon ? demanda l'homme.

Mme Davenport sourit et hocha la tête. Andrew se demanda comment il pouvait savoir.

Il avala tout ce qu'on lui servit, ne sachant trop s'il aurait l'occasion de manger d'ici la fin de la journée. Grand-père lui avait dit que, du temps où lui-même était à Taft, ils n'avaient droit qu'à un seul repas par jour. Sa mère ne cessa de lui rappeler de ne pas agiter son couteau et sa fourchette en mangeant. Il ne pouvait évidemment savoir qu'elle était presque aussi nerveuse que lui.

Chaque fois qu'un autre garçon, vêtu du même uniforme, passait à côté d'eux, Andrew regardait par la vitre, en espérant qu'il ne le dévisagerait pas. Sa mère en était à sa troisième tasse de café quand le train entra en gare.

— Nous sommes arrivés ! dit-elle, comme si c'était nécessaire.

Andrew resta assis, tandis que plusieurs jeunes garçons sautaient déjà du train en se saluant à grands cris. Il regarda sa mère, en souhaitant qu'elle disparaisse dans un nuage de fumée.

Deux jeunes gens vêtus de blazers croisés bleus et de pantalons gris se chargèrent de conduire les nouveaux vers un bus.

Pourvu que les parents n'aient pas le droit d'y monter ! songea Andrew.

— Quel est ton nom ? demanda l'un des deux grands comme il descendait du train.

— Davenport, monsieur.

L'autre sourit :

— Pas la peine de m'appeler monsieur ! Je ne suis qu'un responsable de la discipline. Tes bagages sont déjà dans le bus, Andrew ?

— Oui.

Le jeune homme se tourna vers Ruth :

— Je vous remercie, madame Davenport. J'espère que vous ferez un agréable voyage de retour. Tout ira bien pour votre fils !

Si les mères pouvaient lire les pensées ! se dit Andrew tandis que la sienne le serrait dans ses bras.

Quand elle le lâcha enfin, il se hâta de rejoindre les autres qui montaient dans le bus. Il en repéra un, encore plus petit que lui, qui regardait par la fenêtre, et alla s'asseoir à côté de lui.

— Je m'appelle Andrew, dit-il. Et toi ?

— James, mais mes copains m'appellent Jimmy, répondit l'autre sans tourner la tête.

— Tu es nouveau ?

— Oui.

— Moi aussi.

Jimmy sortit un mouchoir et feignit de se moucher avant de regarder son compagnon.

— D'où viens-tu ?

— De Farmington.

— C'est où ?

— Pas loin de West Hartford.

— Mon père travaille à Hartford, dit Jimmy, il est au service de l'État du Connecticut. Et le tien ?

— Il vend des médicaments.

— Tu aimes le football ?

— Oui, répondit Andrew.

Mais c'était surtout parce qu'il savait que Hotchkiss avait en ce domaine un palmarès inégalé – chose que Mlle Nichol avait également souligné dans le manuel.

Le reste de leur conversation fut consacré à des questions décousues dont l'un et l'autre connaissaient rarement les réponses. Étranges débuts pour une amitié de toute une vie.

6

— Parfait ! dit le père du jeune garçon en vérifiant l'uniforme de son fils dans le miroir du couloir. Parfait !

Il resserra la cravate bleue, ôta un cheveu sur la veste.

— Dépêche-toi, Susan, ou nous allons être en retard, lança Michael en levant la tête vers l'escalier.

Il eut pourtant le temps de placer la valise dans le coffre et de faire sortir la voiture du chemin d'accès avant que Susan ne fasse son apparition pour souhaiter bonne chance à son fils. Elle serra Nathan contre elle ; il fut soulagé qu'il n'y eût personne de Taft pour assister à la scène. Il espéra qu'elle avait surmonté sa déception à l'idée qu'il avait choisi d'aller en pension, car lui-même commençait à avoir des doutes sur la question. S'il était allé à Jefferson, il aurait pu rentrer à la maison tous les soirs.

Nathan monta dans la voiture, s'assit à côté de son père et jeta un coup d'œil à la pendule du tableau de bord. Il était près de 7 heures. Pas question d'être en retard le premier jour, c'est le meilleur moyen pour se faire cataloguer définitivement.

— Allons-y, papa !

Une fois sur l'autoroute, son père accéléra jusqu'à 100 kilomètres heure, un peu au-dessus de la limite autorisée, en se disant qu'à une heure aussi matinale il avait peu de chances de se faire prendre. Quand la vieille Studebaker franchit les portes de fer forgé de Taft, s'engageant lentement sur un chemin long de mille cinq cents mètres, Nathan se sentit terrifié ; puis soulagé de voir que d'autres voitures arrivaient derrière eux. Son père suivit une file de Buick et de Cadillac jusqu'à un parking ; il ne s'était pas encore arrêté que Nathan sautait déjà de la voiture. Puis il hésita : devait-il se joindre à ceux qui se dirigeaient vers Taft Hall, ou bien les nouveaux devaient-ils se rendre ailleurs ?

C'est alors qu'un jeune homme de grande taille, très sûr de lui, armé d'un bloc-notes, survint et demanda d'un ton sévère :

— Tu es nouveau ?

Nathan restant silencieux, son père répondit à sa place :

— Oui.

— Ah ! oui, c'est vrai. Tu as été confié à M. Haskins. Alors, tu dois être doué. C'est toujours lui qui s'occupe des meilleurs. En entrant dans Taft Hall, assieds-toi où tu veux dans les trois premières rangées sur la gauche. Dès que tu entends sonner 9 heures, tais-toi et ne dis plus rien jusqu'à ce que le principal et les autres responsables aient quitté les lieux.

— Et qu'est-ce que je fais ensuite ? demanda Nathan, en tentant de contrôler son tremblement.

— Ton professeur principal te le dira, répondit le jeune homme en se tournant vers Michael : tout ira bien pour Nathan, monsieur Cartwright. Je vous souhaite un agréable voyage de retour.

Entrant dans Taft Hall, Nathan Cartwright baissa la tête et avança rapidement, espérant que personne ne le remarquerait. Puis, repérant une place au bout de la seconde rangée, il s'y glissa en hâte. Un jeune garçon était déjà assis sur sa gauche, tête dans les mains. Priait-il, ou bien avait-il encore plus peur que Nathan ?

— Bonjour, je m'appelle Nathan.

— Et moi, Tom, répondit l'autre sans lever les yeux.

— Qu'est-ce qui se passe ensuite ?

— Si seulement je le savais !

9 heures sonnèrent ; tout le monde se tut.

Une longue file d'enseignants fit son apparition et monta sur l'estrade ; tous s'assirent et commencèrent à discuter entre eux. Deux sièges restaient inoccupés.

— Qu'est-ce qu'on attend ? chuchota Nathan.

Il eut la réponse presque aussitôt : tout le monde se leva, y compris le corps professoral. Deux hommes passèrent à la hauteur du jeune garçon : le principal et le chapelain. Celui-ci prononça un bref service, au cours duquel fut récité le Notre Père, puis toute l'assemblée chanta le *Battle Hymn of the Republic*.

Ce fut ensuite au tour du principal de s'avancer. Alexander Ingerfield resta silencieux un instant, contempla les visages qui lui faisaient face, puis leva les mains, paumes vers le bas, et tout le monde se rassit. Trois cent quatre-vingts paires d'yeux se fixèrent sur un homme de près d'un mètre quatre-vingt-dix, aux épais sourcils broussailleux et à la mâchoire carrée, si terrifiant d'allure que Nathan espéra que jamais il n'aurait affaire à lui.

Le principal prononça ensuite un discours d'une quinzaine de minutes, au cours duquel il évoqua la longue et prestigieuse histoire de Taft, exaltant ses succès universitaires et sportifs, puis rappela à tous la devise de l'établissement : *Non ut sibi ministretur sed ud ministret.*

— Qu'est-ce que ça veut dire ? chuchota Tom.

— « Ne pas être servis, mais servir », répondit Nathan à voix basse.

Ingerfield conclut en déclarant qu'il y avait deux choses qu'un élève de Taft ne pouvait se permettre de manquer : un examen et un match contre Hotchkiss. Pour bien faire comprendre quelles étaient ses priorités, il annonça que si Taft battait Hotchkiss lors du match de football américain annuel, tous auraient droit à un congé d'une demi-journée. L'assemblée poussa des hourras, bien que les anciens sachent que cela ne s'était pas produit depuis quatre ans.

Quand le silence fut revenu, le principal quitta l'estrade, suivi du chapelain et des autres. Après leur départ, les conversations reprirent, puis les anciens partirent. Seuls les garçons des trois premiers rangs, quatre-vingt-quinze élèves en tout, restèrent assis, ne sachant où aller.

Ils n'eurent pas à attendre longtemps. Un enseignant assez âgé vint se placer devant eux. En fait, il n'avait que cinquante et un ans, mais Nathan trouva qu'il avait l'air plus vieux que son propre père. C'était un homme de petite taille, trapu, au crâne chauve orné d'une couronne de cheveux gris, et qui, comme le principal, parlait en tenant les revers de sa veste de tweed.

— Je m'appelle Haskins, commença-t-il avant d'ajouter avec un sourire espiègle : je suis le professeur principal. Nous commencerons la journée par une séance d'orientation, qui prendra fin à 10 h 30. À 11 heures, vous assisterez aux cours qui vous auront été assignés. Le premier portera sur l'histoire des États-Unis. Ensuite, vous déjeunerez, mais ne vous attendez pas à des miracles ! C'est une vieille tradition de Taft, et ceux qui parmi vous suivent les traces de leurs pères le savent déjà.

Quelques élèves, dont Tom, eurent un sourire entendu.

Au cours de la visite guidée qui suivit, Nathan ne le quitta plus : il semblait savoir tout ce que Haskins allait leur dire. Rien d'étonnant : son père, mais aussi son grand-père, étaient d'anciens élèves de l'établissement.

Le temps que la tournée des lieux prenne fin, Nathan et Tom étaient les meilleurs amis du monde. Vingt minutes plus tard, quand ils entrèrent en classe, ils s'assirent l'un à côté de l'autre.

Comme 11 heures sonnaient, M. Haskins entra, suivi d'un élève qui paraissait plein d'assurance. Le maître le suivit des yeux tandis qu'il allait s'asseoir.

— Votre nom ?

— Ralph Elliot.

— Ce sera la dernière fois que vous arriverez en retard à mon cours, tant que vous serez à Taft. Me fais-je bien comprendre, Elliot ?

— Tout à fait, répondit le jeune garçon, avant d'ajouter : monsieur.

— Comme je vous l'ai dit, reprit M. Haskins en s'adressant à la classe, notre première leçon sera consacrée à l'histoire des États-Unis, ce qui est d'autant plus approprié que notre établissement fut fondé par le frère d'un de nos présidents.

Nul ne pouvait l'ignorer : il y avait un portrait de William H. Taft dans la grande salle, et une statue de son frère dans la cour.

— Quel a été le premier président des États-Unis ?

Toutes les mains se levèrent ; M. Haskins eut un signe de tête à l'adresse d'un élève assis au premier rang.

— George Washington, monsieur.

— Le deuxième ?

Il y eut moins de mains. Cette fois, ce fut au tour de Tom de répondre :

— John Adams, monsieur.

— Très bien. Le troisième ?

Deux mains seulement se levèrent, celle du garçon arrivé en retard et celle de Nathan, que Haskins désigna du doigt :

— Thomas Jefferson, de 1800 à 1808.

— Et le quatrième ?

— James Madison, de 1809 à 1817, répondit Elliot.

— Et le cinquième, Cartwright ?

— James Monroe, de 1817 à 1825.

— Le sixième, Elliot ?

— John Quincy Adams, de 1825 à 1829.

— Le septième, Cartwright ?

Nathan se creusa la cervelle en vain :

— Je ne me souviens pas, monsieur.

— Vous ne vous souvenez pas ou vous l'ignorez ? Ce n'est pas la même chose du tout. Elliot ?

— Je crois que c'est William Henry Harrison, monsieur.

— Non, lui fut le neuvième président des États-Unis. Mais comme il est mort de pneumonie un mois après son investiture, nous lui consacrerons peu de temps. Veillez à pouvoir me donner le nom du septième président demain matin. Maintenant, nous allons en revenir aux Pères fondateurs. Mieux vaut que vous preniez des notes, car vous allez devoir me rendre une composition de trois pages sur la question lors de notre prochaine rencontre.

Quand le cours prit fin, Nathan avait rempli trois bonnes pages, mais Tom une seule. Comme ils sortaient, Elliot les frôla sans les regarder.

— Un adversaire à la hauteur, on dirait ! remarqua Tom.

Nathan ne répondit rien. Il ne pouvait pas deviner que Ralph Elliot et lui seraient ennemis pour le restant de leurs jours.

7

Le match annuel de football américain entre Hotch-kiss et Taft était l'événement sportif du semestre. Les deux équipes étant restées invaincues tout au long de la saison, on ne parlait plus d'autre chose depuis le milieu du trimestre.

La partie serait disputée le dernier samedi d'octobre et, dès le coup de sifflet final, tous les pensionnaires seraient libres pour le week-end, et un jour de plus si leur équipe avait gagné.

Le lundi précédant le match, la classe d'Andrew subit ses premiers examens, après que le principal avait déclaré, lors d'une assemblée tenue le matin même :

— La vie est une série de tests et d'examens, et c'est pourquoi il y en a tous les trimestres à Hotchkiss !

Le mardi soir, Andrew téléphona à sa mère pour lui dire qu'il pensait avoir réussi.

Le mercredi, il confia à Jimmy qu'il n'en était plus si sûr.

Le jeudi, il passa en revue tout ce qu'il n'avait pas écrit, et se demanda s'il passerait l'épreuve.

Le vendredi matin, les résultats furent punaisés sur les tableaux d'affichage de l'école : le nom d'Andrew Daven-port était au premier rang. Courant jusqu'au téléphone le plus proche, il en informa sa mère, qui fut ravie :

— Il faut fêter ça ! dit-elle.

Il en aurait été tenté mais, quand il vit que Jimmy était dernier de la classe, il en perdit toute envie.

Le samedi matin, lors de l'assemblée générale de tous les élèves, le chapelain dit des prières pour « notre équipe de football, restée invaincue, et qui n'a jamais

34

joué que pour la gloire de Dieu ». De toute évidence, le principal, quant à lui, ne doutait nullement que le Seigneur la soutiendrait.

À Hotchkiss, tout était fonction de l'ancienneté, même la place qu'on occupait sur les gradins. Les nouveaux étaient donc relégués en bout de terrain, et c'est là qu'Andrew et Jimmy, un samedi sur deux, purent voir leurs héros remporter match sur match sans jamais connaître la défaite. Ce qui les mettait à égalité avec ceux de Taft.

Comme le match entre les deux établissements se déroulerait pendant un week-end où les élèves rentraient chez eux, les parents de Jimmy invitèrent Andrew et ses parents à un pique-nique avant le coup d'envoi. Il n'en parla pas à ses camarades, de peur de les rendre jaloux. Il était déjà suffisamment difficile d'être premier de la classe, inutile d'annoncer qu'en plus il suivrait la partie avec quelqu'un qui avait des sièges dans la tribune d'honneur.

— Comment est ton père ? demanda Jimmy la veille au soir, alors que les lumières étaient déjà éteintes.

— Super, répondit Andrew. Mais attention, c'est un ancien de Taft, et un fervent Républicain. Et ton père à toi ? Je n'ai jamais rencontré de sénateur.

— C'est un politicien jusqu'au bout des ongles ; enfin, c'est ce qu'écrit la presse. Ne me demande pas ce que ça veut dire.

Le matin du grand jour, personne ne put se concentrer pendant le cours de chimie, en dépit de l'enthousiasme de M. Bailey pour les effets de l'acide sur le zinc ; il ne put même pas allumer les becs Bunsen, Jimmy ayant coupé l'alimentation du gaz.

À midi juste, une sonnerie libéra les trois cent quatre-vingts élèves, qui se ruèrent dans la cour en hurlant. Andrew courut jusqu'au point de rassemblement pour retrouver ses parents, examinant les voitures et les taxis qui passaient.

— Comment vas-tu, Andrew chéri ? demanda sa mère en descendant du véhicule.

Il espéra de tout son cœur que personne n'avait entendu le mot « chéri ». Puis il serra la main de son père et dit :

— Nous devons partir vers le terrain immédiatement : le sénateur Gates et son épouse nous ont invités à un pique-nique avant le match.

Son père haussa les sourcils :

— Le sénateur Gates ? C'est un Démocrate, non ? demanda-t-il avec un dédain affecté.

— Et un ancien capitaine de l'équipe de football américain de Hotchkiss. Son fils Jimmy est dans ma classe, c'est mon meilleur ami ! Maman pourra s'asseoir à côté du sénateur. Si tu veux, papa, tu pourras toujours rester de l'autre côté du terrain avec les supporters de Taft.

— Non, non, je viens aussi. Ce sera très agréable d'être à côté de lui quand Taft remportera la victoire.

C'était une belle journée d'automne ; tous trois se rendirent à pied jusqu'au terrain de jeu, marchant sur un tapis doré de feuilles mortes. Ruth aurait voulu tenir la main de son fils, mais il resta juste assez loin d'elle pour rendre la chose impossible. Ils entendirent les cris des supporters bien avant d'atteindre le stade.

Andrew aperçut Jimmy à côté d'une Oldsmobile wagon, dont le hayon abritait une nourriture infiniment plus somptueuse que tout ce qu'il avait pu manger depuis deux mois. Un homme de grande taille, très élégant, s'avança vers eux :

— Bonjour ! Je suis Harry Gates.

Le père d'Andrew serra la main qu'on lui tendait :

— Bonjour, sénateur ! Je suis Robert Davenport, et voici ma femme Ruth.

— Appelez-moi Harry ! Ma femme, Martha.

— Voulez-vous boire quelque chose ? demanda celle-ci.

— Il faudra faire vite, dit le sénateur en regardant sa montre, sinon nous n'aurons jamais le temps de manger avant le coup d'envoi. Ruth, laissez-moi vous servir à boire. Mais votre mari se débrouillera ! Je repère un Républicain à cent pas !

— C'est encore pire que ça ! répondit Ruth.

— Ne me dites pas qu'en plus, c'est un ancien de Taft ! Je songeais justement à en faire un délit dans cet État !

Comme elle hochait la tête, le sénateur se tourna vers le jeune garçon :

— Alors, Andrew, viens donc un peu discuter avec moi, car je vais ignorer ton père !

Flatté, Andrew se mit à parler avec le sénateur du fonctionnement de l'assemblée du Connecticut.

— Andrew, dit Ruth, ne crois-tu pas que le sénateur aimerait parler d'autre chose que de politique ?

— Non, non, répondit Harry Gates. Il est rare que les électeurs posent des questions aussi intéressantes, et je ne puis qu'espérer que Jimmy en fasse autant !

Après avoir déjeuné, tous se rendirent jusqu'aux gradins, et s'assirent quelques instants avant le début du match. Andrew ne put contenir son excitation à mesure que le moment fatidique approchait. Jetant un coup d'œil de l'autre côté du terrain, il entendit les cris de l'ennemi : « T ! A ! F ! T ! » et tomba amoureux d'un seul coup.

Les yeux de Nathan restaient fixés sur le visage au-dessus de la lettre A.

— C'est lui le meilleur de la classe, dit Tom à Michael Cartwright, qui sourit.

— De justesse, répondit Nathan. N'oublie pas que j'ai battu Ralph Elliot d'un cheveu.

— C'est le fils de Max Elliot ? demanda son père.

— Qui est-ce ?

— Quelqu'un que, dans ma partie, on appelle un risque inacceptable.

— Et pourquoi ?

Mais Michael ne tenait guère à en dire davantage, et fut soulagé de voir son fils distrait par les pom-pom girls qui, pompons bleus et blancs aux poignets, entamaient leur rituelle danse de guerre. Nathan remarqua aussitôt la deuxième sur la gauche, qui semblait lui sourire, bien qu'évidemment il ne put être pour elle qu'un point dans la mer de visages.

— Laquelle t'a séduit ? demanda Tom en le frappant au bras.

— Comment ?

— Ne fais pas semblant de ne pas avoir compris.

Nathan pencha la tête et dit à voix basse, pour éviter que son père entende :

— La deuxième sur la gauche, avec la lettre A sur son sweater.

— Diane Coulter ! dit Tom, heureux de découvrir que, pour une fois, il savait quelque chose que son ami ignorait.

— Comment le sais-tu ?

— C'est la sœur de Dan Coulter.

— Lui ? Mais c'est le joueur le plus laid de l'équipe ! Des oreilles en chou-fleur, un nez bosselé...

— Comme Diane, si elle avait joué avec l'équipe chaque week-end depuis cinq ans !

— Qu'est-ce que tu sais d'autre à son sujet ?

— Ah ! ah ! Je vois que c'est du sérieux !

Ce fut le tour de Nathan de frapper son camarade sur le bras.

— Est-ce bien raisonnable ? demanda Tom. Ce n'est pas là le code de Taft ! « Triomphez de votre adversaire par la force de vos arguments, non de vos bras », disait Oliver Wendell Holmes. Enfin, je crois...

— Arrête de bavasser et réponds à ma question.

— Pour être franc, je n'en sais guère plus. Je me souviens qu'elle est à Westover et joue dans leur équipe de hockey.

— De quoi parlez-vous donc à voix basse ? demanda le père de Nathan.

— De Dan Coulter, répondit Tom sans se démonter, un des joueurs de notre équipe. J'expliquais à Nathan qu'il mange huit œufs tous les matins au petit-déjeuner !

Nathan fixait toujours la fille au A. C'était la première fois qu'il remarquait une représentante du sexe opposé depuis qu'il était dans cette école. Mais il y eut soudain une clameur tout autour de lui : l'équipe de Taft entrait sur le terrain. Quelques instants plus tard, celle de Hotchkiss fit son apparition, et fut accueillie par ses supporters avec le même enthousiasme.

Andrew s'était levé, mais ses yeux restaient fixés sur la fille dont le sweater s'ornait d'un A. Il se sentait un peu coupable à l'idée que la première fille dont il s'éprenne soit une supporter de l'équipe adverse.

Le sénateur se pencha pour lui chuchoter à l'oreille :

— Pense à notre équipe !

— C'est bien ce que je fais !

Les deux capitaines s'en allèrent rejoindre l'arbitre, qui lança une pièce de monnaie en l'air : elle retomba dans la boue et les joueurs de Taft se tapèrent dans le dos.

Nathan contemplait toujours Diane quand elle remonta dans les gradins. Comment la rencontrer ? Cela paraissait difficile. Dan Coulter était un véritable dieu. Comment un petit nouveau pourrait-il escalader les pentes de l'Olympe ?

— Bien joué ! hurla Tom.

— Comment ?

— Coulter vient juste de nous faire progresser de dix mètres.

— Coulter ?

— Tu étais trop occupé à regarder sa sœur alors qu'il gagnait du terrain ?

— Pas du tout !

— Alors, dis-moi de combien nous avons avancé !

Comme Nathan ne répondait pas, Tom soupira :

— C'est bien ce que je pensais ! Le temps est venu que je t'arrache à ta souffrance.

— Comment ça ?

— Il va falloir que j'arrange une rencontre.

— Tu peux ?

— Bien sûr. Son père vend des voitures, c'est toujours chez lui que nous achetons les nôtres... Il suffira que tu viennes chez nous pendant les vacances.

Tom n'entendit pas la réponse de Nathan, car celle-ci fut noyée par une énorme clameur des supporters de Taft : leur équipe venait d'intercepter la balle.

Quand l'arbitre siffla la fin du premier quart-temps de la partie, Nathan hurla plus fort que les autres, oubliant que Taft était mené aux points, et resta debout en espérant que la fille aux cheveux blonds bouclés et au sourire ensorcelant pourrait le remarquer. Mais elle était bien trop occupée à sauter sur place avec énergie pour encourager les élèves de Taft à hurler encore plus fort.

Le début du second quart-temps arriva bien trop tôt ; la jeune fille disparut dans les gradins, et Nathan, à contre-cœur, se rassit et fit semblant de s'intéresser au match.

— Puis-je vous emprunter vos jumelles, monsieur ? demanda Andrew au père de Jimmy en plein milieu de la partie.

— Bien sûr, mon garçon, répondit le sénateur en les lui tendant. Tu me les rendras quand le match recommencera.

Andrew ne prit pas garde au sous-entendu, trop occupé à regarder la fille avec le A sur son sweater.

— Laquelle t'intéresse ? chuchota le sénateur.

— Je regardais simplement les gens d'en face.

— T, A, F ou T ?

Andrew vira à l'écarlate :

— A, monsieur.

Reprenant ses jumelles, le père de Jimmy examina la jeune fille :

— J'approuve ton choix, mon garçon, mais que comptes-tu faire ?

— Je ne sais pas, monsieur, soupira Andrew. Je ne sais même pas comment elle s'appelle.

— Diane Coulter.

— Comment le savez-vous ?

— Un peu de recherche ! On ne vous apprend pas ça à Hotchkiss ? Tout ce qu'il te faut savoir se trouve page onze du programme, ajouta le sénateur en lui tendant la brochure.

La page onze était consacrée aux pom-pom girls qui soutenaient les deux équipes. Andrew contempla la photo. Diane avait un an de moins que lui – à treize ans, les femmes acceptent encore de donner leur âge – et jouait du violon dans l'orchestre de son école. Il se dit qu'il aurait dû suivre les conseils de sa mère et se mettre au piano.

À l'issue d'une difficile avancée, Taft finit par prendre l'avantage aux points, et Diane refit son apparition pour galvaniser les supporters.

— Tu es mordu ! dit Tom. Je crains d'être obligé de faire les présentations.

— Tu la connais vraiment ? demanda Nathan, incrédule.

— Depuis l'âge de deux ans ! Nous sommes allés dans les mêmes fêtes pendant toute notre enfance !

— Je me demande si elle a un copain.

— Ça, je n'en sais rien. Pourquoi ne pas venir passer une semaine chez nous pendant les vacances ? Je m'occuperai du reste.

— Tu ferais ça ?

— Pas pour rien.

— À quoi penses-tu ?

— Aide-moi pour faire les devoirs qu'on nous a donnés pour les vacances. Comme ça, je pourrai me consacrer à tes petites affaires.

— Marché conclu, dit Nathan.

Le troisième quart-temps du match commença. À l'issue d'une série de passes brillantes, ce fut au tour de Hotchkiss de marquer et de reprendre l'avantage aux points.

— On y est presque ! s'écria le sénateur à la fin de la période.

— Il reste encore un quart, dit Andrew, à qui Harry Gates repassa ses jumelles.

— Il faut choisir ton camp ! lança-t-il au jeune garçon. Mais tu es trop captivé par la Mata-Hari de chez Taft !

Andrew resta perplexe. Il faudrait qu'il vérifie qui était Mata-Hari dès son retour dans sa chambre.

— Elle doit sans doute vivre dans le coin, ajouta le sénateur, auquel cas il faudra deux minutes à un membre de mon staff pour tout savoir d'elle.

— Même son adresse et son numéro de téléphone ?

— Et même si elle a un copain !

— Est-ce que ça n'est pas abuser de votre position ?

— Tout à fait ! Mais n'importe quel politicien en ferait autant, dès lors que ça lui assure des voix pour une prochaine élection !

— Mais ça ne résout pas le problème de la rencontrer.

— Il te suffira de venir passer quelques jours avec nous après Noël, et je veillerai à ce qu'elle et ses parents soient invités à un quelconque événement officiel.

— Vous feriez ça pour moi ?

— Tout à fait ! Mais si tu veux fréquenter les hommes politiques, il te faudra apprendre ce qu'est le donnant donnant.

— Je ferai ce que vous voulez !

— Ne dis jamais ça, mon garçon ! C'est te placer aussitôt dans la position du plus faible, et après, plus moyen de négocier ! Je veux simplement que tu aides Jimmy à quitter sa position de dernier de la classe.

— Marché conclu, sénateur !

— C'est bien ! De toute façon, Jimmy a l'air tout prêt à suivre ton exemple.

C'était la première fois qu'on disait à Andrew qu'il pourrait être un chef – ce qui, d'ailleurs, ne lui était jamais venu à l'esprit. Réfléchissant à ce que Gates venait de lui confier, il ne vit pas l'équipe de Taft marquer l'essai de la victoire. Ce fut l'apparition de Diane se livrant à ce qui, hélas, ressemblait tout à fait à un rituel de victoire qui lui fit comprendre qu'il n'y aurait pas de jour de congé supplémentaire à Hotchkiss cette année !

De l'autre côté du stade, Nathan et Tom se tenaient à la sortie des vestiaires, au milieu d'une foule de supporters venus acclamer leurs héros. Quand la jeune fille en sortit, Nathan donna un coup de coude à Tom, qui s'avança et dit :

— Bonjour, Diane ! Je voulais te présenter mon ami Nathan. Enfin, c'est plutôt lui qui voulait t'être présenté ! Il vit à Cromwell, mais il va venir passer quelques jours chez nous à Noël, alors tu auras l'occasion de mieux le connaître !

Nathan rougit jusqu'aux oreilles et songea que Tom ne ferait certainement jamais une carrière de diplomate.

8

Nathan était penché sur son bureau, essayant de ne penser qu'à la grande crise économique des années 1930. Il avait rempli la moitié d'une page, mais son esprit était ailleurs. Il ne cessait de penser à sa brève rencontre avec Diane. À peine avait-il eu le temps de dire un mot que son père était venu dire qu'il leur fallait partir.

Il avait découpé le portrait de la jeune fille reproduit dans le programme et le gardait toujours sur lui. Il aurait dû en récupérer d'autres exemplaires, car la petite photo commençait à être bien mal en point. Le lendemain du match, il avait téléphoné à Tom sous prétexte de parler du krach de Wall Street, en 1929, et avait demandé négligemment :

— Diane a parlé de moi après mon départ ?

— Elle t'a trouvé très sympa.

— Rien d'autre ?

— Et quoi donc ? Ton père est arrivé pour t'emmener au bout de deux minutes.

— Alors, qu'est-ce qu'elle a dit ?

— Qu'elle te trouvait très sympa. Si je me souviens bien, elle a ajouté quelque chose à propos de James Dean.

— C'est vrai ?

— Non.

— Tu n'es qu'un rat !

— C'est vrai. Mais un rat avec un numéro de téléphone.

— Tu as son numéro ? demanda Nathan, ne pouvant y croire.

— Tu comprends vite.

— Donne-le-moi !

— Tu as fini ta composition sur la crise économique ?

— Pas tout à fait, mais j'aurai terminé d'ici ce soir. Reste en ligne, je vais chercher un crayon.

Nathan écrivit le numéro au dos de la photo.

— Tu crois qu'elle sera surprise si je l'appelle ?

— Elle serait surtout surprise que tu ne l'appelles pas.

— Bonjour, je suis Nathan Cartwright. Je crains que tu ne te souviennes pas de moi.

— Non. Qui es-tu ?

— Nous nous sommes rencontrés après le match contre Hotchkiss, et tu as trouvé que je ressemblais à James Dean.

Nathan se regarda dans le miroir. Il n'avait jamais pensé à ça. Était-ce vrai ?

Il fallut quelques jours de plus, et des répétitions supplémentaires, pour avoir le courage de composer son numéro. Si son père ou sa mère répondait, il dirait :

— Bonjour, monsieur ou madame Coulter. Je m'appelle Nathan Cartwright, pourrais-je parler à votre fille ?

Si c'était Diane elle-même, il avait préparé une dizaine de questions. Il posa trois feuilles de papier devant lui et composa lentement le numéro de la jeune fille. La ligne était occupée. Peut-être discutait-elle avec un autre garçon ? Il recommença un quart d'heure plus tard. Toujours occupé. Peut-être parlait-elle avec un autre soupirant ? Au bout de dix minutes d'attente, il recommença une troisième fois. Son cœur se mit à battre à tout rompre quand il entendit la première sonnerie. Quelqu'un décrocha presque aussitôt.

— Allô ? dit une voix grave. Celle de Dan Coulter.

Nathan raccrocha aussitôt. Il relut sa prose avant d'essayer une quatrième fois. Cette fois, une voix féminine répondit.

— Diane ?

— Non, je suis sa sœur Tricia, dit la voix. (Apparemment, elle était plus âgée que Diane.) Elle est sortie, elle devrait revenir dans une heure. Que dois-je lui dire ?

44

— Que c'est de la part de Nathan et que je rappelle-rai dans une heure.

— D'accord.

— Merci !

Il regarda sa montre une bonne centaine de fois au cours des soixante minutes qui suivirent, mais décida d'attendre un quart d'heure de plus avant de téléphoner.

— Allô ! dit une voix plus jeune.

— Bonjour, est-ce que je pourrais parler à Diane ? demanda Nathan en lisant avec soin une des phrases qu'il avait préparées.

— Bonjour Nathan, c'est Diane. Tricia m'a dit que tu avais téléphoné, comment vas-tu ?

Cette réponse n'était pas prévue dans le dialogue.

— Très bien, finit-il par dire. Et toi ?

— Moi aussi.

Nouveau silence. Nathan en revint à son texte :

— Je viens la semaine prochaine à Simsbury passer quelques jours chez Tom.

— C'est bien ! dit Diane. Espérons que nous aurons l'occasion de nous rencontrer.

À court d'inspiration, Nathan relut fiévreusement ses questions.

— Nathan, tu es toujours là ?

Il posa la question numéro neuf :

— Oui. On pourrait se voir pendant que je suis à Simsbury ?

— Bien sûr, j'en serais ravie.

— Alors, à bientôt !

Pendant le reste de la soirée, il chercha à se souvenir en détail de la conversation, qu'il nota sur un bout de papier. Il n'arriverait chez Tom que dans quatre jours ; devait-il télé-phoner de nouveau, rien que pour confirmer ? Le magazine *Teen*, qu'il lisait assidûment, conseillait, lors d'un premier rendez-vous, d'être habillé de manière détendue. Or il ne possédait pas de vêtements de ce genre, hormis une chemise à carreaux qu'il avait dissimulée dans un tiroir une demi-heure après l'avoir achetée. Il avait réussi à mettre de côté sept dollars et vingt cents sur son allocation. Est-ce que ça suffirait à acheter une autre chemise et un pantalon? Si seulement il avait eu un frère aîné…

Il acheva son devoir quelques minutes à peine avant que son père ne l'emmène à Simsbury en voiture.

Pendant le trajet, Nathan ne cessa de se répéter qu'il aurait dû rappeler pour fixer un rendez-vous. Les parents de Tom se choqueraient-ils s'il téléphonait de chez eux dès son arrivée?

La Studebaker s'engagea sur un long chemin d'accès, dépassant un paddock plein de chevaux. Au bout d'un kilomètre et demi, ils arrivèrent dans une cour couverte de graviers, qui s'étendait devant une magnifique demeure coloniale entourée de chênes verts.

— Nom d'un chien! s'exclama le jeune garçon.

— Nathan!

— Excuse-moi, papa, mais jamais Tom ne m'avait dit qu'il vivait dans un palais!

— Il ne voulait pas t'impressionner. Tu sais ce que fait son père? Je peux te garantir en tout cas qu'il ne vend pas de polices d'assurance!

— Je crois qu'il est banquier.

— Ah! oui, bien sûr. Tom Russell, de la Russell Bank.

Tom les attendait en haut des marches:

— Bonjour, monsieur, comment allez-vous?

— Très bien, Tom, merci, répondit Michael Cartwright, pendant que Nathan sortait de la voiture en tenant une petite valise fatiguée ornée des initiales M.C.

— Accepteriez-vous de prendre un verre, monsieur?

— Merci, Tom, mais j'ai dit à ma femme que je rentrerais pour souper, et il faut que j'y aille.

Nathan eut un signe de la main à l'adresse de son père tandis que celui-ci repartait vers Cromwell.

Un maître d'hôtel fit alors son apparition et offrit de prendre la valise de Nathan, mais celui-ci refusa. Il fut conduit, après avoir grimpé un magnifique escalier circulaire, jusqu'à une chambre d'ami au premier étage. Les Cartwright en avaient une chez eux mais, en comparaison de celle-ci, elle aurait pu passer pour un placard à balais.

— Quand tu auras fini de t'installer, dit Tom, descends donc, je te présenterai ma mère. Nous serons dans la cuisine.

Il ne fallut que quelques minutes à Tom : la valise ne contenait que deux chemises, un pantalon et une cravate. Puis il redescendit, en se demandant comment il allait trouver la cuisine ; mais le maître d'hôtel l'attendait en bas de l'escalier et l'y conduisit.

— Maman, dit Tom, voici Nathan. C'est le plus brillant de la classe !

— Bonjour, Nathan, dit la mère de Tom. Heureuse de vous rencontrer.

— Bonjour, madame Russell. Moi aussi, je suis enchanté de vous rencontrer. Vous avez une maison superbe !

— Merci, Nathan. Nous sommes ravis que vous ayez pu venir nous voir quelques jours. Un Coca ?

— Oui, merci.

Une des cuisinières prit un Coca dans le réfrigérateur, le versa dans un verre et y ajouta de la glace.

— Merci ! lui dit Nathan, tandis qu'elle retournait près de l'évier et se remettait à éplucher des pommes de terre.

— Tu veux que je te fasse faire le tour des lieux ? demanda Tom.

— Est-ce que je pourrais téléphoner d'abord ?

— Pas la peine, Diane a déjà appelé.

— Déjà ?

— Oui, ce matin, pour demander à quelle heure tu arriverais. Comme elle m'a supplié de ne pas te le dire, je suppose que nous pouvons estimer qu'elle est intéressée.

— Alors, il faut que je l'appelle immédiatement.

— Pas du tout ! C'est la dernière chose à faire !

— Mais je l'avais promis !

— Je sais. Mais allons d'abord faire le tour de la maison.

Quand la mère d'Andrew le déposa à East Hartford, devant la demeure du sénateur Gates et de sa femme, ce fut Jimmy qui vint ouvrir.

— N'oublie pas de toujours appeler M. Gates « sénateur » ou « monsieur ».

— Oui, maman.

— Et ne lui pose pas trop de questions.

— Non, maman.

— Bonjour, madame Davenport, comment allez-
vous ? demanda Jimmy en leur ouvrant la porte.

— Très bien, Jimmy, merci, et vous ?

— Tout à fait bien. Mes parents sont absents, parce
qu'ils assistent à une cérémonie officielle, mais puis-je
vous offrir une tasse de thé ?

— Non, merci, je dois prendre part à une réunion du
conseil d'administration de l'hôpital. Transmettez toutes
mes amitiés à M. et Mme Gates.

Jimmy porta jusqu'à la chambre d'amis l'une des
valises d'Andrew, lequel posa l'autre sur le lit avant
d'étudier les images accrochées au mur – des estampes
de la guerre de Sécession, sans doute pour rappeler à
un Sudiste qui viendrait loger ici qui l'avait gagnée. Sans
doute inspiré par ces images, Jimmy demanda à son
ami s'il avait terminé sa composition sur Lincoln.

— Oui. Et toi ? Tu as trouvé le numéro de Diane ?

— J'ai mieux que ça. J'ai découvert dans quel café
elle passait ses après-midi. On pourrait passer par là,
disons vers 5 heures. Si ça ne marche pas, mon père a
invité ses parents à une réception officielle demain soir.

— Ils pourraient ne pas venir.

— J'ai vérifié la liste des invités, ils sont dessus.

— Où en es-tu côté boulot ? demanda Andrew.

— Je n'ai pas commencé.

— Jimmy, si tu ne passes pas les épreuves le trimestre prochain, M. Haskins te mettra en probation et je
ne pourrai rien faire.

— Je sais ! Tu as passé un accord avec mon père.

— Alors, nous commencerons dès demain matin, à
raison de deux heures par jour.

Jimmy se mit au garde à vous :

— À vos ordres, monsieur ! Mais, avant de nous
inquiéter de ça, tu devrais te changer.

Andrew avait apporté une dizaine de chemises et deux pantalons, mais il ne savait toujours pas ce qu'il devrait porter lors de la première rencontre.

— Une fois que tu auras fini de t'installer, dit Jimmy, viens donc me retrouver dans le séjour. La salle de bains est au bout du couloir.

Andrew enfila la chemise et le pantalon qu'il avait achetés la veille, chez un tailleur que son père lui avait recommandé. Puis il s'examina dans le miroir, sans avoir la moindre idée de ce dont il pouvait avoir l'air : il ne s'était encore jamais intéressé à sa tenue.

Jimmy et sa mère l'attendaient en bas de l'escalier, dans l'entrée.

— Maman, dit Jimmy, tu te souviens d'Andrew?

— Oh! que oui. Ton père a raconté à tout le monde la fascinante conversation qu'il a eue avec vous deux lors du match.

— C'est gentil de sa part, dit Andrew.

— Et je sais qu'il attend avec impatience de vous revoir.

— C'est gentil de sa part, répéta-t-il.

— Et voici ma petite sœur Annie, intervint Jimmy.

La jeune fille rougit, et pas seulement parce qu'elle haïssait qu'on l'appelle petite sœur ; depuis que l'ami de son frère était entré dans la pièce, il n'avait cessé de la regarder.

9

— Bonsoir, madame Coulter, je suis ravi de vous rencontrer, vous et votre mari. C'est là votre fille Diane, si je me souviens bien.

Les Coulter furent impressionnés ; jamais ils n'avaient rencontré le sénateur. C'étaient de fervents Républicains, et de surcroît leur fils avait marqué l'essai qui avait décidé de la victoire lors du match contre Hotchkiss.

— Chère Diane, poursuivit Harry Gates, j'aimerais vous présenter quelqu'un.

Il chercha des yeux Andrew qui, quelques instants plus tôt, était à ses côtés.

— Étrange ! Mais ce sera pour plus tard, il ne faut pas que vous repartiez sans l'avoir vu.

Les Coulter allèrent donc se joindre aux autres invités. Le sénateur se tourna vers son fils :

— Où donc Andrew a-t-il disparu ?

— Cherche Annie et il sera juste derrière ; il ne l'a pas quittée d'une semelle depuis son arrivée. Je vais lui acheter une laisse et l'appeler Rintintin.

— J'espère qu'il ne pense pas pour autant être libéré de sa promesse !

— Pas du tout ! Ce matin, nous avons étudié *Roméo et Juliette* pendant deux heures. Devine dans quel rôle il se voit ?

— Et toi ?

— Je crois que c'est Mercutio.

— Pour cela, il faudrait que tu te mettes à courtiser Diane.

— Je ne comprends pas.

— Demande à Andrew de t'expliquer.

Tricia vint ouvrir, en tenue de tennis :
— Diane est là ? demanda Nathan.
— Non, elle est au Capitole avec mes parents. Ils seront de retour dans une heure. À propos, je suis Tricia, c'est moi qui t'avais répondu au téléphone. J'allais juste boire un Coca, tu en veux un aussi ?
— Oui, merci.
Elle le conduisit dans la cuisine et lui désigna du doigt un siège sur lequel il s'assit. Puis elle ouvrit le frigo en se penchant un peu, ce qui redressa sa courte jupe ; Nathan ne put détacher ses yeux du spectacle.
— Tu ne sais pas quand ils doivent rentrer ? demanda Nathan.
— Je te l'ai dit, dans une heure environ. Pour le moment, tu es coincé avec moi !
Il but une gorgée de Coca en silence, ne sachant trop que dire ; Diane et lui étaient convenus d'aller voir *Du silence et des ombres*.

— Je ne vois pas ce que tu lui trouves, dit Jimmy.
— Elle est tout ce que tu n'es pas, répondit Andrew en souriant : jolie, intelligente, drôle, et…
— Tu es sûr de parler de ma sœur ?
— Et après tu t'étonnes de porter des lunettes !
— À propos, papa veut savoir si tu tiens toujours à rencontrer Diane Coulter.
— Non, plus maintenant. Elle est à toi.
— Non merci, je n'ai pas besoin de tes vieux restes. J'ai parlé à papa de *Roméo et Juliette*, et lui ai dit que je me voyais en Mercutio.
— Seulement si je sortais avec la sœur de Dan Coulter, mais je ne suis plus intéressé.
— Je ne comprends pas.
— Je t'expliquerai demain, répondit Nathan, au moment même où Annie faisait son apparition avec deux Coca ; elle eut un regard mauvais à l'adresse de son frère, qui se hâta de disparaître.

Tous deux restèrent silencieux, puis Annie demanda :

— Tu aimerais que je te montre la salle du Sénat ?

— Ce serait parfait !

Elle se leva et sortit, Andrew sur les talons.

— Tu as vu ce que j'ai vu ? dit Harry Gates à sa femme quand les deux adolescents eurent disparu.

— En effet, dit Martha Gates. Mais, à ta place, je ne m'inquiéterais pas trop. Je ne crois pas qu'aucun des deux soit capable de séduire l'autre.

— Ça ne m'a pas empêché d'essayer au **même** âge, comme tu dois t'en souvenir.

— Ah, les politiciens ! Encore une histoire que tu as embellie au fil des années ! C'est moi qui t'ai séduit, si je me souviens bien !

Nathan buvait son Coca quand il sentit une main sur sa cuisse. Il rougit, mais resta immobile. Tricia sourit :

— Tu peux faire pareil, si tu veux.

Il jugea qu'il serait impoli de ne pas s'exécuter.

— C'est mieux ! dit-elle. Fais comme moi.

Il sentit la main de la jeune fille remonter le long de son pantalon bien repassé et l'imita, mais s'arrêta en parvenant au rebord de sa jupe.

— Tu es en retard ! dit-elle d'un ton moqueur en ouvrant le premier bouton. Sous la jupe, pas pardessus !

Il obéit tandis qu'elle continuait à ouvrir sa braguette mais, de nouveau, s'arrêta en arrivant à hauteur de sa culotte. Que faire ensuite ? Il ne se souvenait pas avoir lu quoi que ce soit là-dessus dans *Teen*.

— Voici la salle du Sénat, dit Annie.

Ils contemplaient, depuis la galerie, un hémicycle peuplé de fauteuils de cuir bleus.

— C'est très impressionnant, commenta Andrew.

— Papa pense que tu y entreras un jour, ou même que tu iras plus loin. Je l'ai entendu dire à maman que jamais il n'avait rencontré un garçon plus brillant.

— Tu sais ce qu'on raconte sur les politiciens...

— Oui, bien sûr, mais papa sourit toujours quand il ne parle pas sérieusement et, cette fois, il ne souriait pas.

Andrew préféra changer de sujet :

— À quel endroit siège-t-il ?

— En tant que chef de la majorité, le troisième siège au premier rang en partant de la gauche. Mais je ne veux pas trop t'en dire, je sais qu'il compte te faire visiter les lieux.

Leurs mains se touchèrent.

— Pardon, bafouilla-t-il en retirant la sienne.

— Ne sois pas sot, répondit-elle en la prenant de nouveau.

— Ne crois-tu pas que nous devrions aller les retrouver ? Ils vont commencer à se demander où nous sommes.

— Peut-être que oui. Andrew, as-tu déjà embrassé une fille ?

Il rougit violemment :

— Non.

— Ça te plairait ?

— Oui.

— Ça te dirait de m'embrasser ?

Il hocha la tête ; Annie ferma les yeux et tendit les lèvres. Andrew jeta un coup d'œil pour s'assurer que les portes étaient fermées, se pencha et l'embrassa doucement sur la bouche.

— Tu sais ce que c'est qu'un baiser langué ?

— Non.

— Moi non plus. Si tu l'apprends, tu me le diras ?

— Promis.

II
L'EXODE

10

— Tu vas te présenter à la présidence ? demanda Jimmy.

— Je n'ai pas encore décidé, dit Andrew.

— Tout le monde en est persuadé.

— C'est bien là le problème.

— Et mon père y tient.

— Mais pas ma mère.

— Et pourquoi ?

— Elle pense que je devrais consacrer ma dernière année à obtenir une place à Yale.

— Mais si tu deviens président des étudiants, cela ne pourra que t'aider. C'est moi qui vais avoir des problèmes pour en obtenir une !

Andrew sourit :

— Ton père devrait pouvoir arranger les choses.

— Qu'en pense Annie ?

— Elle me laisse le choix.

— Alors, je vais peut-être devoir jouer le facteur décisif.

— Comment ça ?

— Si tu veux avoir une chance de gagner, il faut que je sois ton directeur de campagne.

— Si tu veux assurer ma victoire, mieux vaudrait proposer tes services à mon rival !

L'arrivée du père de Jimmy mit un terme à leur échange :

— Andrew, peux-tu m'accorder un moment ?

— Bien sûr, monsieur.

— Peut-être pourrions-nous discuter dans mon cabinet de travail.

Andrew se leva et le suivit, non sans jeter un coup d'œil à Jimmy, qui se contenta de hausser les épaules.

— Assieds-toi, dit Harry Gates en prenant place derrière son bureau. Andrew, j'ai besoin d'une faveur.

— Tout ce que vous voudrez, monsieur. Jamais je ne pourrai vous rendre tout ce que vous avez fait pour moi.

— Tu as tenu ta promesse ; depuis trois ans, Jimmy est parmi les meilleurs élèves, et jamais il n'aurait eu l'ombre d'une chance sans ta vigilance. Maintenant, je tiens à ce qu'il puisse entrer à Yale.

— Mais comment l'aider, alors que je ne suis pas sûr d'y arriver moi-même ?

— Si tu deviens président des étudiants, ce dont je suis persuadé, tu devras aussitôt nommer un vice-président. Cela pourrait faire la différence pour Jimmy quand le comité d'admission de Yale décidera de l'attribution des places qui restent.

— En tout cas, cela vient de faire la différence pour moi, monsieur.

— Merci, Andrew. Mais ne va pas dire tout ça à Jimmy.

Le lendemain matin, à peine levé, Andrew se rendit dans la chambre de Jimmy et s'assit sur son lit. Le jeune homme se réveilla en sursaut :

— J'étais en train de rêver de Daisy Hollingworth ! cria-t-il.

— Continue ! La moitié de l'équipe de football en est amoureuse.

— Alors, pourquoi me réveilles-tu ?

— J'ai décidé de me présenter à la présidence, et je n'ai aucune chance si mon directeur de campagne passe la journée au lit.

— C'est suite à ce que mon père t'a dit ?

— Indirectement. Qui sera mon principal rival, d'après toi ?

— Steve Rogers. L'athlète contre l'austère intello. Kennedy contre Adlai Stevenson, quoi !

— Tu sais ce que veut dire austère ? Ça m'étonne.

Jimmy se leva :

— L'heure n'est pas aux plaisanteries ! Si tu veux le battre, tu vas devoir être prêt à tout ce qu'ils te lanceront à la figure ! Je crois que nous devrions commencer par un petit déjeuner avec papa : c'est toujours comme ça qu'il entame une campagne.

— Quelqu'un va se présenter contre toi ? demanda Diane Coulter.

— Personne que je ne puisse vaincre.

— Et Nathan Cartwright ?

— Tout le monde sait qu'il est le chouchou du principal, et que, s'il est élu, il se contentera de satisfaire ses désirs. En tout cas, c'est ce que mes supporters vont raconter partout !

— N'oublie pas la manière dont il a traité ma sœur !

— Je croyais que c'est toi qui l'avais plaqué ? Je ne savais même pas qu'il connaissait Tricia.

— Il ne la connaissait pas, mais ça ne l'a pas empêché de tenter sa chance quand il est venu me voir à la maison.

— Quelqu'un d'autre est au courant ?

— Mon frère Dan. Il l'a surpris dans la cuisine, la main sous sa jupe. Elle s'est plainte qu'elle n'avait pu l'en empêcher.

— Ah bon ? Tu crois que ton frère accepterait de me soutenir ?

— Oui, mais il ne peut pas faire grand-chose maintenant qu'il est à Princeton.

— Oh ! que si. Pour commencer...

— Qui sera mon principal rival ? demanda Nathan.

— Ralph Elliot, évidemment ! répondit Tom. Il prépare sa campagne depuis le trimestre dernier.

— Mais c'est contre les règles !

— Je ne pense pas qu'il se soit jamais soucié des règles ; et comme il sait que tu es beaucoup plus populaire que lui, il faut nous attendre à une campagne bien crade.

— Je n'ai aucune intention de recourir à ces méthodes.

— Alors, il nous faudra recourir à la méthode Kennedy. Tu devrais commencer ta propre campagne en le défiant de prendre part à un débat public.

— Jamais il n'acceptera.

— Alors tu gagnes sur les deux tableaux. S'il accepte, tu l'écrases, s'il refuse, tu prétends qu'il s'est dégonflé. Envoie-lui une lettre, j'en accrocherai un double sur le panneau.

— Mais on n'a pas le droit de faire ça sans la permission du principal !

— Le temps qu'elle soit arrachée, tout le monde l'aura lue, et ceux qui ne l'auront pas fait voudront savoir ce qu'elle disait.

— Et, d'ici là, j'aurai été disqualifié.

— Pas tant que le principal pensera qu'Elliot peut l'emporter.

— J'ai perdu ma première campagne, dit le sénateur Gates, alors veille à ne pas commettre les mêmes erreurs que moi. Pour commencer, qui est ton directeur de campagne ?

— Jimmy, bien sûr.

— Jamais de copinage ! Il faut choisir quelqu'un dont tu es sûr qu'il fera son boulot, même si vous n'êtes pas très proches.

— Je suis convaincu que Jimmy est le plus compétent.

— Bien. Jimmy, n'oublie pas une chose : tu ne serviras à rien à Andrew si tu n'es pas prêt à lui dire la vérité, si déplaisante qu'elle puisse être. Bon : qui est ton principal rival, Andrew ?

— Steve Rogers.

— Que sais-tu de lui ?

— Un type assez sympa, mais pas grand-chose entre les oreilles, intervint Jimmy.

— Sinon une belle gueule ! soupira Andrew.

— Et plusieurs essais au cours de la dernière saison, reprit le sénateur. Nous connaissons l'ennemi, commençons par rassembler nos amis. En premier lieu, vous allez devoir former un petit cercle de six ou huit personnes.

Deux qualités leur suffiront : l'énergie et la fidélité. Si, en plus, elles ont de la cervelle, ce sera encore mieux ! Quelle est la durée de la campagne ?

— Un peu plus d'une semaine. On se retrouve à l'école le lundi à 9 heures, et le vote a lieu le mardi matin de la semaine suivante.

— Qui vote ? demanda le sénateur.

— Tous les élèves.

— Alors, veille à consacrer autant de temps à ceux qui sont dans les petites classes qu'aux autres. Ils seront flattés que tu t'intéresses à eux. Jimmy, veille à te procurer une liste à jour de tous ceux qui votent, de manière à pouvoir les contacter tous avant le jour fatidique ! N'oubliez pas, par ailleurs, que les nouveaux voteront pour celui qui a discuté avec eux en dernier.

Jimmy déplia une grande feuille de papier :

— Il y a trois cent quatre-vingts élèves : j'ai marqué en rouge ceux que nous connaissons déjà, en bleu ceux qui devraient soutenir Andrew, en jaune les nouveaux. Les autres, rien.

— N'oublie pas les frères cadets !

— Je les ai marqués en vert. Ceux qui ont un frère aîné dans une classe supérieure devront s'assurer des soutiens parmi leurs condisciples et le faire savoir à leurs aînés qui sont nos partisans.

— C'est toi qui devrais te présenter à la présidence, dit Andrew, plein d'admiration.

— Non. Je suis fait pour être directeur de campagne.

Il était 6 h 30 du matin, le jour de la rentrée, quand Nathan et Tom vinrent s'installer sur le parking. Le premier véhicule à y pénétrer fut celui du principal.

— Bonjour, Cartwright ! lança-t-il. À en juger par votre enthousiasme à une heure aussi matinale, je suppose que vous comptez vous présenter à la présidence ?

— Oui, monsieur.

— Excellent ! Et qui sera votre grand rival ?

— Ralph Elliot.

Le principal fronça les sourcils :

— Alors, la bataille va être rude, car Elliot va se battre pied à pied.

Puis il partit. La deuxième voiture déposa un nouveau à l'air terrifié, qui s'enfuit quand Nathan voulut l'approcher. Pire encore, la troisième était pleine de partisans d'Elliot, qui se hâtèrent de se disperser sur le parking, ayant manifestement répété la manœuvre.

— La première réunion de notre équipe ne doit avoir lieu qu'à 10 heures ! siffla Tom. Elliot a déjà briefé la sienne pendant les vacances !

— Ne t'inquiète pas, répondit Nathan, rassemble nos gars dès leur arrivée et mets-les au travail tout de suite.

Quand la dernière voiture vint déposer ses occupants, Nathan avait déjà répondu à près d'une centaine de questions, et serré les mains de près de trois cents élèves. Mais il était déjà clair qu'Elliot était prêt à leur promettre n'importe quoi en échange de leur vote.

— On devrait faire savoir à tout monde quelle crapule c'est ! dit Tom.

— Et comment ?

— En leur disant qu'il cajole les nouveaux pour les convaincre de se séparer de leur argent de poche.

— Il n'y a pas de preuves.

— Non, rien que des plaintes incessantes.

— S'il y en a tant que ça, ils sauront pour qui voter. En tout cas, je n'ai pas envie de ce genre de campagne. Je préfère penser que les autres sont capables de décider à qui de nous deux ils peuvent faire confiance.

— Quelle folle originalité !

— En tout cas, le principal a clairement montré qu'il ne veut pas d'Elliot comme président.

— Mieux vaut ne pas le faire savoir. Ça pourrait rapporter quelques voix de plus à notre cher Ralph.

— Comment ça se passe, d'après toi ? demanda Andrew à Jimmy.

— Je ne sais pas trop. Beaucoup d'élèves disent aux deux camps qu'ils voteront pour eux, simplement parce qu'en fait ils veulent qu'on sache qu'ils ont soutenu le vainqueur. Heureusement que le vote n'a pas lieu samedi soir !

— Et pourquoi ?

— Parce que, l'après-midi, on affronte Kent, et si jamais Steve Rodgers marque un essai, tu peux dire adieu au poste de président. Surtout que le match se déroule à domicile ! Tout le monde sera sur les gradins, et nous sommes bien forcés d'espérer une défaite, ou du moins que Rodgers joue mal.

Le samedi, à 14 heures, Andrew s'assit dans le stade, prêt à passer l'heure la plus longue de sa vie. Mais même lui n'aurait pu prédire le résultat.

— Bon Dieu ! s'écria Nathan. Comment a-t-il pu arriver à ça ?

— Corruption ! dit Tom. Elliot n'a jamais été assez bon joueur pour faire partie de l'équipe.

— Tu crois qu'ils vont le faire jouer ?

— Et pourquoi pas ? En cours de match, bien sûr, quand ils seront à peu près sûrs du résultat. Il pourra courir dans tous les sens et faire signe aux gars qui votent, et nous serons là sur les gradins à le regarder.

— Alors, faisons en sorte que nos partisans soient à la sortie du stade quelques minutes avant la fin du match ! Et ne montre à personne nos pancartes avant samedi après-midi. Comme ça, Elliot n'aura pas le temps d'en concocter d'autres.

— Tu apprends vite.

— Avec un adversaire comme lui, on n'a pas le choix.

— Je ne sais pas trop comment ça va affecter les votes, dit Jimmy, alors qu'Andrew et lui couraient rejoindre le reste de l'équipe. Steve Rogers ne serrera pas de mains, cette fois-ci.

— Je me demande combien de temps il restera à l'hôpital.

— Trois jours suffiront ! s'exclama Jimmy en éclatant de rire.

Andrew fut ravi de constater que son équipe était déjà en place ; plusieurs élèves vinrent dire qu'ils voteraient pour lui. Mais la partie demeurait serrée, et il resta devant la sortie du stade, serrant la main de tout adolescent ayant entre quatorze et dix-neuf ans – y compris, sans doute, des supporters de l'équipe adverse.

Comme ils retournaient dans leurs chambres, Jimmy reconnut que personne n'aurait pu prévoir un match nul, ni surtout que Rodgers serait en route pour l'hôpital vingt minutes après le début de la partie.

— Si on votait ce soir, il l'emporterait, par effet de sympathie. S'il ne revient pas avant mardi, 9 heures, tu seras élu.

— Être à la hauteur du boulot, ça ne compte pas ?

— Bien sûr que non ! C'est ça, la politique.

Quand Nathan arriva, ses pancartes étaient partout, et les partisans d'Elliot ne purent que crier au scandale. Tom et lui s'assirent sur les gradins, sans pouvoir dissimuler leurs sourires. Saint-George prit l'avantage en début de partie. Nathan ne souhaitait certes pas la défaite de Taft, mais tant que l'adversaire serait en tête, aucun entraîneur ne prendrait le risque de faire entrer Elliot sur le terrain. La situation resta inchangée jusque vers la fin de la partie. La victoire de dernière minute de Taft le contraria un peu, même si Elliot n'avait guère pu que courir le long du terrain jusqu'à la fin du match. Nathan serra cependant les mains de tout le monde à la sortie du stade.

— Estime-toi heureux qu'il n'ait pas pris part au match, dit Jimmy.

Ce dimanche-là, Andrew fut invité à lire le sermon dans la chapelle, ce qui montrait assez pour qui le principal aurait voté s'il l'avait pu. Au déjeuner, il s'enquit auprès de tout le monde de ce qu'ils pensaient de la nourriture.

— De quoi gagner des votes à coup sûr, avait dit le sénateur, même si tu ne peux rien y faire.

Quand il alla se coucher, Jimmy et lui étaient épuisés. Son ami mit le réveil à 5 h 30.

— Une sacrée trouvaille ! soupira-t-il quand, le lendemain matin, ils se retrouvèrent dehors pour attendre les élèves partant en cours.

Steve Rodgers, s'appuyant sur des béquilles, était en effet à la sortie du bâtiment et laissait les élèves griffonner leur signature sur son plâtre.

— Brillant ! reconnut Andrew.

— Hélas ! Et je t'aurais recommandé de faire de même si ça t'était arrivé. Je ne vois qu'une chose, poursuivit Jimmy : il va te falloir passer les vingt-quatre dernières heures dans un fauteuil roulant.

Pendant le dernier week-end, les partisans de Nathan s'efforcèrent d'avoir l'air sûrs d'eux, bien que la lutte soit trop serrée. Les deux candidats ne cessèrent de sourire jusqu'au lundi soir, quand la cloche de l'établissement sonna 6 heures.

Nathan et sa petite équipe se rassemblèrent dans sa chambre, échangeant des anecdotes, riant de plaisanteries qui n'étaient pas drôles, tout en attendant impatiemment les résultats.

Des coups frappés à la porte mirent un terme à leur exubérance.

— Entrez ! dit Tom.

Ils se levèrent en voyant qui était là.

— Bonsoir, monsieur Anderson, dit Nathan.

— Bonsoir, Cartwright, répondit le préfet des étudiants. Étant chargé de veiller à l'élection du président, je dois vous informer que, les résultats étant très serrés, j'ai réclamé un nouveau décompte. L'assemblée générale a donc été reportée à 8 heures.

À l'heure dite, chacun était à sa place. Tous se levèrent quand le préfet entra. Nathan chercha, mais en vain, à déchiffrer son expression, qui demeurait impassible.

Anderson s'avança jusqu'au centre de l'estrade et invita tout le monde à se rasseoir, ce qui se fit dans un silence inaccoutumé.

— Je dois dire, commença le préfet, que c'est le résultat le plus serré depuis la création de Taft, voilà soixante-quinze ans. Nathan Cartwright, cent soixante-dix-huit ; Ralph Elliot, cent quatre-vingt-un.

La moitié de l'assistance se leva en poussant des cris ; l'autre resta assise, sans rien dire. Nathan se dirigea vers Elliot et lui tendit la main.

Le nouveau président parut ne pas la voir.

Bien qu'on sût que le résultat ne serait pas annoncé avant 21 heures, la grande salle était pleine bien avant que le principal ne fasse son entrée.

Andrew était à l'arrière, tête baissée, tandis que Jimmy regardait droit devant lui.

— J'aurais dû me lever plus tôt tous les matins, dit le premier.

— J'aurais dû te casser la jambe ! répondit le second.

Le principal s'avança, accompagné du chapelain, comme pour montrer qu'à Hotchkiss, Dieu était impliqué même dans l'élection du président des élèves.

— Le résultat des élections est le suivant, dit le principal d'une voix sonore. Andrew Davenport, deux cent sept voix ; Steve Rodgers, cent soixante-treize voix. Je déclare donc Andrew Davenport président.

Andrew se leva aussitôt pour aller serrer la main de Steve, qui souriait et paraissait presque soulagé. Puis, tournant la tête, le jeune homme aperçut près de l'entrée le sénateur Gates, qui eut un signe de tête approbateur.

— On n'oublie jamais sa première victoire ! dit-il simplement par la suite.

Jimmy sautait en l'air, incapable de maîtriser sa joie.

— Je crois que vous connaissez déjà mon vice-président, monsieur, dit Andrew.

11

La mère de Nathan fut l'une des rares à ne pas paraître déçue de l'échec de son fils : il pourrait ainsi consacrer plus de temps à ses études. Et c'est bien ce qui se passa. Tom lui-même avait du mal à l'arracher à ses lectures plus de quelques minutes, à moins que ce ne soit pour son jogging journalier.

Nathan restait dans sa chambre, la tête plongée dans ses livres. Susan Cartwright, le voyant partir pour un long week-end à Simsbury avec Tom, espéra qu'au moins ce serait pour lui l'occasion de prendre un peu de repos. En fait, Nathan réduisit sa journée de travail à deux heures le matin, deux l'après-midi. Et il courut, à raison de cinq miles par jour, sans jamais quitter le domaine des Russell.

Un matin, pendant le petit-déjeuner, Nathan vit son ami ouvrir une lettre.

— Une de tes nombreuses conquêtes ?

— J'aimerais bien ! Non, c'est M. Thompson, qui me demande si je veux jouer un rôle dans *La Nuit des rois*.

— Alors ?

— Non. Je suis fait pour être producteur, pas acteur.

— Je me serais proposé si j'étais sûr pour ma demande à Yale, mais je n'ai pas achevé ma composition.

— Je n'ai même pas commencé la mienne.

— Il y avait cinq sujets ; tu en as bien choisi un, tout de même ?

— Oui. Le contrôle du Mississippi pendant la guerre de Sécession ; et toi ?

— Clarence Darrow et son influence sur le mouvement syndical.

— J'y ai pensé aussi, mais je n'étais pas sûr de pouvoir écrire dix pages sur le sujet. Je suppose que tu en as déjà rédigé une bonne vingtaine ?

— Non, mais j'ai fini un premier jet, et je devrais avoir terminé quand nous rentrerons en janvier.

— La date limite pour Yale, c'est en février. Ça te laisse le temps de postuler pour un rôle. Après tout, il n'est pas nécessaire que ce soit le premier.

Nathan y réfléchit. Tom avait raison, bien sûr, mais s'il voulait entrer à Yale ce serait peut-être une perte de temps. Il regarda par la fenêtre et regretta de ne pas avoir des parents pouvant assumer tranquillement des frais de scolarité, lui fournir de l'argent de poche, et ne pas l'obliger à trouver du boulot pendant les vacances.

— Tu veux auditionner pour un rôle particulier, Nathan ? demanda M. Thompson en contemplant ce jeune homme d'un mètre quatre-vingt-cinq à l'abondante chevelure noire, dont le pantalon semblait toujours trop court.

— Antonio, peut-être Orsino.

— Tu es un Orsino naturel, mais je songe à ton ami Tom pour ce rôle.

— Je ne me vois guère en Malvolio ! dit Nathan en riant.

— Non. Je choisirais plutôt Elliot, répondit M. Thompson d'un ton espiègle. Mais hélas, il n'est pas disponible. Je te vois bien dans le rôle de Sébastien.

Nathan avait lu la pièce et pensé, qu'en effet, ce serait un rôle intéressant. Mais, vu son importance, il exigerait des heures d'apprentissage, sans parler des répétitions. M. Thompson sentit qu'il hésitait :

— Je crois que l'heure de la corruption est venue, Nathan.

— La corruption, monsieur ?

— Oui. Vois-tu, le responsable des admissions à Yale est l'un de mes plus vieux amis. Nous avons étudié les classiques ensemble à Princeton, et chaque année il vient passer un week-end chez moi. Je pourrais faire en sorte que cela corresponde avec la représentation de la pièce – enfin, si tu te sens capable de tenir le rôle de Sébastien.

Comme Nathan ne répondait pas, M. Thompson reprit :

— Bon, essayons autre chose. Tu as constaté qu'il y a trois rôles féminins dans la pièce : la blonde Olivia, ta jumelle Viola, et la fringante Maria, sans compter bon nombre de figurantes, qui toutes tombent amoureuses de Sébastien. J'ai besoin d'un garçon samedi pour lire les rôles masculins tandis que nous auditionnerons les filles.

Il y eut un silence et l'enseignant conclut :

— Ah, je vois que j'ai enfin retenu ton attention.

— Tu crois qu'on peut aimer la même personne toute la vie ? dit Annie.

— Pourquoi pas, si on a la chance de trouver la bonne ? répondit Andrew.

— Quand tu seras à Yale, tu seras entouré de filles si jolies et si intelligentes que je ne ferai plus le poids.

— Certainement pas ! s'exclama Andrew qui, s'asseyant à côté d'elle sur le sofa, passa le bras autour de ses épaules. En tout cas, elles découvriront vite que j'aime quelqu'un d'autre et, une fois que tu seras à Vassar, elles comprendront pourquoi.

— Mais il me faudra un an de plus, et d'ici là…

— Allons, allons… As-tu remarqué que tout homme qui te rencontre est aussitôt jaloux de moi ?

— Non, répondit-elle sincèrement.

Andrew contempla la jeune fille dont il était tombé amoureux alors qu'elle avait encore la poitrine plate et un appareil dentaire. Quatre ans plus tard, si ses épais cheveux noirs et ses yeux bleu acier étaient toujours aussi envoûtants, le temps lui avait donné une silhouette aussi mince que gracieuse, et des jambes telles qu'Andrew se félicitait tous les jours de la récente invention de la minijupe.

Elle posa une main sur sa cuisse :

— Tu te rends compte que la moitié des filles de ma classe ne sont plus vierges ?

— C'est ce que m'a dit Jimmy.

— Et Dieu sait s'il s'y connaît ! J'ai dix-sept ans dans un mois, et jamais tu n'as laissé entendre…

— J'y ai souvent pensé, bien sûr, dit-il tandis qu'elle se serrait contre lui. Mais quand ça se passera, je veux que ça soit bien pour nous deux et que jamais nous ne puissions avoir de regrets.

Elle posa la tête sur son épaule, puis la main sur sa jambe :

— Jamais je n'en aurai !

Il la prit dans ses bras :

— Quand doivent revenir tes parents ?

— Vers minuit. C'est encore une de ces réunions officielles qui plaisent tant aux politiciens.

Il resta immobile pendant qu'elle enlevait son corsage, qu'elle fit tomber sur le sol.

— À ton tour, je crois ! dit-elle.

Andrew ôta sa chemise et la jeta à terre. Annie se leva et lui fit face, amusée par le pouvoir qu'elle semblait avoir sur lui. Elle défit lentement sa jupe, comme elle avait vu Julie Christie le faire dans *Darling*.

— À ton tour, répéta-t-elle.

Mon Dieu, pensa Andrew, *je ne peux quand même pas ôter mon pantalon*.

Il se défit donc simplement de ses chaussures et de ses chaussettes.

— Tricheur ! lança-t-elle.

Il enleva finalement son pantalon, et elle éclata de rire. Il rougit.

— C'est agréable de savoir que je te fais cet effet, dit Annie.

— Nathan, dit M. Thompson d'une voix sarcastique, pourrais-tu te concentrer sur ton texte ? Reprends à partir de : « Mais voici la bonne dame. »

Même vêtue de l'uniforme de son école, Rebecca se remarquait sans peine parmi les filles que le metteur en scène auditionnait. Grande, mince, avec une cascade de cheveux blonds qui lui tombaient sur les épaules, elle avait un air assuré qui captivait Nathan, et un sourire éclatant.

Rebecca Armitage attendit pendant qu'il venait péniblement à bout de sa phrase :

— « Mais voici la bonne dame... »

Elle était surprise : elle l'avait déjà entendu réciter plus tôt, et il paraissait si sûr de lui ! Elle lut à son tour :

— « Ne blâmez pas cette précipitation. Si vos intentions sont bonnes, venez maintenant avec moi et avec ce saint homme à la chapelle voisine ; là, en sa présence, et sous ce toit consacré, engagez-moi votre foi en pleine assurance, de sorte que mon âme trop jalouse et trop inquiète puisse vivre en paix. Il gardera le secret de notre union, jusqu'à ce que vous vous décidiez à la rendre publique ; et alors nous en ferons une célébration digne de ma naissance. Qu'en dites-vous ? »

Nathan ne répondit rien.

— Nathan, dit M. Thompson, si tu te joignais à nous ? Rebecca pourrait au moins prononcer quelques phrases. J'entends bien qu'un regard adorateur est toujours des plus efficaces, et qu'on pourrait même prendre ça pour du théâtre, mais nous ne jouons pas une pantomime. Il se pourrait même que, dans le public, une ou deux personnes connaissent le texte de Shakespeare.

— Excusez-moi, monsieur, dit Nathan, qui en revint à son texte : « Je suivrai ce saint homme, et j'irai avec vous ; et, vous ayant juré fidélité, je vous serai toujours fidèle. »

Rebecca enchaîna :

— « Montrez-nous donc le chemin, bon père ; et que le ciel resplendissant marque de tout son éclat l'acte que je vais accomplir ! »

— Merci, mademoiselle Armitage, je pense que cela suffira.

— Mais elle est merveilleuse ! protesta Nathan.

— Tiens, tu es capable de prononcer une réplique entière ? Quel soulagement de l'apprendre, un peu tard,

71

certes. Et j'ignorais que tu voulais aussi être metteur en scène. Toutefois, Nathan, je crains d'avoir déjà décidé qui jouerait la blonde Olivia.

Nathan vit Rebecca quitter la scène :

— Ne pourrait-elle pas jouer Viola ?

— Pas si j'ai bien compris la pièce. Elle est ta sœur jumelle et, malheureusement, ou heureusement, Rebecca ne te ressemble nullement.

— Alors, Maria ?

— Elle est beaucoup trop grande pour cela.

— Et si vous faisiez jouer Feste par une femme ?

— Je dois reconnaître que je n'y avais pas pensé. Mais, hélas, je n'ai pas le temps de réécrire toute la pièce, bien que je sois persuadé que tu t'en chargerais volontiers en une nuit, et écrirais plusieurs scènes nouvelles avec Olivia auxquelles Shakespeare n'avait pas songé.

— Désolé, monsieur. Excusez-moi.

M. Thompson monta sur la scène, sourit à Nathan et chuchota :

— Si jamais tu pensais que l'art du comédien était chose difficile, je crains de devoir te dire que tu ignorais à quel point. Il t'intéressera peut-être de savoir que, l'année prochaine, nous jouerons *La Mégère apprivoisée*, ce qui t'aurait sans doute mieux convenu. Si tu étais né un an plus tard, ta vie entière aurait changé. Bonne chance tout de même avec Mlle Armitage.

— Cet élève doit être exclu, dit M. Fleming. Tout autre châtiment serait inadéquat.

— Mais, monsieur, dit Andrew, Pearson n'a que quinze ans, et il s'est immédiatement excusé auprès de Mme Appleyard.

— Je n'en attendais pas moins, intervint le chapelain, qui n'avait rien dit jusque-là.

— Et, en tout cas, dit le principal en se levant de derrière son bureau, pouvez-vous imaginer l'effet sur la discipline de l'établissement, si l'on savait qu'on peut impunément jurer devant la femme d'un professeur ?

— Et quelques mots suffisent à déterminer tout l'avenir de cet élève ?

— C'est la conséquence de ses mauvaises manières ! Et, de cette façon, nous pouvons être certains qu'il retiendra la leçon.

— Laquelle ? demanda Andrew. Qu'il ne faut pas jurer, ou qu'il ne faut jamais faire d'erreur ?

— Pourquoi le défendez-vous avec tant de véhémence ?

— Monsieur, lors de la première harangue que je vous ai entendu prononcer, vous nous avez dit que ne pas se lever quand une injustice est commise est le fait d'un couard.

Le principal regarda le chapelain, qui ne dit mot. Il se souvenait parfaitement de cette allocution : il prononçait la même chaque année.

Andrew se tourna vers le chapelain :

— Puis-je vous poser une question impertinente ?

— Oui, répondit l'autre, un peu mal à l'aise.

— Avez-vous jamais eu envie de jurer en présence de Mme Appleyard, comme cela m'est arrivé plusieurs fois ?

— Mais justement, Andrew, vous vous êtes dominé. Pearson en a été incapable, il doit en être puni.

— Alors, monsieur, si son châtiment est d'être exclu, il me faudra démissionner de mon poste de président. La Bible nous dit que la pensée est aussi mauvaise que l'acte.

Les deux hommes le regardèrent, interloqués.

— Mais pourquoi, Andrew ? Vous vous rendez compte que cela compromettrait vos chances d'entrer à Yale !

— Se laisser influencer par ce genre de considération, c'est montrer qu'on est indigne de Yale.

— Andrew, n'est-ce pas aller un peu loin ? finit par demander le chapelain.

— Docteur Wade, il est hors de question que je voie, sans rien dire, un élève sacrifié sur l'autel d'une femme qui prend plaisir à aguicher les jeunes garçons.

— Et vous démissionneriez rien que pour l'affirmer ? demanda le principal.

— Ne pas le faire, monsieur, serait à peine différent de ce que votre génération a laissé commettre pendant le maccarthysme.

Il y eut un nouveau silence.

— S'est-il excusé auprès de Mme Appleyard ?

— Aussitôt, monsieur, et ensuite par écrit.

— Alors, peut-être serait-il plus judicieux de le mettre à l'épreuve pour le reste du trimestre, dit le principal en jetant un regard en coin au chapelain, qui ajouta :

— Avec suppression de tous ses privilèges, en particulier les congés lors des week-ends.

— Andrew, dit le principal, est-ce que cela vous paraît un compromis raisonnable ?

Le jeune homme ne répondit pas tout de suite, mais finit par dire :

— Je vous remercie de votre indulgence, monsieur.

Puis il se leva et sortit. La porte se referma doucement derrière lui et M. Fleming dit :

— La sagesse, le courage et les convictions sont déjà rares chez un adulte, mais chez un garçon aussi jeune...

— Dans ce cas, quelle est votre explication, monsieur Cartwright ? demanda le président de la commission d'admission de Yale.

— Je n'en ai pas, monsieur. Il doit s'agir d'une coïncidence.

— Une coïncidence, en effet ! Des passages entiers de votre composition sur Clarence Darrow sont, mot pour mot, identiques à ceux d'un étudiant de votre classe.

— Et quelle est son explication ?

— Il ne nous a pas paru nécessaire de le lui demander, dans la mesure où il a rendu sa composition une semaine avant vous, et qu'elle était manuscrite alors que la vôtre était tapée à la machine.

— Ne s'appellerait-il pas Ralph Elliot, par hasard ?

Les membres de la commission ne firent aucun commentaire.

— Mais comment s'y est-il pris ? demanda Tom quand, le soir, Nathan s'en revint à Taft.

— Il doit avoir copié mon texte pendant que je répétais *La Nuit des rois*.

— C'était quand même prendre un sacré risque.

— Il est président des étudiants, personne ne s'inquiète de le voir aller et venir, c'est son boulot. Il a largement eu le temps de copier le texte et de le remettre en place le même soir, sans que personne n'en sache rien.

— Qu'a décidé la commission ?

— Grâce au principal, qui s'est donné beaucoup de mal pour moi, Yale a accepté de différer ma candidature d'un an.

— Et Elliot s'en tire une fois de plus.

— Non. Le principal a dû deviner ce qui s'était passé ; la commission a également repoussé la demande d'Elliot.

— Mais pour un an seulement.

Pour la première fois de la soirée, Nathan sourit :

— Non, pas cette fois. M. Thompson a téléphoné à son vieil ami de Yale, et l'université ne donnera pas à Ralph l'occasion de se représenter.

— Alors, que comptes-tu faire de ton année ?

— Je vais aller à l'université du Connecticut.

— Et pourquoi ? Tu pourrais…

— C'est celle que Rebecca a choisie.

12

Le président de Yale contempla son bon millier d'étudiants de première année. D'ici un an, certains seraient passés dans d'autres universités, trouvant les études trop difficiles, et d'autres auraient tout simplement renoncé. Andrew Davenport et Jimmy Gates écoutèrent avec passion chacun des mots du président Waterman :

— Pendant que vous êtes ici, ne perdez pas un instant, sinon vous regretterez pour le restant de vos jours de ne pas avoir profité des avantages que notre université vous offre. Un sot la quitte avec un simple diplôme, quelqu'un de plus sage avec assez de savoir pour faire face à tout ce que la vie pourra lui imposer. Saisissez toutes les occasions qui se présentent. Ne redoutez pas les défis et, si vous échouez, sachez qu'il n'y a pas lieu d'avoir honte. Vous apprendrez beaucoup plus de vos erreurs que de vos succès. N'ayez pas peur de votre destin, n'ayez peur de rien. Que jamais vous ne puissiez dire : « J'ai emprunté un chemin sans y laisser de traces. »

Il se rassit à la fin de son discours, salué par des ovations prolongées.

— Je n'aurais pas cru que tu te serais levé avec les autres ! dit Andrew à Jimmy comme ils quittaient les lieux.

— Tu rigoles ! C'était encore plus impressionnant que mon père ne me l'avait dit.

Andrew sourit en voyant son ami regarder fixement une jeune femme chargée de livres qui marchait devant eux :

— Je vois que tu t'apprêtes à suivre les conseils de M. Waterman !

— Saisissez toutes les occasions ! chuchota le fils du sénateur.

Il se dirigea tout droit vers l'inconnue :

— Bonjour, je m'appelle Jimmy Gates. Voulez-vous que je vous aide à porter vos livres ?

— Peut-être comptez-vous aussi me les lire, monsieur Gates ? répondit la jeune femme sans interrompre sa marche. J'ai deux règles : je ne sors jamais avec un étudiant de première année, ni avec un rouquin.

— Ne croyez-vous pas qu'il est temps de renoncer aux vieilles habitudes ?

— Jimmy, intervint Andrew, je crois que...

— Et voici mon ami Andrew Davenport. Il est très doué.

— Jimmy, voyons...

— Et très modeste, comme vous le voyez.

— Ce qui n'est pas une maladie dont vous souffrez, monsieur Gates.

— Oh ! que non. Quel est votre nom ?

— Joanna Palmer.

— Et vous n'êtes pas une première année.

— Non.

— Alors, vous êtes la personne idéale pour me venir en aide. Pourquoi ne pas m'inviter à dîner ce soir ? Vous pourriez m'expliquer tout ce que je dois savoir sur Yale.

Tous trois s'arrêtèrent devant une salle de conférences.

— Hé, dit Jimmy en se tournant vers Andrew, ce n'est pas là qu'on est censés venir ?

— Oui, en effet. Tu devrais me laisser parler quand j'essaie de te mettre en garde.

— À propos de quoi ? répondit le fils du sénateur en ouvrant la porte à Joanna Palmer, qu'il suivit.

Lorsqu'elle passa le pas de la porte, Jimmy fut très surpris de constater que les étudiants présents cessaient d'un seul coup de discuter.

— Veuillez excuser mon ami, madame Palmer, dit Andrew. Je puis vous assurer qu'il a un cœur d'or.

— Ne lui répétez pas, mais j'ai été extrêmement flattée qu'il me prenne pour une étudiante de première année.

Posant ses livres sur le long bureau, elle se tourna vers l'assistance :

— La Révolution française est le point essentiel de l'histoire de l'Europe moderne. Certes, l'Amérique avait déjà déposé un monarque, sans avoir besoin de lui couper la tête...

Les étudiants s'esclaffèrent. Elle croisa le regard de Jimmy Gates, qui cligna de l'œil.

Ils se tinrent la main pendant qu'ils traversaient le campus pour assister à leur premier cours. Ils étaient devenus amis pendant les répétitions de la pièce, inséparables pendant la semaine où elle fut jouée, et avaient tous deux perdu leur virginité pendant les vacances de Pâques. Quand Nathan lui avait dit qu'il la retrouverait à l'université du Connecticut, elle en avait été si heureuse qu'elle s'était sentie un peu coupable.

Les parents de Nathan avaient aimé Rebecca dès leur première rencontre et, s'ils avaient été déçus que leur fils n'entre pas tout de suite à Yale, ils étaient soulagés de le voir se détendre, pour la première fois de sa vie.

Le professeur Hayman devait donner à Buckley Hall un cours sur la littérature américaine. Pendant l'été, Nathan et Rebecca avaient lu tous les auteurs au programme et en avaient discuté longuement, aussi se jugeaient-ils bien préparés. Mais, au bout de quelques minutes de cours, ils comprirent que lire les textes ne suffisait pas.

— Prenons l'exemple de Scott Fitzgerald, disait le professeur. Dans ses nouvelles...

Levant la tête, Nathan aperçut une nuque et frémit. Cessant d'écouter, il contempla l'étudiant qui, au bout d'un moment, se pencha pour parler à son voisin. Les craintes de Nathan furent aussitôt confirmées : non seulement Ralph Elliot était dans la même fac, mais il suivait le même cours. Comme s'il était conscient d'être observé, Elliot se retourna brusquement. Il parut ne pas faire attention à Nathan, et ses yeux se posèrent sur Rebecca. Mais celle-ci était trop occupée à prendre des notes sur les problèmes d'alcool de Fitzgerald durant son séjour hollywoodien pour remarquer quoi que ce soit.

Nathan attendit qu'Elliot soit sorti avant de ramasser ses livres et de se lever.

— Il y avait quelqu'un qui n'a cessé de se retourner pour te regarder, dit Rebecca. Qui était-ce ?

— Ralph Elliot. Nous étions tous deux à Taft. J'ai pensé que c'était toi qu'il regardait.

— Il est assez beau, répondit-elle en souriant. N'était-ce pas lui que M. Thompson voulait dans le rôle de Malvolio ?

— En effet. Il aurait vraiment fait l'affaire.

Lors du déjeuner, Rebecca voulut en savoir davantage, mais Nathan répondit qu'il n'y avait rien de plus, et s'efforça de changer de sujet. Si, pour être au côté de la jeune fille, il lui fallait endurer la présence de Ralph Elliot, mieux valait s'y préparer dès maintenant.

L'après-midi, Elliot n'assista pas au cours sur les colonies espagnoles d'Amérique. Aussi, lorsque Nathan raccompagna Rebecca jusqu'à sa chambre, en fin de journée, il avait presque oublié son vieux rival.

Les dortoirs des filles étaient au sud du campus, et Nathan avait été bien prévenu qu'il était contraire au règlement d'y être présent une fois la nuit tombée.

— Celui qui a édicté les règles, dit Nathan à Rebecca, allongée à côté de lui sur le lit, devait croire que les étudiants ne pouvaient faire l'amour que dans le noir.

— Ce qui veut dire que, pendant le second semestre, tu n'auras pas à retourner dans ta chambre avant 9 heures du soir.

Au cours du premier trimestre, Nathan fut soulagé de constater qu'il croisait rarement Ralph Elliot. Celui-ci ne s'intéressait ni à la course à pied, ni au théâtre, ni à la musique, et il fut donc surpris, le dernier dimanche du trimestre, de le voir bavarder avec Rebecca devant la chapelle. Elliot s'éloigna en hâte dès qu'il vit que Nathan approchait.

— Qu'est-ce qu'il voulait?

— Il veut être élu représentant des premières années, et cherchait à savoir si tu comptais te présenter.

— Non. J'en ai soupé, des élections.

— Dommage! Je sais que beaucoup de gens voteraient pour toi.

— Pas tant qu'il est là.

— Pourquoi le détestes-tu à ce point? Parce qu'il a gagné à Taft? Et s'il avait changé?

Nathan ne prit pas la peine de répondre.

— La première élection à laquelle tu peux te présenter, dit Jimmy, c'est celle de représentant des premières années au conseil des étudiants de Yale.

— Je comptais me concentrer sus mes études, répondit Andrew.

— Pas question! Les statistiques montrent que quiconque est élu en première année est quasiment certain de finir président trois ans plus tard.

— Je n'ai peut-être pas envie d'être président.

— Oui, et Marilyn Monroe n'aurait jamais voulu d'un Oscar, lança Jimmy qui lui montra une brochure : tiens, le trombinoscope des petits nouveaux. Mille vingt et un en tout!

— Je vois qu'une fois de plus, tu as lancé la campagne sans consulter le candidat.

— Il le fallait bien, je ne pouvais pas attendre que tu te décides. Et tu n'as aucune chance si tu ne prends pas la parole au cours du débat des élèves de première année, dans six semaines.

— Et pourquoi?

— Parce que c'est la seule occasion où ils seront réunis et pourront écouter les candidats éventuels.

— Alors, comment y prendre la parole?

— Ça dépend si tu veux ou non soutenir la motion.

— Et quelle est-elle?

— Ah, quand même! dit Jimmy. Tiens, lis cette brochure : « Vote : l'Amérique devrait se retirer du Viêt-nam. »

— Je serais ravi de m'opposer à une telle motion.

— Le voilà, le problème : quiconque s'y oppose est voué à la défaite.

— Mais si je sais présenter ma vision des choses, ils pourraient penser que je suis la personne qu'il faut au conseil.

— Andrew, si convaincant que tu sois, ce serait un suicide : sur le campus, tout le monde ou presque est contre la guerre. Laisse ça à un cinglé quelconque qui ne cherche pas à être élu.

— Moi, par exemple ! En tout cas, je ne crois pas...

— Ce que tu crois m'indiffère. La seule chose qui m'intéresse, c'est que tu sois élu.

— Jimmy, tu n'as donc pas de morale ?

— Comment le pourrais-je ? Mon père est politicien et ma mère travaille dans l'immobilier.

— Je ne me vois pas en train de défendre une telle motion.

— Alors, tu es condamné à une vie d'études incessantes, en tenant la main d'Annie.

— Ça me conviendrait tout à fait. Ça te va bien de dire ça, toi qui es incapable d'avoir des relations avec une fille qui durent plus de vingt-quatre heures !

— Ce n'est pas l'opinion de Joanna Palmer.

— On peut toujours rêver !

— Avec le temps, tu me feras des excuses, homme de peu de foi, et je prédis que ce sera avant ce fichu débat.

— Si j'y prends part, ce sera pour m'opposer à cette motion.

— Tu ne me rends pas la vie facile ! Enfin, les organisateurs seront ravis : ils n'arrivent à trouver personne qui soit contre.

— Tu es sûre ? dit Nathan.

— Oui.

— Alors, il faut nous marier sur-le-champ.

— Pourquoi ? demanda Rebecca. On est à l'époque des Beatles, de la fumette et de l'amour libre. Je peux tout à fait avorter.

— C'est ce que tu veux?

— Je ne sais pas ce que je veux. Je viens à peine d'apprendre la nouvelle, il me faut du temps pour réfléchir.

— On pourrait peut-être en parler à nos parents.

— Jamais de la vie! Ta mère voudrait que tu m'épouses l'après-midi même et mon père débarquerait sur le campus, le fusil à la main. Promets-moi que tu ne diras à personne que je suis enceinte.

— Mais pourquoi?

— Nous en parlerons plus tard. Promets-moi...

— Où en est ton discours?

— J'en suis à la troisième version, dit gaiement Andrew, et je peux t'assurer qu'il fera de moi le gars le plus impopulaire du campus! À propos, contre qui allons-nous devoir lutter?

— Un nommé Tom Russell, un ancien de Taft.

— On a donc de la marge, répondit Andrew en souriant.

— J'ai peur que non! soupira Jimmy. Je l'ai rencontré hier, et je peux te dire qu'il a de la cervelle! Et je n'ai trouvé personne qui ne l'aime pas. Mais il a reconnu qu'il n'est pas très chaud pour être candidat. Il se voit plutôt en organisateur de campagne.

— En tout cas, mieux vaut le prendre au sérieux. Peut-être pourrions-nous travailler sur mon discours ce soir; tu pourrais me dire si...

— Pas ce soir, Joanna m'a invité à dîner chez elle. Elle m'a d'ailleurs demandé si Annie et toi pourriez vous joindre à nous, mardi prochain, pour prendre un verre. Je lui ai dit que ma sœur venait à New Haven pour le débat.

— Tu parles sérieusement?

— Si vous vous joignez à nous, dis bien à Annie de ne pas s'attarder; Joanna et moi comptons être au lit dès 22 heures.

Quand Nathan trouva sous sa porte le message manuscrit de Rebecca, il traversa tout le campus au pas de course, en se demandant ce qui pouvait bien être aussi urgent.

Quand il entra, elle se détourna lorsqu'il voulut l'embrasser, et ferma la porte à clé derrière lui. Nathan s'assit près de la fenêtre, elle sur le lit.

— Nathan, il faut que je te dise... Tu vas me détester... Je ne suis pas sûre que tu sois le père.

Il serra les bras du fauteuil :

— Et comment est-ce possible ?

— Le week-end où tu es allé disputer un cross-country à l'université de Penn, je suis allée à une soirée et j'ai peur d'avoir un peu trop bu... Ralph Elliot s'est joint à nous... Je ne me souviens plus de grand-chose ensuite. Mais le matin, en me réveillant, je l'ai trouvé endormi à mes côtés.

Nathan resta silencieux un moment.

— Tu lui as dit que tu étais enceinte ?

— Non. À quoi bon ? C'est à peine s'il m'a adressé la parole depuis.

— Je vais le tuer ! s'écria-t-il en se levant.

— Ça ne servirait à rien.

— En tout cas, ça ne change rien pour moi, parce que je veux toujours t'épouser. Il y a beaucoup de chances pour que je sois le père.

— Mais tu ne seras jamais sûr.

— Ce n'est pas un problème.

— Mais pour moi, si. Car il y a autre chose que je ne t'ai pas dit...

Dès qu'Andrew entra dans Woolsey Hall, plein à craquer, il regretta de ne pas avoir suivi le conseil de Jimmy. Il prit place sur le banc, en face de Tom Russell, qui l'accueillit en souriant, tandis qu'un bon millier d'étudiants scandaient : « Hé, hé, LBJ, combien d'enfants tués aujourd'hui ? »

Tom se leva, salué par des acclamations avant même d'avoir ouvert la bouche. À la grande surprise d'Andrew, il paraissait aussi nerveux que lui ; des gouttes de sueur lui perlaient au front. Il avait à peine pris la parole que des huées couvrirent sa voix :

— Lyndon Johnson nous a dit qu'il était du devoir de l'Amérique de vaincre les Nord-Vietnamiens et de sauver le monde du communisme. Je dis qu'il est du devoir du Président de ne pas sacrifier des vies américaines sur l'autel d'une doctrine qui, avec le temps, se révélera suicidaire.

Une fois de plus, les acclamations noyèrent ce qu'il disait ; en fait, il fut si souvent interrompu par les clameurs d'approbation qu'il en était à peine au milieu de son discours quand il arriva au bout du temps qui lui était imparti.

Il y eut des huées dès qu'Andrew se leva. Il avait déjà décidé que ce serait son dernier discours en public. Il attendit un silence qui ne vint pas, puis commença :

— Les Grecs, les Romains et les Britanniques ont tous, en leur temps, assumé le rôle de diriger le monde. Après l'effondrement de l'empire britannique, aux lendemains de la Seconde Guerre mondiale, cette responsabilité est échue aux États-Unis, la plus grande nation du monde...

Il y eut quelques applaudissements.

— Nous pouvons assumer cette responsabilité au nom des millions de gens qui, de par le monde, admirent notre liberté et notre mode de vie. Nous pouvons les soutenir dans leur lutte pour la démocratie. Nous pouvons également, bien sûr, dire que nous n'assumons pas ce rôle, que nous en sommes indignes. Mais alors cette liberté et ce mode de vie tomberont sous le joug du communisme qui triomphera du monde libre. Seule l'Histoire jugera de la décision que nous avons prise ; mais il ne faut pas qu'elle nous trouve insuffisants.

Jimmy était sidéré que la salle ait écouté jusque-là sans vraiment l'interrompre. Il le fut plus encore par les applaudissements, certes plus respectueux qu'admiratifs, qui saluèrent Andrew quand, vingt minutes plus tard, il regagna sa place. Pour autant, Tom l'avait emporté aux voix sur le vote de la motion.

— Un miracle ! dit Jimmy.

— Pardon ? As-tu remarqué que nous avons perdu par deux cent vingt-huit voix d'écart ?

— Mais justement! C'est ça le miracle! Je m'attendais à ce que nous soyons balayés! Nous avons cinq jours pour faire changer d'avis cent quatorze électeurs. L'essentiel est que beaucoup d'étudiants de première année jugent que tu sauras les représenter au collège étudiant.

— Tom a bien parlé. Et il représente l'opinion de la majorité.

— Attends de voir ce que je lui prépare.

— Et quoi donc?

— Chaque fois qu'il a prononcé un discours, j'avais quelqu'un dans l'assistance. Au cours de la campagne, il a fait quarante-trois promesses, alors qu'il ne pourra en tenir qu'une poignée. Une fois qu'on lui aura rappelé la chose vingt fois par jour, je ne crois pas qu'il se présentera à la présidence.

— As-tu déjà lu *Le Prince* de Machiavel, Jimmy?

— Non. Je devrais?

— Pas la peine, il ne t'apprendrait rien!

C'est à ce moment qu'Annie arriva. Elle serra Andrew dans ses bras:

— Bien joué! Ton discours était superbe!

— Dommage que des centaines de gens n'aient pas été d'accord avec toi.

— Oui, mais la plupart avaient fait leur choix bien avant le débat.

— Ma petite sœur a raison! s'écria Jimmy. Et, de plus...

— Jimmy, dit Annie, agacée, je vais avoir dix-huit ans, au cas où tu ne l'aurais pas remarqué.

— Oui, je sais. Certains de mes amis te trouvent même passablement jolie, mais je ne suis pas convaincu.

— Vous nous retrouvez chez Dino, alors? demanda Andrew.

— Tu as manifestement oublié que Joanna et moi vous avions invités chez elle.

— Je n'avais pas oublié, dit Annie. Je suis impatiente de rencontrer celle qui a réussi à captiver mon frère plus d'une semaine!

— Je n'ai pas regardé d'autre femme depuis que je l'ai rencontrée, dit Jimmy.

— Mais je veux t'épouser ! dit Nathan en prenant Rebecca dans ses bras.

— Même si tu n'es pas sûr d'être le père ?

— Raison de plus pour nous marier. Tu ne douteras plus de moi.

— Je n'en ai jamais douté un instant. Mais as-tu déjà songé que je pourrais ne pas t'aimer assez pour vouloir passer toute ma vie avec toi ?

Il la lâcha et la regarda fixement.

— J'ai demandé à Ralph ce qu'il ferait si l'enfant était de lui, et nous sommes convenus que je devrais avorter.

Elle lui caressa la joue :

— Peu d'entre nous méritent de vivre avec Sebastien, et je ne suis certainement pas Olivia.

Il n'était pas nécessaire d'ajouter un mot. Ils se quittèrent sur ces paroles.

Rentré dans sa chambre, Nathan resta allongé sur son lit, sans se rendre compte que le soir tombait. Il ne pouvait penser qu'à son amour pour Rebecca, à sa haine pour Elliot. Il allait s'endormir quand le téléphone sonna. Décrochant, il reconnut une voix familière et félicita son vieil ami en apprenant la nouvelle.

13

Quand Nathan alla chercher son courrier au syndicat des étudiants, il fut heureux de constater qu'il avait reçu trois lettres. L'une était de l'écriture de sa mère, la seconde portait le cachet postal de New Haven, et devait être de Tom. La troisième était une grosse enveloppe de papier kraft, contenant probablement le chèque mensuel de sa bourse ; il l'encaisserait sans délai, car ses fonds étaient au plus bas.

Il franchit la rue pour entrer dans une cafétéria, commanda un bol de corn flakes et quelques tranches de pain grillé, alla s'asseoir dans un coin et ouvrit la lettre de sa mère. Le lendemain de sa rupture avec Rebecca, il avait eu une longue conversation téléphonique avec elle pour lui apprendre la nouvelle, sans en donner le motif, ni lui dire que la jeune fille était enceinte. Il se sentait coupable de ne pas lui avoir donné de nouvelles depuis deux semaines.

« Mon cher Nathan... »

Jamais sa mère ne l'appelait Nathan. Une lettre bien dans sa manière : nette, précise, remplie de faits, aimante, mais qui donnait l'impression qu'elle était déjà en retard pour son prochain rendez-vous. Elle ne comportait qu'une seule nouvelle importante : le père de Nathan avait été promu directeur régional, si bien que désormais il travaillerait à Hartford sans plus avoir à passer d'interminables heures sur la route.

La lettre de New Haven venait bien de Tom. Tapée à la machine, avec plusieurs fautes d'orthographe qui s'expliquaient sans doute par son exultation : il avait remporté l'élection – mais seulement, ajoutait-il avec sa désarmante candeur habituelle, parce que son adversaire avait passionnément défendu l'intervention américaine au Viêt-nam, ce qui ne lui avait guère rendu service au moment du vote. Tom faisait d'Andrew Davenport une description qui plut assez à Nathan, qui se dit qu'il l'aurait peut-être affronté si lui-même était allé à Yale.

Pour finir, Nathan ouvrit la dernière enveloppe, et fut surpris de découvrir qu'elle ne contenait pas de chèque, mais une simple lettre qu'il déplia, avant de la contempler d'un air incrédule.

Une convocation devant les autorités militaires en vue de son incorporation.

Il la posa devant lui sur la table, et réfléchit aux conséquences. C'était une loterie, et son numéro était sorti. Devait-il réclamer un sursis en arguant de sa qualité d'étudiant, ou bien devait-il, comme son père en 1942, partir servir le pays ? Michael Cartwright avait passé deux ans en Europe avant de revenir décoré d'un *Purple Heart*.

Il téléphona aussitôt chez lui, et ne fut pas surpris de constater que ses parents étaient en désaccord sur la question. Sa mère pensait qu'il devait d'abord terminer ses études, et envisager ensuite l'avenir, la guerre serait terminée d'ici là, le président Johnson l'avait promis pendant la campagne électorale. Son père, tout en estimant que la nouvelle tombait mal, jugeait qu'il était du devoir de Nathan de répondre à l'appel.

Il téléphona ensuite à Tom pour savoir s'il avait reçu une convocation.

— Oui, en effet.

— Tu l'as brûlée ?

— Je ne suis pas allé aussi loin, mais certains l'ont fait.

— Tu vas y répondre ?

— Non, Nathan. Je n'ai pas ta fibre patriotique. Mon père m'a trouvé un avocat spécialisé dans ce genre d'affaires, et qui garantit pouvoir m'obtenir un sursis, au moins jusqu'à ce que je sois diplômé.

— Et le gars que tu as battu aux élections, qui parlait si fièrement du rôle de l'Amérique au Viêt-nam?

— Je ne sais pas. Mais si lui aussi est tiré au sort, vous vous retrouverez sans doute en première ligne!

À mesure que les mois passaient sans qu'aucune enveloppe brune lui arrive, Andrew commença à croire qu'il faisait partie des rares élus échappant au tirage au sort. Il avait toutefois déjà décidé de sa réponse, si jamais la missive faisait son apparition.

Quand Jimmy en reçut une, il consulta aussitôt son père, qui lui conseilla de réclamer un sursis tant qu'il ne serait pas diplômé. D'ici là, il pourrait y avoir un nouveau président, de nouvelles lois, et sans doute les Américains auraient-ils quitté le Viêt-nam. Jimmy suivit ses conseils, et en parla franchement avec Andrew:

— Je n'ai aucune intention de risquer ma peau face à une bande de Vietcongs qui s'obstinent à ne pas comprendre que nous avons la supériorité militaire.

Annie fut d'accord avec son frère, et soulagée qu'Andrew n'ait pas reçu de convocation. Car elle n'ignorait pas quelle serait sa réaction.

Le 5 janvier 1968, Nathan se présenta devant la commission militaire.

À l'issue d'un examen médical, il fut interrogé par un certain major Willis, qui fut impressionné par sa condition physique. L'après-midi, il passa des tests auxquels il obtint quatre-vingt-dix-sept points sur cent.

Le lendemain soir, avec une cinquantaine d'autres recrues, il monta à bord d'un bus à destination du New Jersey. Le trajet fut lent, interminable: ils n'arrivèrent à Fort Dix qu'aux petites heures du matin. Les nouveaux venus, accueillis par les cris des sous-officiers, furent installés dans des huttes préfabriquées, où on leur permit de dormir deux ou trois heures.

Le lendemain matin, Nathan fut réveillé à 5 heures, eut droit à une coupe de cheveux réglementaire, et se vit distribuer un treillis. Les cinquante recrues reçurent ensuite l'ordre d'écrire à leurs parents, tout en laissant leurs vêtements civils sur place.

Après des années d'entraînement à la course, Nathan se jugeait en bonne forme physique. Mais il découvrit que, pour l'armée, ce terme avait un sens tout différent, qu'on aurait cherché en vain dans le dictionnaire. Tout était « de base » : la nourriture, les vêtements, le chauffage, et surtout le lit dans lequel il était censé dormir. Apparemment, les matelas étaient importés directement du Nord-Viêt-nam, pour que les recrues puissent souffrir autant que l'ennemi.

Pendant huit semaines, il se leva donc à 5 heures, prit une douche – froide, bien sûr –, s'habilla, avala un petit-déjeuner « de base » et alla se mettre au garde-à-vous sur le terrain de manœuvre, avec tous les autres membres de son peloton.

Le sergent Al Quamo les prenait en main pour les quatorze heures suivantes, et si Nathan voulait parler à quelqu'un d'autre, mieux valait dire à qui et pourquoi.

— Je suis votre père, votre mère et votre meilleur ami ! hurlait le sergent à pleins poumons. Vous m'avez compris ?

— Oui, monsieur, s'écriaient les trente-six membres du peloton. Vous êtes mon père, ma mère et mon meilleur ami !

Pour la plupart, ces hommes avaient demandé un sursis en vain, et ils jugeaient que Nathan était vraiment cinglé de se porter volontaire ; il leur fallut un certain temps avant de changer d'avis. Nathan devint vite leur conseiller, leur confident, celui qui écrivait les lettres. Il apprit même à lire à deux de ses camarades, qui en retour lui enseignèrent des choses qu'il ne jugea pas utile de faire savoir à sa mère. Quamo le nomma chef d'escouade.

Il surprit également ses compagnons en battant tout le monde à la course à pied et, bien qu'il n'ait jamais eu d'arme à feu en main, surpassa sans peine les gars venus de New York au maniement de la mitrailleuse M-60 et du lance-grenade M-70.

Quamo ne tarda pas à constater que Nathan avait toutes ses chances d'entrer à l'école d'officiers. Contrairement à la plupart des recrues destinées au Viêt-nam, il était un chef-né.

— Mais fais gaffe, lui dit-il, un sous-lieutenant a autant de chances de se faire trouer la peau qu'un simple soldat. Le Vietcong ne fait pas la différence !

Nathan fut envoyé à Fort Benning en compagnie d'un étudiant nommé Dick Tyler.

Pendant les trois premières semaines à Fort Benning, ils furent commandés par des instructeurs qui leur apprirent à sauter en parachute, d'abord du haut d'un mur de dix mètres, puis d'une tour de cent mètres particulièrement redoutée. Des deux cents recrues qui entamèrent le stage, moins de la moitié furent admises au stade suivant. Nathan fit partie des dix hommes autorisés, à l'issue de la formation, à porter un casque blanc ; et, quinze sauts plus tard, des ailes argentées sur la poitrine.

Quand il revint à la maison pour un congé d'une semaine, sa mère reconnut à peine le garçon qui avait quitté la maison trois mois plus tôt. C'était désormais un homme.

De retour à Fort Benning, Nathan prit son paquetage et traversa la rue pour entamer sa formation d'officier d'infanterie. S'il se levait toujours aussi tôt, il passait beaucoup plus de temps en classe, étudiant l'histoire militaire, la lecture de cartes, la tactique et la stratégie, en compagnie de soixante-dix autres, qui se préparaient à partir pour le Viêt-nam. On parlait beaucoup de statistiques, sauf d'une seule : la moitié d'entre eux avaient toutes leurs chances de revenir dans un cercueil.

Jimmy s'assit sur le lit :

— Joanna va devoir faire face à une enquête disciplinaire, dit-il. Tomber amoureux n'est pourtant pas un crime !

Andrew tenta d'apaiser son ami, qu'il n'avait jamais vu aussi furieux :

— Ils craignent surtout les conséquences de ce qui se passe quand les professeurs masculins tirent profit de jeunes étudiantes impressionnables.

— Mais enfin, ils ne voient pas que j'adore Joanna, et qu'elle a les mêmes sentiments pour moi?

— Ils auraient pu feindre de ne rien voir si vous ne vous étiez affichés en public.

— J'aurais cru que tu respecterais la franchise de Joanna à ce sujet.

— Je la respecte, mais elle n'a pas laissé d'autre choix aux autorités, étant donné les règles.

— Alors, il faut les changer.

— Jimmy, je suis d'accord avec toi et, connaissant Joanna, je suis certain qu'elle y a réfléchi. Dire que tu l'avais prise pour une étudiante!

— Ne m'en parle pas! Tu sais qu'ils l'applaudissent au début et à la fin de chaque cours qu'elle donne?

— Quand le comité d'éthique prendra-t-il sa décision?

— Mercredi prochain à 10 heures. Ce sera vraiment la journée des médias. Mon père est en pleine campagne pour se faire réélire cet automne!

— Je ne m'inquiète pas pour lui. Il doit déjà avoir trouvé un moyen de tourner ça à son avantage.

Nathan ne s'attendait pas à rencontrer l'officier qui les commandait, et cela ne se serait sans doute pas produit si sa mère n'avait garé sa voiture sur un espace réservé. Quand le père de Nathan vit la pancarte « COMMAN-DANT », il suggéra à son épouse de faire marche arrière – manœuvre qui lui valut d'entrer en collision avec la jeep du colonel Tremlett.

— Mon Dieu! s'écria Nathan en bondissant hors de la voiture.

— Je n'irais pas jusque-là, dit Tremlett. « Mon colonel » suffira.

Nathan se mit au garde-à-vous et salua, tandis que son père examinait les médailles sur la poitrine de l'officier :

— Nous avons peut-être servi ensemble! J'étais dans la 80e en Italie.

— J'espère que vous manœuvriez les chars Sherman mieux que cette voiture ! répondit Tremlett en lui serrant la main.

Michael s'abstint de préciser que c'était sa femme qui conduisait.

— Cartwright, c'est ça ? demanda Tremlett en regardant Nathan.

— Oui, monsieur.

L'officier se tourna vers Michael :

— Votre fils a toutes les chances de finir premier de sa promotion. Il se pourrait que j'aie une mission pour lui. Cartwright, présentez-vous à mon bureau demain matin, 8 heures.

Tremlett sourit à la mère de Nathan, serra de nouveau la main de son père :

— Et si ce soir, en partant, je vois la moindre rayure sur ce pare-chocs, Cartwright, vous pouvez dire adieu à votre prochain congé.

Nathan passa donc l'après-midi à genoux, avec un marteau et un pot de peinture kaki.

Le lendemain matin, il arriva au bureau du colonel à 7 h 45, et fut surpris d'être mis aussitôt en présence de son supérieur, qui lui désigna une chaise.

— Alors, Nathan, que comptez-vous faire dans l'armée ?

— J'espère faire partie de ceux qui seront envoyés au Viêt-nam, mon colonel.

— Il n'est pas nécessaire que vous soyez là-bas. Vous avez fait vos preuves, et vous pouvez servir à bien des endroits, de Berlin à Washington, de manière à pouvoir retourner à la fac une fois vos deux ans terminés. Il n'est pas d'usage d'envoyer au Viêt-nam un officier sorti des rangs des appelés, surtout s'il est de votre calibre.

— Alors, il est peut-être temps de changer les usages. Après tout, cela fait partie des responsabilités du chef, comme vous n'avez cessé de nous le rappeler.

— Et si je vous demandais d'être mon aide de camp, de m'assister lorsque arrivera la nouvelle promotion de bleus ?

— Pour qu'ils puissent aller se faire tuer au Viêt-nam ? lança Nathan, qui regretta aussitôt de s'être laissé emporter.

— Savez-vous qui a été le dernier à me dire qu'il voulait aller au Viêt-nam, sans que je puisse le faire changer d'avis ?

— Non, mon colonel.

— Mon fils, Daniel, répondit Tremlett. Il a bien fallu que j'accepte sa décision. Il est mort onze jours après son arrivée.

La manchette du *New Haven Register* proclamait en grosses lettres :

« UNE ENSEIGNANTE SÉDUIT
LE FILS D'UN SÉNATEUR. »

— Quelle insulte ! s'exclama Jimmy.

— Comment ça ? demanda Andrew.

— C'est moi qui l'ai séduite !

Andrew éclata de rire, puis lut l'article à voix haute :

— « Joanna Palmer, qui enseigne l'histoire européenne à Yale, vient de voir résilier son contrat par le comité d'éthique de la faculté, après avoir reconnu qu'elle avait une liaison avec l'un de ses élèves, James Gates, étudiant de première année et fils du sénateur Harry Gates. » Comment ton père a-t-il pris la chose ? demanda-t-il.

— Il m'a dit que ça lui vaudrait d'être réélu dans un fauteuil. Tous les groupes féministes soutiennent Joanna, et les hommes me trouvent encore plus séduisant que Dustin Hoffman dans *Le Lauréat*. Papa pense aussi que le comité n'aura pas d'autre choix que d'annuler sa décision avant la fin du trimestre.

— Et si ce n'est pas le cas ? Est-ce que Joanna a des chances de se voir proposer d'autres postes ?

— Tu parles ! Depuis la décision du comité, son téléphone n'arrête pas de sonner : Radcliffe, où elle a fait ses études, et Columbia, où elle a terminé sa thèse, lui ont déjà proposé du boulot, avant même le sondage d'opinion de *Today Show*, qui montrait que 82 % des personnes interrogées étaient en sa faveur.

— Que compte-t-elle faire?

— Faire appel. Et je parie que le comité ne pourra ignorer l'opinion du grand public.

— Et toi?

— Je veux toujours l'épouser, mais elle ne veut pas en entendre parler tant qu'elle ignore quel sera le résultat de ses démarches. Elle pense que ça pourrait influencer le comité, et elle veut l'emporter sans l'aide de l'opinion publique.

— C'est vraiment une femme remarquable, dit Andrew.

— Ça, tu l'as dit! Et tu ne connais pas tout!

14

En arrivant à Saigon, Nathan découvrit qu'on avait déjà peint au pochoir « Lt. Nathan Cartwright » sur la porte de la pièce qu'il occuperait au quartier général. Et se rendit très vite compte qu'il passerait tout son temps au Viêt-nam derrière un bureau, sans même qu'on lui dise où se trouvait la ligne de front. Loin de rejoindre son régiment sur le terrain, il avait été affecté au soutien logistique. De toute évidence, les directives du colonel Tremlett l'avaient précédé.

Il était officiellement intendant militaire, si bien que ses supérieurs pouvaient lui confier leur paperasse, et ses subalternes prendre leur temps pour obéir à ses ordres. Les uns et les autres semblaient d'ailleurs faire partie d'un complot visant à lui faire remplir des formulaires à longueur de journée, aussi bien pour des haricots en boîte que des hélicoptères Chinook. Chaque semaine, sept cent vingt-deux tonnes de matériel arrivaient par avion dans la capitale, et sa tâche était de veiller à ce qu'elles parviennent aux troupes en première ligne. Tout le matériel et tous les soldats se rendaient là-bas, sauf lui. Pour essayer de changer cette situation, il alla jusqu'à passer quelques nuits avec la secrétaire de son supérieur. Mais Mollie n'avait aucune influence réelle, bien qu'elle témoignât par ailleurs d'une remarquable maîtrise du combat rapproché.

Bientôt, Nathan se mit à quitter le bureau de plus en plus tard, essentiellement pour regarder *ABC News* et des rediffusions de feuilletons, à tel point qu'il se demandait parfois s'il se trouvait bien dans un pays étranger. Il fit plusieurs tentatives pour être affecté sur le terrain avec son régiment. Mais, manifestement, l'influence du colonel Tremlett s'étendait bien au-delà des États-Unis. Chacune de ses demandes lui revenait un mois plus tard, portant la mention « Refusé ». Et lorsqu'il essayait d'en discuter avec un supérieur, il avait affaire à chaque fois à un officier différent, qui lui expliquait que son travail était des plus importants pour l'armée.

Bref, ses efforts ne servaient à rien. D'ici un mois, Tom entamerait sa deuxième année à Yale ; lui pouvait tout au plus se flatter de savoir combien de trombones les bureaux de l'armée au Viêt-nam utilisaient en une semaine.

Ce jour-là, il s'occupait de la prochaine arrivée de nouvelle recrues, prévue pour le lundi suivant. Les documents relatifs à leur logement, leur habillement et leur affectation l'avaient occupé toute la journée. Sa tâche achevée, il décida de déposer toute la paperasse dans le bureau de l'adjudant, avant de se rendre au mess pour manger un morceau.

Il se sentit soudain pris de fureur : tout l'entraînement qu'il avait suivi à Fort Dix, puis à Fort Benning, n'avait servi à rien. Comme il passait devant la salle des opérations, il remarqua qu'une bonne dizaine d'hommes étaient encore là, à répondre au téléphone et à mettre à jour une carte opérationnelle du Viêt-nam. Il entra, pour voir si quelqu'un était prêt à l'accompagner pour dîner, et découvrit qu'ils suivaient les mouvements du second bataillon du 503e régiment d'infanterie parachutiste – le sien. L'unité était soumise à un lourd bombardement de mortier et, prise au piège sur une rive du fleuve Dyng, se défendait comme elle pouvait. Un téléphone rouge, sur le bureau devant Nathan, se mit à sonner avec insistance. Nathan resta immobile.

— Lieutenant, ne restez pas là, décrochez ! dit l'officier de service.

Nathan obéit aussitôt :

— *Mayday ! Mayday !* Ici le capitaine Tyler, m'entendez-vous ?

— Oui, capitaine, ici le lieutenant Cartwright.

— Mon peloton est tombé dans une embuscade de Victor Charlie, au bord du fleuve, position SE 42-NNE 71. J'ai besoin d'un groupe d'hélicoptères Huey avec équipe médicale. J'ai quatre-vingt-seize hommes, onze sont déjà hors de combat : trois morts et huit blessés.

— Comment faire pour ordonner une opération de sauvetage d'urgence ? demanda Nathan à un sergent qui raccrochait un autre téléphone.

— Contactez la base Blackbird sur le terrain d'envol Eisenhower. Prenez le téléphone blanc et donnez la référence à l'officier de service.

Nathan suivit la procédure :

— Ici lieutenant Cartwright. Nous avons un appel d'urgence : deux pelotons sont pris au piège au nord du fleuve Dyng, référence SE 42-NNE 71. Ils réclament une assistance immédiate.

— Nous décollons. Nous serons en route d'ici cinq minutes.

— Je peux me joindre à vous ?

— Vous avez le droit de voler à bord de Hueys ?

— Oui, répondit Nathan, ce qui était un mensonge.

— Quelle expérience du saut en parachute ?

— J'en ai fait seize à Fort Benning, lors de ma formation. Et c'est mon régiment qui est concerné !

— D'accord, lieutenant, si vous pouvez arriver à temps.

Nathan courut à toute allure jusqu'au parking. Un caporal de service sommeillait derrière le volant de sa jeep. Nathan y grimpa en hâte et appuya sur le klaxon :

— Base Blackbird, en cinq minutes !

— Mais c'est à quatre miles ! protesta le caporal.

— Alors, il va falloir vous dépêcher !

La jeep démarra et, dès la sortie du parking, se mit à foncer, phares allumés, le caporal klaxonnant à toute volée. Le couvre-feu était déjà en vigueur ; dans les rues de Saigon, les rares passants se dispersèrent à toute allure, ainsi que plusieurs poulets affolés. Trois minutes plus tard, Nathan aperçut, sur le terrain d'aviation devant eux, une dizaine d'hélicoptères Huey. Les pales de l'un d'eux tournoyaient déjà.

— Plus vite ! s'écria-t-il.

— Mais j'ai le pied au plancher ! protesta le caporal.

— Merde ! s'écria Nathan en voyant le premier appareil décoller.

Il leur fallut subir l'indispensable vérification d'identité, puis Nathan ordonna au chauffeur de se diriger vers le seul hélicoptère encore à l'arrêt, et y sauta alors qu'il commençait à s'ébranler.

— De justesse ! lança le pilote en souriant. Bienvenue à bord, lieutenant. Vous voulez d'abord avoir les mauvaises nouvelles, ou les nouvelles mauvaises ?

— Allez-y.

— La règle, en cas d'urgence, est toujours la même. L'hélicoptère qui décolle en dernier est le premier à se poser en territoire ennemi.

— Et les mauvaises nouvelles ?

— Veux-tu m'épouser ? demanda Jimmy.

Joanna se tourna pour contempler l'homme qui, depuis un an, la rendait si heureuse.

— Si tu me reposes la question le jour où tu seras diplômé, la réponse sera oui. Mais, pour le moment, c'est non.

— Mais pourquoi ? Qu'est-ce qui aura changé d'ici là ?

— Tu seras un peu plus âgé et, espérons-le, un peu plus sagace. J'ai vingt-cinq ans, tu n'en as même pas vingt.

— Quelle différence, si on passe notre vie ensemble ?

— Tu pourrais changer d'avis quand j'en aurai cinquante et toi quarante-cinq.

— Pas du tout ! À cet âge-là, tu seras dans ton plus bel âge, et moi un libertin décrépit. Alors, autant m'accepter pendant qu'il me reste encore un peu d'énergie.

Elle rit :

— Quand toutes ces histoires seront terminées, il est possible que l'un de nous deux change d'idée.

— Tu penses que ça va t'arriver ? demanda Jimmy.

— Non, dit-elle en lui caressant la joue. Mais mes parents sont mariés depuis trente ans, mes grands-parents ont atteint leurs noces d'or... Si je me marie, je veux que ce soit pour la vie.

— Raison de plus pour que ce soit le plus tôt possible ! Il me faudra vivre jusqu'à soixante-dix ans pour que nous atteignions nos noces d'or !

— Ton ami Andrew serait sans doute d'accord avec moi.

— Sans doute, mais ce n'est pas lui que tu épouses.

— Je t'aime plus que tout. Mais souviens-toi qu'à l'automne prochain, je serai à Columbia, et toi toujours à Yale.

— Mais tu peux toujours changer d'avis sur ce poste.

— Non. Le comité n'a accepté d'annuler sa décision que sous la pression de l'opinion publique. Si tu avais vu leurs têtes !

— Alors, je vais prendre un abonnement pour New York, car il est hors de question que je te perde de vue.

— Je t'attendrai à la gare !

Le réveil sonna juste à ce moment.

— Bon sang ! s'exclama Jimmy. J'ai un cours à 9 heures et je ne sais même pas quel en est le sujet !

— Napoléon et son influence sur l'évolution de la loi américaine, dit Joanna. Au fait, pourrais-tu faire deux choses pour moi ?

— Rien que deux ? lança Jimmy, déjà sous la douche.

— En cours, pourrais-tu cesser de me regarder comme un petit chiot perdu ?

— Ça, c'est impossible. Et l'autre ?

— Pourrais-tu faire semblant de t'intéresser à ce que je dis, et prendre des notes ?

— Pour quoi faire, puisque c'est toi qui corrigeras mes compositions ?

— Parce que tu ne seras pas content de la note que j'ai donnée à la dernière en date, dit Joanna en le rejoignant sous la douche.

— Un chef-d'œuvre, pourtant !

— D'après toi, quelle a été la plus grosse influence sur Napoléon ?

— Joséphine, répondit Jimmy sans hésitation.

— Peut-être est-ce vrai, mais ce n'est pas ce que tu as écrit.

Sortant de la douche, Jimmy s'empara d'une serviette :

— Et qu'est-ce que j'ai écrit ?

— Joanna.

En quelques minutes, les douze hélicoptères avaient pris leur vitesse de croisière et adopté une formation en V. Nathan jeta un coup d'œil aux deux mitrailleurs installés à l'arrière, qui contemplaient fixement la nuit sans nuages. Puis il posa un casque sur ses oreilles.

— Blackbird 1 à groupe : nous quitterons l'espace aérien ami dans quatre minutes. Arrivée estimée aux alentours de 21 heures.

Nathan se redressa et regarda à travers un hublot latéral. Le ciel était rempli d'étoiles que jamais on ne pourrait voir depuis le territoire américain. À mesure qu'ils approchaient des lignes ennemies, il sentait l'adrénaline affluer dans ses veines. Enfin il prenait part à cette fichue guerre. Il s'étonna de ne ressentir aucune peur. Cela viendrait peut-être plus tard.

— Nous entrons en territoire ennemi, dit le pilote d'une voix impassible. Chef de groupe terrestre, me recevez-vous ?

Il y eut des craquements avant qu'une voix au fort accent sudiste réponde :

— Je vous entends, Blackbird 1, quelle est votre position ?

Nathan reconnut la voix de Dick Tyler.

— Environ cinquante miles au sud de votre position.

— J'attends. Rendez-vous dans quinze minutes.

— *Roger*. Vous ne nous verrez qu'au dernier moment, nous volons tous feux éteints.

— Bien compris.

— Avez-vous identifié un point d'atterrissage ?

— Il y a un petit terrain abrité sur une colline juste au-dessus de moi, mais qui ne peut accueillir qu'un hélico à la fois. Et c'est plein de boue, vous poser sera un sacré problème.

— Quelle est votre position?

— Celle que j'ai donnée, au nord du fleuve Dyng, que les Viets doivent avoir commencé à traverser.

— Combien d'hommes avec vous?

— Soixante-dix-huit.

Nathan savait qu'il aurait dû y en avoir quatre-vingt-seize.

— Combien de corps? demanda le pilote.

— Dix-huit.

— O.K. Soyez prêts à faire monter six hommes et deux corps dans chaque hélico, et veillez à pouvoir commencer dès que vous me verrez.

— Quelle heure avez-vous?

— 20 h 33.

— À 20 h 48, je lancerai une fusée éclairante rouge.

— 20 h 48, une fusée éclairante rouge. *Roger.* Terminé!

Nathan fut impressionné par le calme du pilote, alors que tous les occupants de l'hélicoptère pouvaient mourir d'ici vingt minutes. Mais le colonel Tremlett lui avait plus d'une fois répété que le calme sauve plus de vies que l'excitation.

Pendant le quart d'heure qui suivit, personne ne dit mot. Ce furent les quinze minutes les plus longues de la vie de Nathan. Ils survolaient, juste au-dessus des arbres, une jungle épaisse faiblement éclairée par une demi-lune. Les mitrailleurs étaient déjà en position, pouces posés sur les déclencheurs de tir, prêts à toute éventualité. Nathan regardait par le hublot quand, soudain, haut dans le ciel, éclata une fusée rouge.

— Blackbird 1 au groupe, dit le pilote, rompant le silence radio que les Hueys s'étaient imposé jusque-là. Ne rallumez vos feux que trente secondes avant l'heure de rendez-vous, et souvenez-vous que c'est moi qui me pose en premier.

Il y eut à l'avant une traînée verte de balles traçantes, et les deux mitrailleurs répliquèrent aussitôt.

— Ils nous ont aperçus ! lança le pilote.

Il obliqua sur la droite et, pour la première fois, Nathan aperçut l'ennemi. Les Vietcongs grimpaient la colline, à quelques centaines de mètres de l'endroit où les hélicoptères devaient se poser.

Andrew lut l'article dans le *Washington Post*. C'était, dans une guerre dont personne ne voulait entendre parler, un épisode héroïque qui avait frappé l'imagination du public américain. Soixante-dix fantassins, pris au piège dans la jungle vietnamienne par des Vietcongs très supérieurs en nombre, avaient étés sauvés par des hélicoptères qui n'avaient pu se poser, en raison de l'intensité des tirs ennemis. Le lieutenant Chuck Philips s'était approché le premier, restant à quelques mètres du sol tandis qu'on faisait monter une demi-douzaine de GI. Comme il reprenait de l'altitude, afin que le deuxième hélicoptère lui succède, il n'avait pas remarqué qu'un autre officier, le lieutenant Cartwright, avait sauté d'un bond sur le sol.

Parmi les corps récupérés par le troisième Huey, se trouvait celui du chef de groupe, le capitaine Dick Tyler. Le lieutenant Cartwright avait alors pris le commandement et coordonné le sauvetage des hommes encore sur place. Il avait été le dernier à quitter le champ de bataille et à grimper à bord du dernier hélicoptère. Douze appareils reprirent le chemin de Saigon, mais onze seulement s'y posèrent.

Le général de brigade Hayward lança aussitôt une opération de sauvetage mais, en dépit de nombreuses sorties au-dessus du territoire ennemi, on ne put trouver trace de Blackbird 12. Le général cita Nathan en exemple à tous les Américains et jura que, mort ou vivant, on le retrouverait.

Andrew dépouilla la presse en quête de tout ce qu'il pourrait trouver sur Nathan Cartwright, après avoir lu un article révélant qu'il était né le même jour que lui, dans la même ville et le même hôpital.

Après avoir sauté de l'hélicoptère, qui se tenait à quelques mètres du sol, Tyler le chargea de convoyer ses six premiers hommes jusqu'à l'appareil, tandis qu'une grêle de balles et de tirs de mortier tombait sur le champ de bataille :

— Occupez-vous d'eux, tandis que je vais organiser mes hommes. Je vous les enverrai par groupes de six !

Le premier hélicoptère s'éloignait déjà dans le ciel. Le deuxième arriva et, malgré des tirs constants, Nathan veilla à ce que les six soldats suivants puissent monter à bord. Un coup d'œil en bas de la colline lui apprit que Dick Tyler tenait l'ennemi en respect tout en donnant l'ordre à son troisième groupe de rejoindre Nathan. Celui-ci vit arriver le troisième Huey, vers lequel cinq soldats et un sergent coururent à toute allure :

— Bon Dieu ! s'écria le sous-officier en jetant un regard en arrière. Le capitaine est touché !

Tyler gisait face contre terre. Deux de ses hommes le soulevèrent et le portèrent vers l'hélicoptère.

— Prenez le contrôle des opérations ici ! dit Nathan au sergent, avant de courir vers la crête. S'emparant du M-60 du capitaine, il se mit à couvert et ouvrit le feu sur l'ennemi qui avançait. Il parvint également à désigner six hommes, qui partirent en courant vers la colline et le quatrième hélicoptère.

Cela dura près de vingt minutes, avec de moins en moins d'hommes, car il envoyait périodiquement un nouveau groupe se réfugier sur la hauteur. Mais lui et ses cinq derniers compagnons ne battirent en retraite que lorsqu'ils virent arriver le douzième et dernier hélicoptère. Nathan courait quand une balle le toucha à la jambe. Il ressentit une vive douleur mais ne s'arrêta pas pour autant, courant même plus vite qu'il ne l'avait jamais fait. Quand il atteignit l'appareil, le sergent lança :

— Bon sang, mon lieutenant, magnez-vous le cul !

Et il l'aida à monter au moment même où l'hélicoptère plongeait sur le côté, ce qui projeta Nathan sur le corps d'un soldat.

— Ça va ? demanda le pilote.

— Je crois, répondit Nathan, haletant.

— Ah, c'est bien la biffe ! Savent jamais s'ils sont morts ou vivants ! s'exclama le pilote. Bon, avec un peu de chance, on sera de retour pour le petit-déjeuner.

Nathan contempla le corps du soldat qui, quelques instants plus tôt, vivant, était à ses côtés. Au moins, sa famille pourrait-elle récupérer sa dépouille, au lieu de s'entendre dire qu'il avait disparu quelque part dans la jungle.

— Bon sang de bon sang ! s'exclama le pilote.

— Un problème ?

— On peut le dire. On perd de l'essence à tout-va ; ces enfoirés ont dû trouer les réservoirs.

L'homme examina sa jauge de carburant, puis son indicateur de distance. Une lumière rouge clignotante montrait qu'il pourrait faire cinquante kilomètres au mieux avant de devoir se poser.

— Il va falloir que je trouve un endroit pour atterrir, dit-il en se tournant vers Nathan.

Celui-ci jeta un coup d'œil dehors, mais on n'apercevait partout qu'une impénétrable forêt.

Tout d'un coup, l'appareil se mit à frémir.

— Je tombe, dit le pilote d'un ton parfaitement calme. Je crois qu'il nous faudra renoncer au petit-déjeuner.

— À droite ! hurla Nathan en apercevant une clairière.

— J'ai vu, répondit le pilote, qui tenta de faire pivoter son appareil, mais en vain.

— On tombe pour de bon !

Le ronronnement des pales se fit de plus en plus lent, jusqu'à ce que Nathan ait l'impression que l'appareil se mettait à glisser. Il pensa à sa mère, à son père, à Tom, à Rebecca. Il se sentit d'un coup très jeune ; après tout, il n'avait encore que dix-neuf ans. Il découvrit plus tard que le pilote de l'appareil en avait à peine vingt.

Le sergent se tourna vers Nathan tandis que le Huey tombait vers le sol :

— Au cas où nous ne nous reverrions pas, mon nom est Speck Foreman. J'ai été très honoré de vous connaître.

Ils se serrèrent la main comme on le fait à l'issue d'un match.

Andrew contempla la photo de Nathan en première page du *New York Times*, juste en dessous d'un énorme titre :

« UN HÉROS AMÉRICAIN. »

Il était parti à l'armée dès réception de sa convocation, alors qu'il aurait pu réclamer un sursis. Promu au grade de lieutenant, il avait, en tant qu'officier d'intendance, pris le commandement d'une opération de sauvetage d'un peloton pris au piège sur la rive du fleuve Dyng. Qu'est-ce qu'un intendant militaire pouvait bien faire dans un hélicoptère pendant une opération sur le front ? Personne ne semblait pouvoir l'expliquer.

Andrew savait qu'il passerait le reste de sa vie à se demander ce qu'il aurait fait si l'enveloppe fatidique était arrivée dans sa boîte aux lettres – question à laquelle seuls ceux qui l'avaient reçue pouvaient répondre.

— Si ça s'était produit une semaine avant le vote, lui dit Jimmy, tu aurais pu battre Tom Russell.

— Sûrement pas.

— Et pourquoi ?

— C'est ça le plus bizarre. Il se trouve que Cartwright est le meilleur ami de Tom.

Les hélicoptères étaient partis à la recherche des disparus, mais n'avaient retrouvé que les restes d'un appareil qui avait dû exploser en heurtant les arbres. Trois corps avaient été identifiés, dont celui du pilote Carl Mould. Mais, malgré des recherches approfondies, il n'y avait aucune trace du lieutenant Cartwright et du sergent Speck Foreman.

— Il est encore vivant, dit Andrew.

— Comment le sais-tu ?

— Je l'ignore, mais je te garantis qu'il a survécu.

Nathan ne se souvenait pas d'avoir heurté les arbres, ni d'avoir été projeté hors de l'hélicoptère. Quand il finit par reprendre conscience, le soleil lui brûlait le visage. Il resta allongé, se demandant où il était, tandis que le souvenir de la collision lui revenait à l'esprit.

Il leva le bras droit, qui obéit comme un bon bras doit le faire, puis agita les doigts. Ensuite, il leva le gauche. Lui aussi obéissait aux messages péniblement transmis par son cerveau. La jambe droite... la jambe gauche... C'est à ce moment que la douleur le saisit.

Il se redressa péniblement en s'appuyant sur les mains, se leva lentement en espérant que les arbres qui l'entouraient cesseraient de tournoyer, puis avança, un pied après l'autre, comme le ferait un enfant. La douleur revint d'un coup. Il tomba à genoux. Son mollet gauche avait été déchiqueté par une balle. Des fourmis couraient déjà dans et autour de la blessure. Il lui fallut un certain temps pour les enlever, une à une, et bander sa jambe avec une manche de sa chemise. Levant la tête, il constata que le soleil descendait vers les collines. Il lui faudrait découvrir très vite si ses compagnons avaient survécu.

Il regarda tout autour de lui et finit par apercevoir de la fumée montant de la forêt. Boitant, il se dirigea vers le panache noir, et vomit quand il découvrit le cadavre calciné du pilote. C'est alors qu'il entendit un grognement.

— Où êtes-vous ? lança Nathan.

Le grognement se fit plus fort. Faisant volte-face, Nathan aperçut la lourde carcasse du sergent Foreman, pris dans les arbres, à quelques mètres au-dessus de lui.

— Vous m'entendez ? dit Nathan.

Le sergent battit des paupières tandis que Nathan le ramenait sur le sol, non sans dire :

— Ne craignez rien, je vous tirerai de là.

Ce qui lui fit aussitôt l'effet d'être un héros de bande dessinée pour gamins.

Levant les yeux pour voir la position du soleil, il repéra une civière dans un arbre. Se traînant jusqu'au pied de celui-ci, il sautilla sur un pied en saisissant une branche qu'il secoua de toutes ses forces. L'objet oscilla un instant et, sans prévenir, tomba d'un seul coup. Nathan n'eut que le temps de se jeter de côté pour l'éviter.

Il se reposa un moment avant de soulever le sergent et de le déposer sur la civière. Puis il s'assit. Il se souvenait avoir lu l'histoire de cette mère qui, après un accident d'automobile, avait maintenu en vie son enfant blessé en lui parlant toute la nuit. C'est ce qu'il fit avec le sergent.

Incrédule, Andrew lut comment, avec l'aide de paysans locaux, le lieutenant Cartwright avait traîné la civière de village en village, sur près de cinquante kilomètres, et vu le soleil se lever et se coucher plusieurs fois avant d'atteindre une position américaine, depuis laquelle le sergent et lui furent conduits de toute urgence dans un hôpital de Saigon.

Speck Foreman mourut trois jours plus tard, sans connaître le nom du lieutenant qui l'avait sorti de la jungle, et qui luttait désormais pour sa propre vie.

Une semaine plus tard, on emmena Nathan à Camp Zama, au Japon, où les chirurgiens l'opérèrent pour sauver sa jambe. Le mois suivant, il fut autorisé à rentrer aux États-Unis pour achever sa convalescence dans un centre médical militaire de Washington.

Quand Andrew le revit dans la presse, c'était en première page du *New York Times* : il était dans la roseraie de la Maison-Blanche et serrait la main du président Johnson, qui venait de lui remettre la Médaille d'honneur, la plus haute distinction militaire américaine.

15

Michael et Susan Cartwright furent émerveillés d'être invités à la Maison-Blanche pour voir leur fils unique recevoir la Médaille d'honneur. Après la cérémonie, le président Johnson écouta attentivement le père de Nathan, qui voulait l'entretenir des problèmes du vieillissement de la population et des polices d'assurance.

Sur le chemin du retour à Cromwell, la mère de Nathan lui demanda quels étaient ses projets d'avenir.

— Je ne sais pas trop, dit-il, car ça ne dépend pas de moi. Je dois être à Fort Benning lundi, et je saurai alors ce que le colonel Tremlett m'a préparé.

— Encore une année de perdue, dit Susan.

— Ça lui formera le caractère ! intervint Michael, encore ébloui d'avoir pu discuter avec le Président.

— Comme s'il en avait encore besoin !

Nathan sourit tout en regardant, par la vitre, le paysage du Connecticut. Dans la jungle, quand il traînait la civière, il s'était demandé s'il reverrait jamais l'endroit où il était né. Il réfléchit à ce que venait de dire sa mère et songea qu'elle avait malheureusement raison. La simple pensée de passer encore un an à remplir des formulaires, à saluer et à former quelqu'un qui prendrait ensuite sa place suffisait à le mettre en fureur. On lui avait déjà fait clairement comprendre qu'il était hors de question de le renvoyer au Viêt-nam : pas question de risquer la vie d'un des rares héros de l'Amérique.

Le soir, à dîner, son père lui demanda de parler du Viêt-nam. Nathan décrivit Saigon, les campagnes, les gens, sans beaucoup parler de son travail :

— Les gens travaillent très dur. Ils sont assez amicaux, et semblent vraiment contents que nous soyons là-bas, mais ni eux ni nous ne pensons pouvoir y rester indéfiniment. J'ai bien peur que l'Histoire ne juge cette guerre inutile.

Il se tourna vers son père :

— Au moins, toi, tu t'es battu pour quelque chose !

— Qu'est-ce qui t'a le plus marqué ? demanda Susan.

— L'inégalité entre les hommes. Je ne parle pas des Vietnamiens, mais de mes compatriotes ; les membres des minorités, en particulier les Noirs, qui se retrouvent sur le champ de bataille parce qu'ils n'ont pas de quoi s'offrir un avocat à la hauteur qui leur aurait trouvé le moyen d'éviter la conscription.

— Mais ton meilleur ami...

— Je sais. Et je suis ravi que Tom y ait échappé. Sinon, il aurait bien pu connaître le même sort que Dick Tyler.

— Tu regrettes ta décision ? demanda sa mère.

Nathan réfléchit :

— Non, mais je pense souvent à Speck Foreman, à sa femme et à ses trois enfants, en Alabama, et je me demande à quoi a servi sa mort.

Le lendemain matin, Nathan se leva tôt, afin de prendre le train qui le mènerait à Fort Benning. Arrivant en gare de Columbus, il vit qu'il lui restait une heure de battement, aussi décida-t-il de se rendre à pied jusqu'à l'académie militaire.

Il était devant le bureau du colonel quinze bonnes minutes avant l'heure prévue.

— Bonjour, capitaine Cartwright, lui dit un jeune sous-officier. Le colonel m'a dit de vous amener auprès de lui dès votre arrivée.

Nathan entra, se mit au garde-à-vous et salua. Se levant, Tremlett le serra dans ses bras, puis lui fit signe de s'asseoir. Regagnant sa place, il ouvrit un épais dossier et se mit à en étudier le contenu.

— Nathan, avez-vous la moindre idée de ce que vous allez faire l'année prochaine ?

— Non, monsieur, mais comme on ne me permettra pas de retourner au Viêt-nam, je serais ravi de rester ici pour vous assister dans votre tâche.

— Il y a déjà quelqu'un qui s'en charge, car je ne suis plus sûr que ce soit ce qui vous convienne le mieux.

— Vous pensez donc à autre chose...

— À dire vrai, oui, répondit le colonel. Quand j'ai su que vous alliez rentrer, j'ai appelé les avocats de l'armée. En temps normal, je déteste cette corporation, mais je dois dire que, cette fois-ci, l'un d'eux a eu une idée des plus ingénieuses. On peut interpréter les règlements de bien des façons, sinon à quoi serviraient les avocats ?

Tremlett s'interrompit brusquement :

— À propos, vous ai-je proposé du café ?

— Non, monsieur, merci, répondit Nathan en s'efforçant de dissimuler son impatience.

Le colonel décrocha son téléphone :

— Dan ? Apportez-moi du café, et même quelques beignets. Nathan, vous êtes sûr de ne pas en vouloir ?

Nathan sourit :

— Vous vous amusez bien, colonel, on dirait.

— Pour être franc, oui. Il m'a fallu plusieurs semaines pour qu'on approuve mon projet à Washington ; vous me pardonnerez donc si je m'accorde encore quelques minutes de suspense.

Le sous-officier entra avec une cafetière et deux tasses.

— Vous pourriez faire bien des choses : quitter l'armée en arguant de votre blessure, être affecté ailleurs... Mais ce ne serait pas très intéressant. Qu'avez-vous prévu de faire, une fois votre service terminé ?

— Retourner à l'université et poursuivre mes études.

— C'est bien ce que je pensais ! Et c'est exactement ce que vous allez faire.

— Mais le trimestre commence la semaine prochaine !

— Alors, signez pour six ans de plus.

— Comment? s'écria Nathan, incrédule. Je veux quitter l'armée, pas y rester!

Le colonel se leva et se mit à marcher de long en large:

— Avec vos qualifications, vous pouvez sur l'heure suivre n'importe quel cours en fac et, qui plus est, l'armée en assurera les frais.

— Mais j'ai déjà une bourse!

— Je le sais parfaitement, c'est dans le dossier. Mais l'université ne vous versera pas un salaire de capitaine pour cela.

— Je serais payé pour aller en fac?

— Oui. Une solde de capitaine, plus un supplément pour affectation à l'étranger.

— À l'étranger? Mais je veux terminer mes études à l'université du Connecticut, puis aller à Yale!

— Et c'est bien ce que vous ferez. Les règles spécifient que si, et seulement si, vous avez servi à l'étranger, dans un secteur en guerre, alors une demande d'inscription en fac aura le même statut que votre dernière affectation.

Nathan resta silencieux. Tremlett but une gorgée de café:

— Vous recevrez une solde de capitaine, un supplément pour affectation à l'étranger, et en plus, au bout de six ans, vous serez automatiquement libéré, et bénéficierez aussitôt de vos droits à la retraite.

— Ils ont réussi à faire passer ça au Congrès?

— Ils ont dû penser que jamais personne ne remplirait les conditions nécessaires en même temps.

— Mais il y a un revers, dit Nathan.

— En effet. Le Congrès tient à garantir ses arrières. En premier lieu, vous devrez revenir à Fort Benning chaque année, pour deux semaines d'entraînement intensif, histoire de rester en forme.

— J'adorerais ça!

— Et, une fois les six ans écoulés, vous resterez sur la liste d'active jusqu'à quarante-cinq ans, si bien qu'en cas de guerre vous seriez rappelé.

— Et c'est tout ? demanda Nathan, qui ne pouvait y croire.

— C'est tout.

— Qu'est-ce que je dois faire ?

— Signer les documents préparés par les avocats, et nous vous renvoyons à l'université du Connecticut dès la semaine prochaine. J'ai contacté les responsables, ils m'ont dit qu'ils vous attendaient dès lundi, et ont précisé que le premier cours commençait à 9 heures. Des horaires de sybarite !

— Vous saviez que je dirais oui.

— Je l'admets. J'ai pensé que ce serait mieux que d'avoir à me préparer le café tous les jours, pendant un an. Vous êtes sûr que vous n'en voulez pas un peu ?

— Acceptes-tu de faire de cette femme ton épouse légitime ? demanda l'évêque du Connecticut.

— Oui, dit Jimmy.

— Acceptes-tu de faire de cet homme ton époux légitime ?

— Oui, répondit Joanna.

— Acceptes-tu de faire de cette femme ton épouse légitime ? répéta le prélat.

— Oui, dit Andrew.

— Acceptes-tu de faire de cet homme ton époux légitime ?

— Oui, répondit Annie.

Les doubles mariages étaient rares à Hartford ; l'évêque reconnut que c'était le premier qu'il ait jamais présidé.

Le sénateur Gates accueillait les invités en souriant. Il les connaissait presque tous.

— Qui aurait cru que Jimmy finirait par épouser la fille la plus douée de sa classe ? dit-il fièrement à haute voix.

— Et pourquoi pas ! répondit sa femme. C'est bien ce que tu as fait ! Et, grâce à Joanna, notre fils a décroché une mention !

Le maître de cérémonie fit son apparition :

— Nous couperons le gâteau dès que tout le monde se sera assis ! Je vais demander aux mariés de se placer devant, et les parents derrière, pour la séance de photos.

Ruth Davenport contemplait Annie Gates d'un air songeur :

— Je me demande parfois s'ils ne sont pas trop jeunes.

— Annie a vingt ans. Sa mère avait le même âge quand je l'ai épousée ! constata jovialement le sénateur.

— Mais elle n'a pas encore passé son diplôme !

Gates s'était déjà tourné vers quelqu'un d'autre.

— J'aurais voulu que… commença Ruth.

— Quoi donc, ma chérie ? demanda Robert.

Elle se tourna vers son mari pour que le sénateur ne puisse entendre :

— J'aime beaucoup Annie, vraiment. Mais, tout de même, j'aurais préféré qu'ils… qu'ils se connaissent mieux.

— Andrew a rencontré beaucoup d'autres filles, il n'a tout simplement pas eu envie de sortir avec elles. Combien de fois, quand je vais faire des courses avec toi, finis-tu par acheter la robe que tu avais remarquée en premier ?

— J'ai songé à bien des hommes avant de me résigner à toi.

— Mais aucun ne voulait t'épouser.

— Robert Davenport, laisse-moi te dire que…

— Et combien de fois t'ai-je demandé de m'épouser avant que tu acceptes ? J'ai même tenté de te mettre enceinte.

— Tu ne m'avais jamais dit ça !

— Et il a fallu bien du temps pour que ça t'arrive.

— Espérons qu'Annie n'aura pas le même problème.

— Aucune raison ! Ce n'est pas Andrew qui accouchera ! Et je parie que, comme moi, il ne regardera plus aucune autre femme de toute sa vie !

— Tu as vraiment fait ça ?

Robert vida sa flûte de champagne :

— Oui. Enfin, j'ai couché avec plusieurs, mais sans les regarder !

— Robert, est-il nécessaire que tu boives autant ?

Jimmy vint vers eux :

— De quoi riez-vous donc ?

— Je parlais à Ruth de mes nombreuses conquêtes, mais elle refuse de me croire. Que comptes-tu faire une fois diplômé, Jimmy ?

— J'entrerai à la fac de droit avec Andrew. Ça va être dur, mais avec votre fils pour m'aider pendant la journée, et Joanna le soir, je pourrai peut-être y arriver. Vous devez être fier de lui !

— Oh ! que oui. Diplômé avec mention Très bien et président du conseil étudiant !

Il fit signe à un serveur de remplir son verre.

— Tu es ivre, dit Ruth en s'efforçant de ne pas sourire.

— Tu as raison, comme toujours, ma chérie, mais cela ne m'empêche pas d'être monstrueusement fier de mon fils unique.

— Jamais il ne serait devenu président sans l'aide de Jimmy !

— Madame Davenport, intervint celui-ci, c'est très gentil de votre part, mais n'oubliez pas qu'il a remporté une victoire écrasante.

— Mais uniquement après que vous avez convaincu ce... Tom de ne pas se présenter.

— C'est en tout cas Andrew qui est à l'origine des changements qui affecteront toute une génération d'étudiants. Tiens, voilà ma petite sœur ! ajouta Jimmy en voyant Annie s'approcher.

— Quand je serai présidente de General Motors, tu m'appelleras encore comme ça ?

— Mais oui ! Et je cesserai de conduire des Cadillac !

Elle allait le frapper quand le maître de cérémonie suggéra qu'il était temps de couper le gâteau.

— Ne faites pas attention à lui. D'ici que vous soyez diplômée, il aura été remis à sa place !

— Andrew parle de se lancer dans la politique, une fois qu'il aura obtenu sa licence en droit.

— Cela ne vous empêchera pas d'avoir une carrière personnelle.

— Non, mais je suis prête à faire des sacrifices si cela peut l'aider à satisfaire ses ambitions. Je sais ce que je veux, Ruth, et je ferai tout ce qui est nécessaire pour y parvenir.

— Et quoi donc?

— Soutenir l'homme que j'aime, élever ses enfants, me réjouir de ses succès, et ce sera plus difficile que d'avoir une mention Très bien à l'université.

Puis elle s'empara du couteau à manche d'ivoire et entailla la partie inférieure du gâteau.

— Tu as de la chance, Andrew, dit sa mère.

— Je l'ai su dès le début.

Annie passa le couteau à Joanna :

— Fais un vœu, chuchota Jimmy.

— C'est déjà fait, et en plus, il s'est réalisé.

— Tu veux dire : avoir le privilège de m'épouser?

— C'est bien plus important que ça ! Nous allons avoir un bébé.

Il la serra dans ses bras :

— C'est arrivé quand?

— Je ne sais pas trop, mais j'ai cessé de prendre la pilule quand j'ai été sûre que tu aurais ton diplôme.

— C'est merveilleux ! Annonçons ça à tout le monde !

— Dis un mot et je te plante ce couteau dans le ventre.

— Mesdames et messieurs, dit Jimmy tandis que Joanna levait le couteau, j'ai une annonce à faire : nous allons avoir un bébé.

— Tu es mort, s'écria Joanna en plantant le couteau dans le gâteau.

Les cinq cents personnes présentes applaudirent bruyamment.

— Madame Gates, je crois que nous devrions avoir au moins trois enfants avant que vous me tuiez.

— Ah, sénateur, dit Ruth, vous allez être grand-père. Quelle chance ! Mais je crois qu'il se passera du temps avant qu'Annie soit mère.

— Elle attendra d'être diplômée, surtout quand elle saura ce que je prépare à Andrew.

— Et s'il n'était pas d'accord avec vos projets ?

— Jimmy et moi ferons en sorte qu'il pense que c'est lui qui en a eu l'idée.

— Croyez-vous qu'il n'a pas deviné ce que vous préparez ?

— Il en est capable depuis le premier jour, quand je l'ai rencontré à ce match de football, voilà dix ans. J'ai su aussitôt qu'il pourrait aller beaucoup plus loin que moi.

Le sénateur posa la main sur l'épaule de Ruth :

— Toutefois, il y a un problème pour lequel j'aurai peut-être besoin de votre aide.

— Et lequel ?

— Je ne crois pas qu'Andrew ait déjà décidé s'il serait Démocrate ou Républicain. Et comme je sais que votre mari…

— C'est merveilleux pour Joanna ! dit Andrew à sa belle-mère.

— Harry fait déjà le décompte des voix supplémentaires que lui vaudra le fait d'être grand-père ! répondit Martha en riant. Les gens âgés constituent la partie de l'électorat la plus décisive !

— Et si Annie et moi avions un enfant, ça l'aiderait ?

— Tout dépend du timing ! Songez simplement que Harry devra se faire réélire dans deux ans !

— Et il faudrait que ça coïncide ?

— Ce serait mieux ! C'est ce que font bien des politiciens !

— Félicitations, Joanna, dit le sénateur en la serrant dans ses bras.

— Votre fils ne saura donc jamais garder un secret ? demanda-t-elle en extrayant le couteau du gâteau.

— J'ai bien peur que non ! Sauf s'il pense que cela ferait du tort à quelqu'un qu'il aime ; alors, il saura se taire jusqu'à la tombe.

16

Le professeur Karl Abrahams entra dans la salle à 9 heures tapantes. Il donnait huit cours par trimestre, et on disait qu'en trente-sept ans, il n'en avait jamais manqué un seul. Il courait sur lui beaucoup de rumeurs invérifiables, devenues partie intégrante de sa légende. Le *Washington Post*, lui consacrant un article, avait fait remarquer qu'il avait eu pour élèves deux membres de la cour suprême, vingt-deux juges fédéraux et plusieurs doyens de facultés de droit cotées.

Quand Andrew et Jimmy assistèrent à la première de ses conférences, ils savaient quelle somme de travail les attendait. Avant son diplôme, Andrew avait déjà l'impression de faire le maximum, se couchant souvent après minuit. Le professeur Abrahams n'eut besoin que d'une semaine pour lui montrer que c'était insuffisant.

Il ne manquait jamais de rappeler à son auditoire de première année que tous n'assisteraient pas à son discours de fin d'année. Andrew se mit alors à passer tant de temps à la bibliothèque qu'Annie ne le voyait quasiment plus. Jimmy rentrait un peu avant lui, pour voir Joanna, mais il emportait souvent des livres avec lui.

La première chose qui frappa Nathan quand il revint à l'université, ce fut l'immaturité de ses anciens camarades. Ceux qu'il avait fréquentés avant de partir à l'armée ne parlaient que de rock ou de cinéma, alors que lui-même n'avait jamais entendu parler des Doors. Ce n'est qu'en assistant à son premier cours qu'il comprit à quel point le Viêt-nam avait changé sa vie.

Il se rendait également compte que les autres ne semblaient pas le considérer comme un des leurs, en partie parce que certains professeurs paraissaient très impressionnés. Le respect qu'on lui témoignait était très agréable, mais il avait sa contrepartie. Pendant les vacances de Noël, il en discuta avec Tom, qui lui expliqua que certains croyaient qu'il avait tué une bonne centaine de Vietcongs.

— Surtout, ne leur ôte pas leurs illusions ! Les garçons seront envieux, les filles intriguées. Ils seraient trop déçus de découvrir que tu n'es qu'un bon citoyen respectueux des lois. Le capitaine Cartwright, décoré de la Médaille d'honneur, fait forcément plus que ses dix-neuf ans ; et ta façon de boiter le confirme à chaque instant.

Nathan suivit le conseil de son ami, et décida de brûler son trop-plein d'énergie en faisant du sport. Les médecins l'avaient mis en garde : il se passerait au moins un an avant qu'il puisse courir de nouveau. Il consacrait donc au moins une heure par jour à monter à la corde, à soulever des poids et, dès la fin du premier trimestre, pouvait faire du jogging, certes encore assez lentement. Avant le Viêt-nam, il parcourait dix kilomètres en trente-quatre minutes et dix-huit secondes ; il se jura qu'à la fin de sa seconde année, il aurait battu ce record.

Chaque fois qu'il proposait à une fille de sortir avec lui, il obtenait invariablement une de ces deux réactions diamétralement opposées : soit elle se montrait prête à aller au lit sur-le-champ, soit elle l'éconduisait purement et simplement. Tom l'avait bien prévenu : faire sa conquête était une véritable récompense pour certaines. Plusieurs ne se privaient d'ailleurs pas de s'en vanter, bien que Nathan ne les ait jamais vues !

— Être connu a ses inconvénients ! dit-il à Tom.

— Je change de place avec toi quand tu veux !

Le premier jour où il était revenu sur le campus, Rebecca lui avait fait comprendre qu'elle souhaitait qu'il lui accorde une seconde chance. Elle l'invita un soir dans sa chambre à boire un café, et tenta presque aussitôt de le dévêtir. Il se dégagea et prétendit qu'il devait courir le lendemain matin. Excuse un peu plate qui ne découragea pas la jeune fille : elle revint quelques instants plus tard, vêtue d'un peignoir de soie sous lequel elle était manifestement nue. Nathan se rendit compte qu'il n'éprouvait plus rien pour elle et se hâta de boire son café.

— Faire le parcours dans les délais ne te préoccupait guère, autrefois, dit Rebecca.

— C'était du temps où j'avais deux bonnes jambes.

— Je ne suis plus assez bien pour toi, maintenant que tout le monde te considère comme un héros ?

— Ça n'a rien à voir avec ça. C'est simplement...

— C'est simplement que Ralph avait raison depuis le début.

— Que veux-tu dire ?

— Que tu ne seras jamais à son niveau, au lit comme ailleurs.

Nathan voulut répondre, puis se dit que cela n'en valait pas la peine, et sortit sans un mot. Plus tard, ne pouvant dormir, il comprit que la jeune fille, comme tant d'autres choses, appartenait au passé.

Il fut également fort surpris de constater que beaucoup d'étudiants auraient voulu qu'il se présente contre Ralph Elliot au poste de président du sénat étudiant. Il fit donc comprendre clairement qu'il n'avait aucune intention de se lancer dans une campagne électorale, alors qu'il lui fallait déjà rattraper le temps perdu à l'armée.

À la fin de sa seconde année, quand il rentra chez lui, il annonça fièrement à son père qu'il venait à bout du parcours de cross-country en moins d'une heure ; et ajouta négligemment qu'il était parmi les six meilleurs de sa classe.

Pendant l'été, Tom et lui voyagèrent en Europe. Grâce à sa solde de capitaine, Nathan put accompagner son meilleur ami sans jamais avoir l'impression de vivre à ses crochets.

Ils se rendirent à Londres, à Paris, où ils arpentèrent les Champs-Élysées en regrettant devoir s'en remettre à un manuel de conversation chaque fois qu'ils voyaient une jolie fille. Ils visitèrent ensuite Rome où, dans de minuscules gargotes, ils découvrirent pour la première fois comment on préparait les pâtes, et jurèrent de ne plus jamais en manger ailleurs que dans un restaurant italien.

Mais ce n'est qu'en arrivant à Venise que Nathan tomba amoureux. Tout commença avec Léonard de Vinci, Bellini et Luini. L'intensité de sa passion fut telle que Tom accepta de passer quelques jours de plus dans le pays, et d'ajouter Florence à leur programme. Michel-Ange, le Caravage, Canaletto, le Tintoret... Nathan tombait amoureux tous les vingt mètres.

C'était la cinquième conférence du trimestre pour le professeur Abrahams qui, debout devant son bureau, détaillait, sans la moindre note, le procès Carter contre Amalgamated Steel :

— En 1923, M. Carter perdit un bras dans un accident du travail, et fut licencié sans recevoir la moindre compensation financière. Devenu manchot, il ne put trouver de travail. La loi de dédommagement ne fut votée qu'en 1927 ; M. Carter décida donc de porter plainte contre son ancien employeur, ce qui, alors, était véritablement inouï. Bien entendu, il n'avait pas de quoi se payer un avocat – les choses n'ont guère changé depuis –, mais un jeune étudiant en droit accepta de le représenter devant le tribunal. Il l'emporta, et Carter se vit accorder la somme mirifique de cent dollars. Mais ces deux hommes, à eux seuls, ont provoqué un changement de la loi. Espérons que l'un d'entre vous pourra, à l'avenir, faire de même face à une telle injustice. Le jeune étudiant en droit s'appelait Theo Rampleiri ; il faillit être expulsé de sa faculté parce qu'il consacrait trop de temps à l'affaire Carter. Ce qui, plus tard, ne l'empêcha pas d'être nommé juge à la cour suprême.

Abrahams fronça les sourcils et poursuivit :

— L'année dernière, General Motors a dû verser cinq millions de dollars à un certain M. Cameron pour la perte de sa jambe, bien que la compagnie ait pu prouver que l'accident était dû à sa propre négligence.

Puis le professeur exposa longuement le cas, avant de conclure :

— Quand nous nous retrouverons, je veux que vous ayez recherché les cinq procès qui ont suivi Carter contre Amalgamated Steel, jusqu'à Demitri contre Demitri, et qui tous ont entraîné un changement de la loi. Vous pouvez travailler à deux, mais sans consulter les autres. J'espère que je me fais bien comprendre. Bonne journée !

Andrew et Jimmy se partagèrent le travail et, en fin de semaine, ils avaient déterré trois des affaires. Joanna tira de sa mémoire une allusion à une quatrième, qui s'était plaidée dans l'Ohio du temps où elle était petite, mais refusa d'en dire davantage.

— Sumner contre Sumner ! s'exclama Jimmy triomphalement en se glissant auprès d'elle dans le lit, peu après minuit.

— Pas mal, mais il faudra que tu aies trouvé la cinquième d'ici lundi matin si tu veux espérer tirer un sourire du professeur Abrahams.

— Ce bloc de granit ? Il en faudrait plus pour ça !

C'est en grimpant la colline que Nathan l'aperçut courant devant lui, et il pensa simplement qu'il la dépasserait dans la descente. Il se sentait plein d'énergie en parvenant au sommet ; pourtant, il jura bruyamment. Cette idiote avait pris un mauvais chemin. Encore une première année ! Il se mit à crier mais elle ne répondit pas. Changeant de direction, il se lança à sa poursuite et, comme il se rapprochait, elle s'arrêta net, se retourna et le contempla d'un air perplexe.

— Vous prenez le mauvais chemin ! lança-t-il en arrivant à sa hauteur.

— Merci ! C'est la deuxième fois que je fais le parcours, je ne me souvenais plus du sentier qu'il fallait suivre en arrivant sur la colline.

— Le plus étroit. L'autre mène dans les bois.

— Merci, répéta-t-elle en repartant en courant vers le sommet.

Il la suivit, puis lui fit signe une fois qu'il fut certain qu'elle était sur le bon chemin.

— À un de ces jours ! s'écria-t-il, sans obtenir de réponse.

En arrivant en bout de parcours, il consulta sa montre et jura de nouveau. Quarante-trois minutes et cinquante et une secondes ! Combien de temps avait-il perdu à rediriger cette fille ? Il fit quelques exercices d'étirement, qui lui prirent plus longtemps que d'habitude, comme s'il attendait qu'elle refasse son apparition.

Soudain, elle surgit, courant lentement vers la fin du parcours.

— Vous l'avez réussi ! dit-il avec un sourire qu'elle ne lui rendit pas. Je m'appelle Nathan Cartwright.

— Je sais qui vous êtes, répliqua-t-elle d'un ton sec.

— Nous nous sommes déjà rencontrés ?

— Non. Je ne vous connais que de réputation.

Elle s'éloigna vers les vestiaires des femmes sans donner davantage d'explications.

— Que ceux qui ont trouvé les cinq affaires se lèvent.

Andrew et Jimmy s'exécutèrent, exultants, mais découvrirent presque aussitôt que les deux tiers de la classe étaient debout.

— Quatre ? demanda Abrahams d'un ton un peu dédaigneux.

La plupart de ceux qui étaient restés assis se dressèrent ; 10 % des étudiants n'avaient trouvé que trois jugements ou moins. Andrew se demanda combien finiraient le trimestre.

— Bien. Commençons par Maxell River Gas contre Pennstone. Quel changement le procès a-t-il occasionné ?

Il désigna du doigt un étudiant au troisième rang.

— À partir de 1932, la loi a fait obligation aux entreprises de veiller à ce que leur équipement soit conforme aux règlements de sécurité, et à ce que leurs salariés soient informés des procédures d'urgence.

Le doigt se déplaça vers un autre élève :

— Des instructions écrites devaient être affichées partout où les salariés pourraient les lire.

— Quand est-elle devenue obsolète ?

Autre voix :

— Reynolds contre McDermond Timber. Il avait perdu trois doigts en coupant un tronc, mais la défense a pu prouver qu'il ne savait pas lire et n'avait reçu aucune instruction verbale relative au fonctionnement de la machine.

— Quelle fut la base de la nouvelle loi ?

Autre voix :

— L'Industry Act de 1934, qui impose à l'employeur d'informer son personnel, verbalement et par écrit, du fonctionnement de tout équipement, quel qu'il soit.

— Quand fallut-il l'amender ? demanda Abrahams à quelqu'un d'autre.

— Rush contre l'État.

— Et pourquoi l'État a-t-il gagné le procès, alors qu'il était en tort ?

Le doigt bougeait sans arrêt :

— Il a été démontré que Rush avait signé un document déclarant...

— ... qu'il avait été informé conformément à la loi...

— ... et qu'il était leur employé depuis un temps supérieur à la période statutaire de trois ans.

— L'État a également démontré qu'il n'était pas une entreprise, au sens courant du terme, si bien que la loi avait été mal formulée par les politiciens.

— Laissez-les tranquilles ! Ce sont les avocats qui rédigent les lois. Le tribunal admettait en fait que l'État ne soit pas soumis à sa propre législation ! Ce qui a provoqué un nouveau changement.

Doigt pointé :

— Demetri contre Demetri.

Le doigt désigna Andrew :

— C'était la première fois qu'un membre d'un couple poursuivait l'autre alors qu'ils étaient encore mariés, tout en étant par ailleurs actionnaires à 50 % chacun de la société considérée. Mais ce fut un échec, car Mme Demetri a refusé de témoigner contre son époux.

Abrahams désigna Jimmy :

— Et pourquoi a-t-elle refusé ?

— Par sottise.

— Comment cela ?

— Son époux lui a fait l'amour, ou l'a frappée, la nuit précédente, et elle a préféré se taire.

Il y eut quelques rires, qui redoublèrent quand Abrahams demanda :

— Vous étiez présent sur les lieux ?

— Non, monsieur, mais je pense que c'est ce qui s'est passé.

— Peut-être avez-vous raison, mais vous n'auriez pu le prouver devant la cour ; la partie adverse aurait aussitôt fait une objection que le juge aurait acceptée, et le jury vous aurait pris pour un sot. Plus important encore, vous auriez porté tort à votre client. Ne vous fiez jamais à ce qui a pu se passer, même si c'est probable, tant qu'il vous est impossible de le prouver.

— Mais... commença Andrew.

— Votre nom ?

— Davenport, monsieur.

— Mais quoi, monsieur Davenport ?

— L'avocat de Mme Demetri lui a déclaré que si elle gagnait son procès, la société cesserait ses activités, puisque aucun des deux n'avait la majorité, et ce aux termes de la loi Kendall de 1941. Elle a donc placé ses parts sur le marché, et elles ont été achetées par le plus grand rival de M. Demetri, un nommé Canelli, pour 100 000 dollars. Je ne peux évidemment prouver qu'il a été l'amant de Mme Demetri, mais quand, un an plus tard, la compagnie a fait l'objet d'une liquidation, Mme Demetri a racheté ses parts à raison de dix cents pièce, et a aussitôt signé un nouveau contrat d'association avec son époux.

— M. Canelli a-t-il pu prouver que les Demetri agissaient en collusion ?

Andrew réfléchit avec soin. Abrahams lui tendait-il un piège ?

— Cela ne constitue pas une preuve mais, un an plus tard, Mme Demetri a eu un deuxième enfant, et le certificat de naissance indiquait que M. Demetri en était le père.

— Ce n'est pas une preuve, en effet. Quelles accusations a-t-on porté contre elle ?

— Aucune. La nouvelle société a connu un grand succès.

— Alors, comment se fait-il que la loi ait été changée?

— Le juge a porté l'affaire à la connaissance de l'attorney général de l'État.

— Quel État?

— L'Ohio. Cela a provoqué le vote du Marriage Partnership Act en 1949. Mari et femme ne pouvaient plus racheter les parts d'une compagnie dans laquelle ils avaient été associés, si cela leur bénéficiait directement en tant qu'individus.

La cloche sonna 11 heures.

— Merci, monsieur Davenport, dit Abrahams. Votre « mais » était justifié.

Nathan attendait patiemment, appuyé contre le mur faisant face au restaurant universitaire. Après avoir vu près de cinq cents jeunes femmes quitter le bâtiment, il se dit que si elle était si mince, c'était simplement parce qu'elle ne mangeait pas. Puis elle apparut brusquement, franchissant les portes à tambour. Nathan avait amplement eu le temps de répéter, mais il se sentait nerveux :

— Bonjour, c'est moi, Nathan.

Elle leva les yeux sans sourire.

— Nous nous sommes croisés l'autre jour. En haut de la colline.

— Oui, je me souviens.

— Mais vous ne m'avez pas donné votre nom.

— Non, en effet.

— Puis-je vous demander ce que vous entendiez par « ma réputation » ?

— Monsieur Cartwright, vous serez peut-être surpris d'apprendre qu'il y a, sur le campus, des femmes qui pensent qu'avoir reçu la Médaille d'honneur ne vous donne pas automatiquement un droit sur leur virginité.

— Mais je ne l'ai jamais pensé !

— Et la moitié des filles du campus affirment avoir couché avec vous.

— Oui, mais deux seulement disent la vérité.

— Et tout le monde sait que les filles vous pourchassent.

— Pourquoi ne puis-je pas aimer quelqu'un, comme tout le monde ?

— Mais vous n'êtes pas comme tout le monde ! Vous êtes un héros avec une solde de capitaine, et vous vous attendez à ce que tout le monde se prosterne.

— Qui vous a dit ça ?

— Quelqu'un qui vous connaît depuis le lycée.

— Ralph Elliot, sans doute ?

— Oui, celui dont vous avez fait passer l'essai pour le vôtre lors de votre demande d'admission à Yale.

— C'est ce qu'il vous a dit ?

— Oui.

— Vous pourriez lui demander pourquoi lui-même n'est pas à Yale.

— Il dit que vous avez réussi à l'en rendre responsable, si bien qu'il n'a pas été admis non plus.

Nathan allait exploser quand elle poursuivit :

— Et maintenant vous voulez être président du sénat étudiant, et votre stratégie consiste à coucher avec toutes les filles qui passent.

Nathan tenta de se contrôler :

— D'abord, je ne veux pas être président, ensuite je ne couche pas avec toutes les filles. J'en ai connu trois dans ma vie : une étudiante du temps où j'étais à Taft, une secrétaire au Viêt-nam, et une soirée sans lendemain que je regrette. Si vous en connaissez d'autres, présentez-les-moi ! Puis-je au moins connaître votre nom ?

— Su Ling, dit-elle doucement.

— Su Ling, si je promets de ne pas tenter de vous séduire avant d'avoir demandé votre main à votre père, acheté une alliance, loué une église et fait publier les bans, accepterez-vous que je vous emmène dîner ?

Elle rit :

— Je vais y réfléchir. Désolée, mais il faut que j'y aille, je suis en retard pour mon cours.

— Mais comment vous trouverai-je ?

— Ce ne devrait pas être trop difficile, capitaine Cartwright.

17

— Levez-vous ! L'État contre Mme Anita Kirsten. Le juge Abernathy présidera les débats.

Abernathy prit place et se tourna vers l'accusée et son défenseur.

— Que plaidez-vous, madame Kirsten ?

Andrew se leva :

— Ma cliente plaide non coupable, Votre Honneur.

— Vous représentez l'accusée ?

— Oui, Votre Honneur.

— Je ne crois pas vous connaître, monsieur Davenport.

— En effet, Votre Honneur, c'est la première fois que je me présente devant vous.

Andrew s'avança vers le juge, en compagnie du représentant de l'accusation.

— Bonjour, messieurs, reprit le juge. Monsieur Davenport, puis-je vous demander quelles qualifications légales vous possédez pour pouvoir vous présenter devant le tribunal ?

— Aucune, Votre Honneur.

— Je vois. Votre cliente le sait ?

— Oui, Votre Honneur.

— Et elle veut que vous la représentiez, alors qu'il s'agit d'une accusation de meurtre ?

— Oui, Votre Honneur.

Le juge se tourna vers l'attorney général du Connecticut :

— Vous opposez-vous à ce que M. Davenport représente Mme Kirsten ?

— Absolument pas, Votre Honneur. Bien au contraire !

— Je m'en doute. Monsieur Davenport, je dois vous demander quelle est votre expérience de la loi.

— Assez réduite, Votre Honneur. Je suis en deuxième année de droit à Yale, et c'est ma première affaire.

Le juge et l'attorney général sourirent.

— Et qui est votre directeur d'études ? demanda le premier.

— Le professeur Karl Abrahams.

— Alors je serai fier de présider les débats relatifs à votre première affaire, monsieur Davenport. Moi aussi, j'ai été l'élève du professeur Abrahams. Et vous, maître Stamp ?

— Non. J'ai obtenu mon diplôme en Caroline du Sud.

— Tout cela est assez peu régulier mais, en définitive, c'est l'accusée qui choisit. Passons à l'affaire elle-même.

Andrew et l'attorney général regagnèrent leurs places.

— Réclamez-vous une mise en liberté sous caution, monsieur Davenport ? demanda le juge.

— Oui, Votre Honneur, répondit Andrew en se levant.

— Sur quelles bases ?

— Mme Kirsten n'a pas de casier judiciaire, et ne représente aucun danger pour la société. Elle est mère de deux enfants : Alan, qui a sept ans, et Della, qui en a cinq, et qui vivent actuellement chez leur grand-mère à Artford.

— Maître Stamp, le ministère public a-t-il des objections à faire ?

— Certainement, Votre Honneur. Nous nous opposons à une mise en liberté sous caution, non seulement parce que c'est une affaire de meurtre, mais aussi parce que celui-ci a été prémédité. Nous affirmons donc que Mme Kirsten représente un danger pour la société, et qu'elle pourrait aussi chercher à se soustraire à la juridiction de l'État.

— Objection ! lança Andrew.

— Sur quelles bases, monsieur Davenport ? demanda le juge.

— C'est effectivement une affaire de meurtre, mais quitter ou non l'État est en dehors de la question, puisque se soustraire à la justice en ferait un crime fédéral. Mme Kirsten réside à Hartford, où elle travaille à l'hôpital de Saint-Mary comme infirmière ; ses deux enfants sont inscrits dans une école de la ville.

— D'autres commentaires, monsieur Davenport ?

— Non, Votre Honneur.

— Mise en liberté sous caution refusée, dit le juge. La séance est ajournée jusqu'au lundi 17.

Le juge Abernathy quitta les lieux en adressant un clin d'œil à Andrew.

Trente-quatre minutes et dix secondes : Nathan fut ravi, non seulement d'avoir battu son record personnel, mais aussi de s'être classé sixième. Il était ainsi certain de faire partie de l'équipe lors de la rencontre contre Boston.

Tom s'approcha tandis que Nathan se livrait à ses habituels exercices d'élongation :

— Félicitations ! Je suis sûr que d'ici la fin de la saison, tu auras gagné une minute de plus !

Nathan avait relevé la jambe de son survêtement, faisant apparaître la vilaine cicatrice rouge sur son mollet.

— Pourquoi ne pas fêter ça ce soir ? poursuivit Tom. J'ai à te parler de quelque chose avant de retourner à Yale.

— Ce soir, pas possible : j'ai rendez-vous !

— Je la connais ?

— Non. Mais c'est la première fois depuis des mois, et je suis très nerveux.

— Le capitaine Cartwright, nerveux ? Tu rigoles ?

— Pas du tout. Ça ne va pas être facile avec cette fille, elle me prend pour un mélange de Don Juan et d'Al Capone.

— Elle m'a l'air particulièrement perspicace ! Parle-moi d'elle.

— Il n'y a pas grand-chose à dire. Nous nous sommes rencontrés par hasard sur une colline. Elle est fort belle, apparemment intelligente, très ironique, et elle pense que je suis un salaud.

Nathan raconta ensuite sa conversation au sortir du restaurant universitaire.

— Ralph Elliot a donc imposé sa version, dit Tom.

— Qu'il aille se faire foutre. À ton avis, je garde l'uniforme ou j'opte pour le genre costard et cravate ?

— Tu ne m'avais plus demandé ça depuis l'époque de Taft. Uniforme et médailles !

— Allez, sois sérieux.

— Ça confirmerait l'idée qu'elle se fait de toi ! Bon, comment sera-t-elle vêtue, d'après toi ?

— Je n'en sais rien. Je ne l'ai vue que deux fois. La première, elle était en survêtement, couverte de boue.

— Sexy en diable ! Et la seconde fois ?

— Élégante et discrète.

— Je serais partisan du simple. Chemise, pas de T-shirt, pantalon et sweat-shirt. Tu as l'air bien mordu, dis donc.

— Je la trouve divine. Mais je ne suis pas sûr qu'elle soit du même avis en ce qui me concerne.

— Elle a accepté ton invitation à dîner, donc elle ne doit pas croire que tu es le dernier des salauds. Mais ça se présente moyen, en effet. En tout cas, il faut bel et bien que je discute avec toi. Au petit-déjeuner, peut-être ? À moins, bien sûr, que tu ne le prennes en compagnie de cette mystérieuse beauté orientale.

— J'en serais très surpris, dit Nathan. Et un peu déçu, aussi.

— Combien de temps durera le procès, d'après toi ? demanda Annie.

— En plaidant coupable pour homicide, mais non pour meurtre, il peut se terminer au bout d'une matinée, avec peut-être une séance supplémentaire pour le verdict.

— C'est possible ? demanda Jimmy.

— Oui, l'État m'a proposé un marché. Si j'accepte l'accusation d'homicide, Stamp ne réclamera que trois ans, ce qui veut dire qu'avec une réduction de peine pour bonne conduite, Anita Kirsten peut sortir au bout de dix-huit mois. Sinon, il entend réclamer la peine de mort.

— Jamais on n'enverra une femme à la chaise électrique pour avoir tué son mari, surtout dans cet État.

— Oui, mais un jury hostile pourrait la condamner à quatre-vingt-dix-neuf ans de prison. Elle n'a que vingt-cinq ans ! Si j'arrive à mes fins, après dix-huit mois, elle pourra espérer retrouver sa famille.

— Je me demande pourquoi l'attorney général propose trois ans, s'il est si sûr de son affaire ? demanda Jimmy.

— N'oublie pas, observa Annie, c'est une Noire, accusée d'avoir tué un Blanc. Il y aura au moins deux Noirs dans le jury. Si seulement il y en avait un troisième, ça pourrait faire pencher la balance.

— Ma cliente a un casier judiciaire vierge, et une bonne réputation. Ça devrait influencer le jury, quel qu'il soit, assura Andrew.

— Je n'en suis pas si sûre, dit Annie. Elle a empoisonné son mari au curare, et elle s'est assise dans l'escalier en attendant qu'il meure !

— Il la battait depuis des années, et leurs enfants aussi, dit Andrew.

— Tu as des preuves ? demanda Jimmy.

— Pas énormément. Mais, le jour où elle a accepté mes offres de service, j'ai pris des photos des bleus sur son corps, ainsi que d'une brûlure sur sa main qu'elle gardera toute sa vie.

— Comment est-ce arrivé ? demanda Annie.

— Ce salopard lui a maintenu la main sur une plaque électrique, et n'a arrêté que lorsqu'elle s'est évanouie.

— Un type charmant ! Qu'est-ce qui t'empêche de plaider un homicide en réclamant les circonstances atténuantes ?

— La peur de perdre ; Mme Kirsten pourrait passer le reste de ses jours derrière les barreaux par ma faute.

— Pourquoi t'a-t-elle demandé de la défendre ? demanda Jimmy.

— Personne ne s'était présenté ! Et le niveau de mes honoraires lui a paru irrésistible !

— Et te voilà face au ministre de la justice de l'État.

— Ce qui est un peu surprenant, car je ne vois pas pourquoi il prend la peine de représenter l'État dans une affaire comme celle-ci.

— Enfantin ! lança Jimmy. Une Noire tue un Blanc dans un État où les Noirs ne représentent que 20 % de la population, dont la moitié ne va jamais voter. Or, il y a une élection en mai.

— De quel délai disposes-tu pour accepter ou refuser la proposition de Stamp ? intervint Annie.

— Les débats reprennent lundi prochain.

— As-tu pensé à solliciter l'avis du professeur Abrahams ?

Son frère et son mari la regardèrent, incrédules :

— Mais il conseille les présidents et les chefs d'État ! objecta Andrew.

— Alors, le temps est peut-être venu pour lui d'aider un étudiant de deuxième année. Prends le téléphone et demande à le voir. Il sera flatté !

Nathan arriva au restaurant avec un quart d'heure d'avance. Il avait choisi « Chez Mario » pour son absence de prétention : des nappes à carreaux rouges et blancs, quelques fleurs, des photos de Florence accrochées aux murs... Tom lui avait dit également que c'était la femme du patron en personne qui cuisinait. Suivant les conseils de son ami, il s'était habillé d'une chemise bleue, d'un pantalon gris et d'un sweat-shirt.

Nathan se présenta à Mario, qui lui indiqua une table dans un coin. Il y prit place, lut le menu plusieurs fois, s'assura qu'il avait assez d'argent liquide au cas où l'établissement n'acceptait pas les chèques...

Dès qu'il la vit, Nathan comprit qu'il s'était planté. Elle était vêtue d'un tailleur bleu, d'un corsage crème et de chaussures bleu marine. Il lui fit signe : elle eut un sourire qui la rendit encore plus captivante, et se dirigea vers lui.

— Je me suis trompée de tenue ! s'exclama-t-elle. Je m'attendais à voir un officier en grand uniforme, couvert de médailles !

Nathan et elle éclatèrent de rire presque en même temps, et ils parurent ne pas pouvoir s'arrêter pendant les deux heures qui suivirent.

— Du café? demanda-t-il en fin de repas.

— Oui, bien noir.

— Je t'ai parlé de ma famille, dit-il, parle-moi de la tienne. Tu es une enfant unique, comme moi?

— Oui, mon père était sergent dans l'armée américaine, en Corée, quand il a rencontré ma mère. Ils n'ont été mariés que quelques mois : il a été tué à la bataille de Yudam-ni. Maman a décidé d'émigrer en Amérique pour contacter mes grands-parents, sans jamais avoir pu en retrouver la trace. Mais elle ne renonce pas facilement. Elle a pris un boulot dans une blanchisserie, le patron nous a permis de vivre au-dessus de la boutique, dont elle a pris la direction ensuite. Il lui a fallu tout sacrifier pour veiller à ce que j'aie une bonne éducation.

— Ta mère ressemble tout à fait à la mienne! dit Nathan comme Mario faisait son apparition.

— Tout vous a plu, monsieur Cartwright?

— C'était parfait, Mario, merci, dit Nathan. Je vais vous demander la note.

— Certainement, monsieur Cartwright. Laissez-moi vous dire que c'était un honneur que de vous accueillir dans mon restaurant.

— Merci, répondit Nathan, très gêné.

— Combien lui as-tu donné pour qu'il dise ça? demanda Su Ling une fois que Mario se fut éloigné.

— Dix dollars, et il reste parfait.

— Mais ça marche toujours?

— Oh! oui. Les filles que j'amène se déshabillent avant même qu'on ait regagné la voiture.

— Tu ne les amènes qu'ici?

— Non. Si c'est juste pour une nuit, je donne rendez-vous à la cafétéria. Si c'est plus sérieux, je réserve un hôtel.

— Et lesquelles sont choisies pour « Chez Mario »?

— Tu es la première.

Comme ils sortaient, elle prit sa main :

— Tu es vraiment timide, n'est-ce pas ?

— Je suppose que oui, répondit Nathan.

— Pas comme ton vieil ennemi, Ralph Elliot ! Il m'a fait des propositions quelques minutes après m'avoir rencontrée.

— J'aurais bien agi de même, mais tu ne voulais pas me parler.

— Oh, tu as rencontré bien plus de résistance, au Viêt-nam, quand tu es devenu un héros !

Nathan allait protester quand elle ajouta :

— Mais ça n'a duré qu'une demi-heure, en fait.

— Comment sais-tu ça ? demanda-t-il.

— J'ai fait des recherches à votre sujet, capitaine Cartwright. Comme le dit Steinbeck, « vous naviguez sous de fausses couleurs ». Quand tu es monté à bord de l'hélicoptère, tu n'étais qu'un officier d'intendance, qui n'avait rien à faire là. Et tu en as pareillement sauté sans autorisation. Ça aurait même pu te valoir de passer en cour martiale.

— C'est vrai. Mais ne le dis à personne ! Sinon, adieu mes trois filles par nuit !

Elle rit :

— Toutefois, quand j'ai lu comment tu avais traîné ce pauvre gars sur une civière, alors que tu étais blessé à la jambe, je me suis dit que c'était tout de même très courageux. Qu'il soit mort ensuite a dû te remplir de tristesse.

Il ne répondit rien.

— Je suis navrée. Je n'aurais pas dû faire cette remarque.

— C'est bien d'avoir cherché la vérité, dit-il. Il y a peu de gens qui en ont pris la peine.

18

— Mesdames et messieurs les jurés, dans la plupart des procès pour meurtre, il est, à juste titre, de la responsabilité de l'État de démontrer que l'accusé est coupable d'homicide. Ce ne sera pas nécessaire dans ce cas précis. Pourquoi ? Parce que Mme Kirsten a signé une confession moins d'une heure après avoir brutalement tué son mari. Vous aurez sans doute également noté que son représentant légal n'a, à aucun moment, laissé entendre que sa cliente n'avait pas commis ce crime, ni même mis en doute la manière dont elle s'y était prise. Revenons-en donc aux faits. Il ne s'agit pas ici de ce qu'on pourrait appeler un cas de légitime défense, dans lequel une femme cherche à se défendre avec ce qui lui tombe sous la main. Mme Kirsten a passé plusieurs semaines à préparer un meurtre de sang-froid, en veillant à ce que sa victime ne puisse se défendre.

Comment s'y est-elle prise ? Pendant près de trois mois, elle s'est procuré plusieurs flacons de curare auprès de ces trafiquants qui vivent dans les quartiers louches de Hartford. La défense a tenté de suggérer que leur témoignage n'était pas fiable, ce qui aurait pu vous convaincre, si Mme Kirsten, à la barre des témoins, n'avait confirmé qu'ils disaient la vérité.

Que fait-elle ensuite ? Un samedi soir, pendant que son mari est sorti boire avec des amis, elle verse la drogue dans six bouteilles de bière, dont elle remet en place les capsules. Elle pose ces bouteilles sur la table, place à côté d'elles un ouvre-bouteille et un verre, laisse la lumière allumée et va se coucher. Lorsque son mari rentre, il tombe effectivement dans le piège. Il se rend dans la cuisine, sans doute pour éteindre la lumière, voit les bouteilles sur la table, en ouvre une et boit son contenu. La drogue fait aussitôt son effet. Quand il appelle à l'aide, qu'il hurle de douleur, sa femme sort de la chambre à coucher. Vient-elle à son aide ? Non. Elle s'assoit sur une marche de l'escalier et attend que ses cris s'arrêtent, pour être sûre qu'il est bel et bien mort.

Comment pouvons-nous être certains que c'est bien ce qui s'est passé ? Pas simplement parce que les voisins ont été réveillés par les appels à l'aide du mari de Mme Kirsten ; mais parce que Mme Kirsten, dans sa panique, a oublié de se débarrasser des autres bouteilles. Chacune contenait assez de curare pour venir à bout d'une équipe de football.

Mesdames et messieurs les jurés, pour justifier ce crime, monsieur Davenport s'est contenté de dire que l'époux de Mme Kirsten la battait régulièrement. Si c'était le cas, pourquoi n'a-t-elle pas contacté la police ? Pourquoi n'est-elle pas repartie chez sa mère, qui habite à l'autre bout de la ville ? Pourquoi ne l'a-t-elle pas quitté ? Je vais vous le dire : parce qu'une fois son mari disparu, elle serait propriétaire de la maison où ils vivaient, toucherait une pension de la compagnie pour laquelle il travaillait, et vivrait dans une aisance relative pour le restant de ses jours. En temps normal, l'État n'hésiterait pas à réclamer la peine de mort pour un crime aussi ignoble, mais elle ne nous paraît pas justifiée en de telles circonstances. Toutefois, votre devoir est de faire comprendre clairement à quiconque tue que la justice de ce pays ne saurait le laisser en paix.

Si vous êtes tentés d'avoir un instant de sympathie pour Mme Kirsten, comme d'ailleurs vous le devriez en tant qu'êtres humains, n'oubliez pas les faits : le meurtre de sang-froid, prémédité, de son mari. L'État n'hésite nullement à vous demander de déclarer Mme Kirsten coupable, et de prononcer un verdict conforme à la loi.

M. Stamp revint à sa place en souriant vaguement.

— Monsieur Davenport, dit le juge, les débats sont interrompus pour nous permettre de déjeuner. Vous pourrez entamer votre plaidoirie dès la reprise de l'audience.

— Tu as l'air content de toi, dit Tom, comme Nathan et lui s'installaient dans la cuisine pour le petit-déjeuner.

— Une soirée inoubliable !

— Dois-je en conclure qu'elle s'est achevée dans une chambre ?

— Pas du tout. Mais je peux t'assurer que j'ai bel et bien tenu sa main.

— Ta réputation va en souffrir !

— J'espère que ça lui portera un coup définitif ! Et toi ?

— Si tu fais référence à ma vie sexuelle, elle est actuellement réduite à rien, non d'ailleurs par manque de propositions, dont l'une au moins très insistante. Mais ça ne m'intéresse aucunement. Rebecca Armitage a laissé entendre, sans équivoque possible, qu'elle était disponible.

— Mais je croyais…

— Qu'elle était de nouveau avec Elliot ? Peut-être, mais à chaque fois que je la vois elle préfère parler de toi ! En termes très flatteurs, d'ailleurs, bien qu'elle chante sans doute une autre chanson quand elle est avec Elliot.

— Mais, dans ce cas, pourquoi prend-elle la peine de te courir après ?

Tom repoussa son bol de corn flakes désormais vide, et entama ses deux œufs à la coque :

— Quand chacun sait que vous êtes fils unique et que votre père vaut des millions, les femmes vous regardent d'un autre air. Je ne sais jamais si c'est à moi ou à mon argent qu'elles s'intéressent. Tu as de la chance de ne pas avoir ce problème !

— On sait quand on a affaire à la bonne personne, dit Nathan.

— Tu crois ? Je me demande. Tu es l'un des rares à ne jamais t'être intéressé à ma fortune, et le seul qui tienne toujours à payer sa part. Tu serais surpris de voir combien de gens pensent que c'est moi qui vais payer la note parce que j'ai les moyens. Je les méprise. Si bien que mon cercle d'amis est, en définitive, des plus réduits.

Nathan voulut changer de sujet pour arracher Tom à son humeur morose :

— Elle est toute petite et je suis sûr que tu l'aimeras.

— La fille à qui tu as tenu la main ? Su Ling ?

— Tu la connais ?

— Non, mais mon père m'a dit qu'elle avait pris la direction du labo d'informatique que notre compagnie finance.

— Elle ne m'a pas parlé d'ordinateurs, hier soir.

— Tu ferais mieux de ne pas perdre de temps, elle risque de ne pas faire long feu ici. Parce que mon père m'a aussi appris que Harvard et le MIT veulent l'arracher à l'université du Connecticut. Prends garde, il y a une grosse cervelle au sommet de ce petit corps.

— C'est pour ça que tu voulais me voir ?

— Non, j'ignorais que tu sortais avec une fille géniale.

— C'est une femme très belle, très douce, réfléchie… Alors, pourquoi as-tu organisé ce petit-déjeuner, si ce n'était pas pour parler de ma vie sexuelle ?

— Avant de retourner à Yale, je voulais savoir si tu allais te présenter à la présidence.

Il s'attendait à des dénégations, mais Nathan resta silencieux un moment.

— J'en ai parlé avec Su Ling, hier soir, finit-il par dire, et elle m'a déclaré franchement que les étudiants ne voulaient pas d'Elliot. Elle a même ajouté : « Entre deux maux, il faut choisir le moindre. »

— Elle a sans doute raison, mais ça pourrait changer si tu leur donnais l'occasion de mieux te connaître. Depuis ton retour en fac, tu vis en reclus.

— J'ai eu beaucoup de choses à rattraper.

— Ce n'est plus le cas, comme le montrent tes résultats aux partiels. Et tu vas même faire partie de l'équipe de cross-country !

— Tom, si tu étais là, je n'hésiterais pas à me présenter. Mais comme tu es à Yale…

Andrew se leva pour faire face aux membres du jury, qui semblaient avoir déjà opté pour une peine de quatre-vingt-dix-neuf ans. S'il avait pu retourner en arrière et accepter l'offre des trois ans, il l'aurait fait sans hésitation. Il toucha l'épaule de sa cliente, puis se tourna vers Annie pour qu'elle lui adresse un sourire de réconfort. Mais son visage se figea quand il vit, assis deux rangs derrière elle, le professeur Abrahams. Celui-ci eut un signe de tête.

— Mesdames et messieurs les jurés, commença Andrew, vous avez entendu l'éloquent plaidoyer du ministère public, qui a déversé son venin sur ma cliente. Aussi peut-être est-il utile de montrer sur qui ce venin aurait dû s'épancher. Mais je voudrais d'abord m'adresser à vous. La presse a beaucoup insisté sur le fait que je n'ai récusé aucun témoin blanc ; il y en a dix dans ce jury. On a sous-entendu que, si je parvenais à obtenir un jury entièrement noir, avec une majorité de femmes, Mme Kirsten serait certaine de recouvrer la liberté. Mais ce n'est pas ce que je voulais. J'ai fait confiance à chacun d'entre vous pour des raisons différentes.

Les jurés parurent perplexes. Il poursuivit :

— Qu'avez-vous donc en commun ? Comme l'accusée, chacun d'entre vous est marié depuis plus de neuf ans. Vous savez donc ce qui peut se passer entre deux personnes, toutes portes closes.

Au second rang du jury, une femme frémit. Andrew se souvenait d'avoir entendu Abrahams dire que, sur douze jurés, il était très possible que l'un ait connu les mêmes expériences que l'accusé. Il venait de l'identifier.

— Un époux qui rentre à la maison, bien après minuit, ivre, ne songeant qu'à la violence ; voilà ce que Mme Kirsten en était venue à redouter, six jours sur sept, et ce pendant neuf ans. Regardez cette femme si frêle, et demandez-vous comment elle aurait pu faire face à un homme d'un mètre quatre-vingt-cinq, pesant cent quinze kilos !

Il fixa la femme qui avait frémi :

— Qui d'entre vous s'attend, lorsque son mari rentre le soir, à le voir saisir la planche à pain, voire le couteau, pour défigurer son épouse ? Avec quoi Mme Kirsten aurait-elle pu se défendre ? Un oreiller ? Une serviette ? Un tue-mouches, peut-être ? Mais sans doute n'y avez-vous jamais pensé. Et pourquoi ? Parce que vos maris et vos femmes sont des gens respectueux. Comment pourriez-vous ressentir, mesdames et messieurs les jurés, l'angoisse à laquelle cette femme était soumise, nuit et jour ? Mais cela ne devait pas suffire à cette brute : un soir, rentrant ivre, une fois de plus, il sort sa femme du lit en la tirant par les cheveux, et la traîne jusqu'à la cuisine. La rouer simplement de coups a perdu tout attrait. Alors, il a allumé la plaque électrique, qui est déjà rouge vif et attend sa victime. M. Kirsten s'empare de la main de sa femme et l'y pose, pendant une bonne quinzaine de secondes.

Prenant délicatement la main blessée de Mme Kirsten, Andrew la leva, pour que le jury puisse la voir :

— Après quoi, elle s'est évanouie. Qui d'entre nous pourrait imaginer une telle horreur, et encore moins y être soumis ? Et l'attorney général vous demande de prononcer une peine de quatre-vingt-dix-neuf ans parce que, dit-il, c'était un crime prémédité, et pas de la légitime défense. En effet : son acte était prémédité et elle savait parfaitement ce qu'elle faisait. Si vous étiez aussi menus qu'elle, face à un homme aussi grand, vous serviriez-vous d'un couteau ou d'une arme qu'il pourrait facilement vous arracher ? Qui d'entre vous serait assez sot pour cela ? Qui d'entre vous, après avoir subi ce qu'elle a subi, ne penserait pas à la vengeance ?

Il regarda, l'un après l'autre, les sept jurés masculins :

— Si vous aviez une querelle avec votre épouse, lui placeriez-vous la main sur une plaque électrique brûlante ? Un tel homme mérite-t-il vraiment votre sympathie ?

Puis Andrew se tourna vers les femmes du jury :

— Qui d'entre vous n'aurait pas agi comme elle, si vous aviez eu le malheur d'épouser Alex Kirsten ? Mais je vous entends protester : j'ai épousé un homme bon ! Nous pouvons donc nous entendre sur le crime de Mme Kirsten :

elle a épousé un homme mauvais. J'ai décidé de la défendre parce que je craignais que justice ne lui soit pas rendue. J'espérais aussi que douze citoyens impartiaux verraient les choses à ma façon, et seraient incapables de condamner cette femme à passer le restant de ses jours en prison.

Je terminerai en vous répétant ce que Mme Kirsten m'a dit ce matin : « Monsieur Davenport, je n'ai que vingt-huit ans, mais je préfère passer ma vie en prison que de devoir passer une nuit sous le même toit que cet homme. » Heureusement, elle n'aura plus jamais à le faire. Mesdames et messieurs les jurés, il est en votre pouvoir de la laisser rentrer chez elle retrouver ses enfants, en espérant qu'ils pourront bâtir une vie nouvelle, parce que douze personnes honnêtes ont compris la différence entre le bien et le mal. Quand, ce soir, vous retournerez chez vous, auprès de votre époux ou de votre épouse, dites-lui ce que vous avez fait aujourd'hui au nom de la justice, car je suis certain que vous prononcerez un verdict d'acquittement. Mme Kirsten a déjà subi une peine de neuf ans. Pensez-vous vraiment qu'elle en mérite quatre-vingt-dix de plus ?

— Bonjour, je m'appelle Nathan Cartwright !

— Le véritable capitaine Cartwright ?

— Oui, le héros qui a tué tous ces Vietcongs à mains nues, parce qu'il avait oublié d'emporter des trombones.

— Non ! s'exclama Su Ling avec une admiration affectée. Celui qui pilotait un hélicoptère, seul, au-dessus d'une jungle infestée d'ennemis, alors qu'il n'avait même pas de licence de pilotage ?

— Et qui a tué tant d'ennemis qu'on a dû cesser de les compter, tout en sauvant une armée entière !

— Et les gens d'ici l'ont cru, si bien qu'il a été décoré et s'est vu offrir d'énormes compensations financières, ainsi que cent vierges vestales.

— Je ne touche que quatre cents dollars par mois, et je n'ai jamais vu de vierge vestale.

— C'est fait ! dit-elle en souriant.

— J'ai été sélectionné pour courir contre l'université de Boston.

— Et la vierge vestale va devoir attendre sous la pluie, avec tous tes fans, que tu fasses ton apparition, sans doute dans les derniers?

— Non, mais il faut que je fasse nettoyer mon survêtement, et on me dit que sa mère pourrait s'en charger.

Su Ling éclata de rire.

— Et j'aimerais aussi que tu viennes à Boston, ajouta Nathan en la prenant dans ses bras.

— J'ai déjà retenu une place dans le bus.

— Mais Tom et moi partons la veille, en voiture; pourquoi ne pas nous accompagner?

— Et je logerai où?

— Une des nombreuses tantes de Tom a une maison à Boston, et a proposé de nous accueillir. Elle a neuf chambres d'amis, et même une aile séparée. Si ça ne suffit pas, je peux même dormir dans la voiture.

Su Ling ne répondit pas. Mario fit son apparition avec deux cappuccinos.

— Ah, Mario! dit-elle. Merci de m'avoir gardé ma table habituelle!

— Tu amènes tous tes hommes ici? demanda Nathan.

— Non, je choisis un restaurant différent à chaque fois, pour que ma réputation de vestale reste intacte.

— Comme celle de sorcière des ordinateurs?

Elle rougit:

— Comment as-tu découvert ça?

— Plutôt facile. Tout le monde sur le campus était au courant, sauf moi! C'est mon meilleur ami qui me l'a dit, et il est à Yale!

— Alors, tu dois savoir que Harvard et le MIT m'ont proposé d'intégrer leur département d'informatique.

— Oui, mais je ne sais pas ce que tu as répondu.

— Puis-je poser une question?

— Su Ling, tu essaies encore de changer de sujet.

— Oui, parce que je dois avoir une réponse avant de donner la mienne. Comment deux personnes aussi différentes peuvent-elles en venir à avoir autant d'affection l'une pour l'autre?

143

— Tu veux dire : en venir à s'aimer ? Si je connaissais la réponse à cette question, petite fleur, je serais professeur de philosophie, et n'aurais plus à me soucier de réussir aux examens !

— Dans mon pays, dit Su Ling, l'amour est une chose dont on ne parle que lorsqu'on se connaît depuis des années.

— Alors, je promets de ne discuter de la question que dans une décennie. Mais à une condition.

— Laquelle ?

— Que tu viennes avec nous à Boston vendredi.

— Oui, si je peux avoir le numéro de téléphone de la tante de Tom.

— Bien sûr, mais pourquoi ?

— Il faut que ma mère lui parle d'abord.

Sous la table, elle déplaça son pied droit, qu'elle posa sur celui de Nathan.

— Ça veut dire quelque chose, dans ton pays ?

— Oui. Que je veux bien marcher avec toi, mais pas dans la foule.

— Et ça ? demanda-il en plaçant à son tour son pied droit sur celui de la jeune fille.

— Ça veut dire que tu acceptes ma requête. Mais je n'aurais pas dû commencer, je risque d'être considérée comme une fille perdue.

Il ôta son pied et le remit en place aussitôt.

— L'honneur est sauf ! dit-elle.

— Que se passe-t-il, après ?

— Tu dois attendre une invitation à prendre le thé avec ma famille.

— Combien de temps ?

— En règle générale, un an.

— On ne pourrait pas aller un peu plus vite ? Disons, la semaine prochaine ?

— Très bien, tu seras invité dimanche après-midi, c'est le jour accordé à un homme pour son premier repas avec une femme ; le tout, bien sûr, sous l'œil vigilant de la famille.

— Mais nous avons déjà dîné ensemble plusieurs fois.

— En effet, et c'est bien pourquoi tu dois venir prendre le thé avant que ma mère l'apprenne, sinon je serai abandonnée et déshéritée.

— Alors je n'irai pas !

— Et pourquoi ?

— J'attendrai dehors que ta mère te jette à la rue, comme ça je n'aurai pas à attendre deux ans de plus.

Il posa les pieds sur les siens, qu'elle retira aussitôt.

— Qu'est-ce que j'ai fait de mal ?

— Les deux pieds à la fois ont une signification toute différente.

— Laquelle ?

— Je ne peux pas te le dire, mais tu devrais pouvoir trouver. Après tout, tu as été assez malin pour découvrir la traduction correcte de « Su Ling ». Mais ne recommence jamais, à moins que…

Le vendredi après-midi, Tom conduisit donc Nathan et Su Ling jusqu'à la demeure de sa tante, dans les faubourgs de Boston. De toute évidence, elle avait discuté avec la mère de Su Ling, car elle l'installa dans la chambre à côté de la sienne, tandis que les deux jeunes gens étaient relégués dans une aile éloignée.

Le lendemain matin, après le petit-déjeuner, la jeune femme partit à son rendez-vous avec un professeur de statistiques de Harvard, tandis que Nathan et Tom allaient repérer le parcours de cross-country.

Sur le chemin du retour, Tom lui demanda ce qu'il ferait si Su Ling acceptait la proposition de Harvard.

— Je la suivrais et m'inscrirais à la Business School.

— Tu es mordu à ce point ?

— Oui.

Ils arrivèrent près d'un ruisseau :

— Comment crois-tu qu'il faut le franchir ?

— Aucune idée, mais en tout cas, il est trop large pour qu'on saute.

— Oui. Ils doivent utiliser les grosses pierres, au milieu. On verra bien : je suivrai un membre de leur équipe et je ferai comme lui.

— Tu espères quelle place dans cette course ?

— Je serai déjà satisfait d'être classé. Il y a huit coureurs dans chaque équipe, mais seuls les six premiers comptent pour le score final.

— Comment fait-on ?

— Le premier à franchir la ligne compte pour un, le deuxième pour deux, etc. Quand la course est terminée, on additionne les résultats des six premiers de chaque équipe, et l'équipe qui a le score le plus bas l'emporte.

— Je vois, dit Tom en regardant sa montre. Je ferais mieux de rentrer, j'ai promis à ma tante de déjeuner avec elle. Tu veux venir ?

— Non, je vais me joindre à l'équipe, et nous nous contenterons d'une banane, d'une feuille de salade et d'un verre d'eau. Peux-tu passer prendre Su Ling et veiller à ce qu'elle soit à l'heure pour suivre la course ?

Quand Tom arriva chez sa tante, celle-ci était en grande conversation avec Su Ling autour d'un bol de soupe aux palourdes, et parut changer de sujet dès que son neveu entra.

— Mange quelque chose, lui dit-elle, si tu veux être à l'heure pour le début de la course.

Tom emmena donc Su Ling et lui expliqua que Nathan avait choisi un endroit, à peu près à mi-chemin du parcours, d'où ils pourraient voir venir les coureurs de loin. Une fois arrivés, ils n'attendirent pas longtemps avant de les voir apparaître. Le capitaine de l'équipe de Boston passa à leur hauteur comme une flèche, suivi d'une dizaine d'autres, puis ce fut au tour de Nathan, qui fit un signe de la main avant de descendre la pente à toute allure.

— Il va gagner deux ou trois places maintenant qu'il sait que tu es là pour le regarder, dit Tom.

— Vil flatteur !

— Tu vas accepter l'offre de Harvard ?

— Il t'a demandé de te renseigner ?

— Non, mais il ne parle que de ça !

— J'ai dit oui, mais à une condition.

Elle n'en dit pas plus, et Tom jugea que mieux valait ne pas demander laquelle.

Prenant un raccourci, ils virent le capitaine de l'équipe de Boston franchir la ligne d'arrivée en levant les bras. Nathan finit neuvième, et quatrième de son équipe. Il s'effondra sur le sol, épuisé, navré d'apprendre que l'équipe adverse l'emportait aux points.

Après avoir dîné avec la tante de Tom, ils reprirent la voiture. Nathan posa la tête sur l'épaule de Su Ling et ne tarda pas à s'endormir.

— Je n'ose même pas imaginer ce que ma mère dirait de notre première nuit ensemble, chuchota-t-elle à Tom.

— Dis-lui la vérité ! C'était un ménage à trois !

— Mère t'a trouvé merveilleux, dit Su Ling le lendemain, comme ils rentraient à pas lents vers le campus, après le thé.

— Quelle femme ! s'exclama Nathan. Cuisinière, maîtresse de maison et commerçante prospère !

— Elle a été ostracisée dans son pays natal, parce qu'elle portait l'enfant d'un étranger, et on ne l'a pas très bien accueillie quand elle est arrivée ici. C'est pourquoi j'ai été élevée de manière très stricte. En sacrifiant tout à mon éducation, maman m'a donné plus de chances qu'elle n'en a jamais eues. Tu comprends pourquoi je tiens toujours à respecter ses vœux.

— Oui. Et maintenant que j'ai rencontré ta mère, il faut que tu rencontres la mienne, car je suis tout aussi fier d'elle !

Su Ling rit :

— En Corée, quand un homme rencontre la mère d'une femme, il reconnaît l'existence d'une relation. S'il veut ensuite que la femme rencontre sa mère à lui, il y a engagement. Si alors il ne l'épouse pas, elle sera célibataire pour le restant de ses jours. Mais je prendrai ce risque, car Tom m'a demandé de l'épouser, hier, alors que tu passais en courant.

Nathan se pencha, l'embrassa sur la bouche et posa doucement ses deux pieds sur ceux de la jeune fille.

— Moi aussi, je t'aime, dit-elle.

20

— Qu'est-ce que tu en penses? dit Jimmy.

— Pas grand-chose, répondit Andrew.

Il jeta un coup d'œil en direction de la table de l'attorney général, mais ni lui ni ses assistants ne laissaient transparaître leurs émotions.

— Tu devrais demander son opinion au professeur Abrahams, intervint Annie.

— Il est encore là?

— Il arpentait le couloir il y a quelques instants.

Andrew se leva et quitta la salle pour pénétrer dans le couloir. Il y avait beaucoup de monde et il lui fallut un moment avant d'apercevoir un homme d'allure distinguée, assis dans un coin, tête baissée sur un bloc-notes. Andrew s'approcha, mais n'osa l'interrompre et attendit. Le professeur finit par lever la tête:

— Ah, Davenport! Asseyez-vous! Vous avez l'air bien perplexe, puis-je vous aider?

— Je voulais simplement avoir votre opinion: pourquoi les délibérations du jury sont-elles si longues? Est-ce que ça a une signification?

Abrahams regarda sa montre:

— Un peu plus de cinq heures... Non, pour une affaire de ce genre, ce n'est pas très long. Les jurés aiment montrer qu'ils ont assumé sérieusement leurs responsabilités, à moins bien sûr que tout soit joué d'avance, ce qui n'est pas le cas ici.

— Vous avez un pronostic?

— On ne peut jamais savoir, avec un jury, monsieur Davenport. Douze personnes choisies au hasard, ayant peu de choses en commun... Je dois dire qu'à une ou deux exceptions près, ils m'ont paru impartiaux. Quelle est la question suivante ?

— Je ne sais pas, monsieur. Quelle est-elle ?

— Que faire si le verdict est défavorable ? Il faut toujours se préparer à ce genre d'éventualité. La réponse est simple : vous allez immédiatement voir le juge et demandez à faire appel.

Le professeur tendit à Andrew une feuille de son bloc-notes :

— J'espère que vous ne me trouverez pas trop présomptueux, mais j'ai griffonné quelques formules pour chaque éventualité.

— Y compris coupable ?

— Inutile d'être aussi pessimiste pour le moment. Il faut d'abord penser à la possibilité que le jury ne puisse parvenir à un verdict.

— Et que dois-je faire dans ce cas ?

— Rien. Le juge n'est certes pas un aigle, juridiquement parlant, mais il est méticuleux et objectif quand on en vient aux points de loi, et il demandera donc aux jurés s'ils sont capables de rendre un verdict à la majorité.

— Et s'ils n'y arrivent pas ?

— Le juge n'a pas d'autre choix que de congédier le jury et de demander à l'attorney général s'il souhaite un nouveau procès. J'avoue ne pas savoir comment Stamp réagira en de telles circonstances.

— Vous avez pris beaucoup de notes ! observa Andrew.

— Oui, je compte me référer à cette affaire lors du prochain trimestre, quand je ferai cours sur la différence entre meurtre et homicide. Ce sera pour mes étudiants de troisième année, vous n'aurez donc pas à rougir.

— Est-ce que j'aurais dû accepter l'offre de l'attorney général de trois ans de prison ?

— Je crois que nous le saurons sous peu.

— J'ai fait beaucoup d'erreurs ?

— Quelques-unes. La plus voyante, selon moi, est de ne pas avoir appelé à la barre un médecin, qui aurait décrit les traces de coups sur les bras et les jambes de Mme Kirsten, et aurait expliqué d'où elles venaient. Les jurés admirent les médecins, ils voient en eux des gens honnêtes, ce qu'ils sont presque toujours. Mais si on leur pose la bonne question – et, après tout, c'est l'avocat qui la choisit –, ils sont portés à exagérer. Mais ne vous inquiétez pas, l'État n'est pas au bout de ses peines, car le juge nous accordera forcément un délai d'exécution.

— Nous ? demanda Andrew.

— Oui. Cela fait des années que je ne suis pas intervenu au tribunal. Je suis peut-être un peu rouillé, mais j'espérais qu'à cette occasion vous me laisseriez vous assister.

— Vous seriez mon partenaire ? dit Andrew, incrédule.

— Oui, Davenport, car vous m'avez convaincu d'une chose : cette femme ne doit pas passer le restant de ses jours derrière des barreaux.

— Le jury est de retour ! clama une voix qui résonna dans le couloir.

— Bonne chance, Davenport, dit Abrahams. Avant que nous sachions quel est le verdict, je tiens à vous dire que, pour un étudiant de deuxième année, la façon dont vous avez mené votre barque est un véritable tour de force.

Plus ils approchaient de Cromwell, plus Su Ling devenait nerveuse.

— Tu es sûr que ta mère approuvera ma façon de m'habiller ? demanda-t-elle en tirant une fois de plus sur sa jupe.

Il admira une fois encore le tailleur jaune très simple qu'elle avait choisi :

— Bien sûr ! Et mon père ne pourra pas te quitter des yeux !

— Et que dira-t-il quand il saura que je suis coréenne ?

— Je lui rappellerai que ton père était américain ! De toute façon, ayant passé sa vie à manier les chiffres, il verra tout de suite à quel point tu es intelligente !

— Il n'est pas trop tard pour faire demi-tour! Nous pourrions y aller dimanche prochain!

— As-tu songé que mes parents pourraient être encore plus nerveux que toi? Après tout, je leur ai dit que je t'aimais à la folie!

Su Ling resta silencieuse un long moment, puis reprit :

— Mais je ne saurai pas quoi dire.

— Su Ling, tu ne vas pas passer un examen.

— Mais si, justement.

— Voici la ville où je suis né, dit Nathan, comme ils entraient dans la rue principale. Quand j'étais petit, je croyais que c'était une grande métropole... Ne t'attends pas à quelque chose de grandiose : la maison de mes parents est toute petite.

— Ma mère et moi vivons au-dessus de la boutique.

— Comme Harry Truman! dit Nathan en riant.

— Et tu vois où ça l'a mené!

Nathan prit un tournant et entra dans Cedar Avenue :

— Voilà. La troisième sur la droite.

— Est-ce qu'on ne pourrait pas faire le tour du quartier? J'ai besoin de penser à ce que je vais dire.

— Non. Songe à la manière dont le prof de statistiques de Harvard a réagi en faisant ta connaissance.

— Oui, mais je ne voulais pas épouser son fils.

— Il te l'aurait proposé s'il avait pensé que ça l'aiderait à te convaincre de rejoindre son équipe.

Nathan arrêta la voiture devant la maison, sortit et vint ouvrir la porte à Su Ling. En descendant, elle perdit une de ses chaussures.

— Je suis navrée, dit-elle en la récupérant. Vraiment navrée!

Nathan éclata de rire et la serra dans ses bras.

— Non! Ta mère pourrait nous voir!

— Je l'espère vivement!

Il la prit par la main et tous deux s'avancèrent vers la porte d'entrée. Elle s'ouvrit bien avant qu'ils y parviennent, et Susan, sortant en courant, tendit les bras à Su Ling :

— Nathan n'exagérait pas! Vous êtes superbe!

Andrew repartit à pas lents vers la salle d'audience, pendant qu'Abrahams marchait à ses côtés. Quand ils entrèrent, il crut que le professeur allait regagner sa place, derrière Annie et Jimmy, mais à sa grande surprise, Abrahams s'avança et s'assit à la table de la défense.

— Que chacun se lève ! dit l'huissier. Son Honneur le juge Abernathy présidera les débats !

Le juge prit place, salua l'attorney général, puis se tourna vers la défense et parut stupéfait.

— Je vois que vous disposez désormais d'un assistant, monsieur Davenport. Dois-je faire porter son nom sur le registre avant de rappeler le jury ?

Le professeur se leva :

— Je le souhaite vivement, Votre Honneur.

— Votre nom ? demanda le juge, comme s'il ne l'avait jamais vu.

— Karl Abrahams, Votre Honneur.

— Êtes-vous qualifié pour vous présenter devant ce tribunal ?

— Je le crois, Votre Honneur. Je me suis inscrit au barreau du Connecticut en 1937, sans toutefois avoir jamais eu le privilège de me présenter devant Votre Honneur.

— Merci, monsieur Abrahams. Si l'attorney général n'y voit pas d'objection, vous serez considéré comme le partenaire de M. Davenport.

L'attorney général se leva :

— C'est un honneur que d'être devant le même tribunal que l'assistant de M. Davenport.

— Je crois qu'il nous faut rappeler le jury sans perdre de temps, reprit le juge.

Andrew examina les visages des sept hommes et des cinq femmes qui venaient reprendre leur place, sans rien réussir à y déchiffrer.

— Êtes-vous parvenu à un verdict dans cette affaire ? demanda le juge à leur représentant.

— Non, Votre Honneur, nous n'avons pu y arriver.

— Êtes-vous parvenu à un verdict à la majorité ?

— Non, Votre Honneur.

— Pensez-vous pouvoir y parvenir, si l'on vous donne plus de temps?

— Je ne crois pas, Votre Honneur. Cela fait trois heures que nous sommes divisés à égalité.

— Alors, je n'ai d'autre choix que d'ajourner le procès, et de congédier le jury. Au nom de cet État, je vous remercie pour votre service.

Comme le juge se tournait vers l'attorney général, Abrahams se leva :

— Votre Honneur, il me serait nécessaire d'avoir votre opinion sur un menu point de protocole.

— J'en serais ravi, monsieur Abrahams, dit le juge.

— Votre Honneur, je désirerais d'abord savoir si j'ai raison de penser que, en cas de nouveau procès, la composition de la défense serait établie dans un délai de quatorze jours?

— C'est la pratique normale, monsieur Abrahams.

— Dans ce cas, je tiens à faire savoir que, si cela se produisait, M. Davenport et moi-même continuerions à représenter l'accusée.

— Je dois donc demander à M. Stamp, dit le juge, s'il est dans ses intentions de demander un nouveau procès.

Les cinq avocats de l'accusation s'étaient regroupés pour discuter avec animation. Le juge Abernathy ne chercha aucunement à mettre un terme à leurs palabres. Finalement, Stamp se leva :

— Votre Honneur, nous ne pensons pas que rouvrir l'affaire soit dans l'intérêt de l'État.

Il y eut des acclamations dans l'assistance tandis qu'Abrahams arrachait de son bloc-notes une feuille qu'il tendit à Andrew. Celui-ci y jeta un coup d'œil, se leva et en répéta le contenu mot pour mot :

— Votre Honneur, vu les circonstances, je réclame la libération immédiate de ma cliente. J'ajouterai que je suis reconnaissant à M. Stamp et à son équipe de la manière extrêmement professionnelle avec laquelle ils ont mené l'accusation.

Le juge hocha la tête, Stamp se leva :

— Puis-je, à mon tour, féliciter la défense et son assistant à l'occasion de leur première affaire devant Votre Honneur, et souhaiter à M. Davenport de connaître le succès dans une carrière qui, j'en suis certain, se révélera des plus brillantes.

— Objection, Votre Honneur ! dit Abrahams en se levant. Le mot « certain » me paraît un peu aventureux. J'ai la conviction qu'il faudra encore beaucoup de travail avant que la promesse puisse être tenue.

— Objection accordée, dit le juge Abernathy.

— Ma mère m'a enseigné deux langues jusqu'à ce que j'aie neuf ans et qu'il soit temps que j'aille à l'école. Mais j'ai découvert très tôt que j'étais plus à l'aise avec les chiffres qu'avec les mots. Et j'ai eu la chance d'avoir un professeur de mathématiques féru de statistiques, et que fascinait l'ordinateur.

— On commence à beaucoup s'en servir dans le domaine des assurances, intervint Michael Cartwright.

— Quelle est la taille de celui de votre compagnie ? demanda Su Ling.

— À peu près grand comme cette pièce.

— La prochaine génération d'étudiants travaillera sur des ordinateurs grands comme leur bureau, et la suivante pourra les tenir dans la main.

— Vous pensez que c'est possible ? demanda Susan Cartwright, captivée.

— Les progrès technologiques sont si rapides, la demande sera si forte, que les prix tomberont, et que l'ordinateur sera comme le téléphone dans les années 1940, et la télévision dans la décennie suivante.

— Mais certains devront quand même rester de grande taille, non ? intervint Michael. Ma compagnie a quand même quarante mille clients.

— Pas forcément. C'est un ordinateur plus grand que votre maison qui a envoyé les premiers hommes sur la Lune, mais nous verrons une capsule spatiale se poser sur Mars en étant contrôlée par un ordinateur grand comme cette table.

— Mais alors, comment une société comme la mienne va-t-elle pouvoir suivre ?

— Il vous faudra périodiquement changer d'ordinateur, comme vous le faites pour les voitures ! Dans un avenir assez proche, toutes les informations nécessaires tiendront dans votre poche.

— Avec quarante mille clients ?

— Même si vous en aviez quatre cent mille, monsieur Cartwright, ce serait pareil.

— Et les conséquences ? demanda Susan.

— Elles sont tout à fait passionnantes ! dit Su Ling, qui rougit soudain : excusez-moi, je parle trop.

— Non, non, répondit Susan, tout ça est fascinant ! Mais j'aurais voulu vous entendre parler de la Corée. C'est un pays que j'ai toujours voulu visiter. La question est peut-être sotte, mais vous sentez-vous plus proche des Chinois ou des Japonais ?

— Ni l'un ni l'autre ! Nous sommes aussi différents d'eux qu'un Russe d'un Italien. La nation coréenne a des origines tribales, et remonte sans doute au IIe siècle…

— Et moi qui leur ai dit que tu étais timide ! lança Nathan en venant se glisser dans le lit au côté de Su Ling.

— Je suis navrée, dit-elle. Je n'ai pas arrêté de parler ! J'ai honte de m'être si mal conduite, je ne sais pas ce qui m'a pris, j'étais si nerveuse !

— Mes parents t'ont adorée ! Au fait, tu n'as pas dit ce qui se passait quand une jeune Coréenne prend le thé avec les parents de son chevalier servant.

— Cela ne s'applique pas à une Américaine de première génération comme moi.

— Qui porte du rouge à lèvres rose et des minijupes, dit Nathan en brandissant un bâtonnet.

— Nathan, je ne savais pas que tu utilisais du rouge à lèvres ! Tu en mettais, au Viêt-nam ?

— Seulement pour les opérations de nuit. Tourne-toi.

— Comment ?

— Les Coréennes sont censées être des femmes soumises, non ? Fais ce qu'on te dit et tourne-toi.

Elle obéit et posa le visage sur l'oreiller.

— Quels sont les ordres, capitaine Cartwright?

— Enlève ta nuisette, petite fleur.

— On fait ça à toutes les filles américaines?

— Enlève ta nuisette.

— Oui, capitaine.

Elle ôta le vêtement de soie blanche et le laissa tomber sur le sol.

— Et ensuite? Tu vas me rouer de coups?

— Non, c'est pour la prochaine fois. Aujourd'hui, je vais juste te poser une question.

Se penchant, Nathan, à l'aide du rouge à lèvres, écrivit sur sa peau quatre mots suivis d'un point d'interrogation.

— Qu'avez-vous écrit, capitaine Cartwright?

— Pourquoi ne pas le découvrir toi-même?

Sortant du lit, Su Ling alla se placer devant le miroir et lut par-dessus son épaule. Il lui fallut quelques instants avant de se mettre à sourire. Revenant vers Nathan, elle lui prit le bâtonnet des mains et contempla ses larges épaules avant d'y écrire:

« OUI !!! »

21

— Annie est enceinte.

— C'est merveilleux, Andrew ! dit Jimmy. Combien de mois ?

Tous deux, quittant la cafétéria, se dirigeaient vers le premier cours du matin.

— Deux, seulement. Je vais avoir besoin de tes conseils.

— Comment ça ?

— Je ne sais pas si tu t'en souviens encore, étant père d'une fillette de six mois ! Comment puis-je aider Annie au mieux pendant sa grossesse ?

— Avant tout en lui remontant le moral. Dis-lui toujours qu'elle a l'air merveilleuse, même si elle ressemble à une baleine échouée sur la plage. Si elle a des idées bizarres, n'y fais pas attention.

— Des idées bizarres ?

— Joanna aimait manger un bon demi-litre de glace au chocolat tous les soirs avant d'aller se coucher, et en réclamait souvent un autre en se réveillant la nuit. J'étais obligé de manger avec elle, pour l'accompagner.

— Ça a dû être un vrai sacrifice, pour toi !

— Oui, parce que c'était toujours suivi d'une cuillerée d'huile de foie de morue.

— Ça me plairait bien, dit Andrew. De manger autant de glace, bien sûr.

— Qui aidera Annie au moment de l'accouchement ?

— Ma mère a demandé si nous voulions que Mlle Nichol, ma vieille gouvernante, revienne auprès de nous, mais Annie n'a pas voulu en entendre parler. Elle veut mettre au monde son enfant seule.

— Joanna n'aurait pas hésité un instant à recourir aux services de Mlle Nichol. Si je me souviens bien de cette dame, elle était du genre à changer les couches tout en repeignant la nursery !

— Nous n'avons pas de nursery, rien qu'une chambre d'enfant.

— Alors, Annie te demandera de la repeindre pendant qu'elle ira s'acheter une nouvelle garde-robe.

— Elle a suffisamment de tenues comme ça !

— Aucune femme n'en a jamais assez !

— Il va falloir que je me trouve un emploi de serveur, ou de barman.

— Mais, ton père...

— Je n'ai pas l'intention de le mettre à contribution toute ma vie.

— Andrew, tu n'auras pas besoin de faire le barman : après ton triomphe dans l'affaire Kirsten, tu vas décrocher tous les procès d'été. Je devrais peut-être discuter avec ma mère, elle a beaucoup aidé Joanna, sans jamais se montrer trop pesante. Mais ça aura un prix !

— Et lequel ?

Jimmy eut un grand sourire :

— L'argent de ton père, pour commencer !

Andrew éclata de rire :

— L'argent de mon père en échange d'une discussion avec ta mère pour qu'elle aide sa fille à accoucher ? Jimmy, j'ai le sentiment que tu feras un très bon avocat, spécialiste des divorces.

— J'ai décidé de me présenter à la présidence, dit Nathan.

— Voilà une bonne nouvelle ! répondit Tom, à l'autre bout du fil. Qu'en pense Su Ling ?

— Je n'y aurais même pas pensé si elle n'en avait pas eu l'idée. Elle veut aussi jouer un rôle dans la campagne, pour tout ce qui concerne les sondages, chiffres et statistiques.

— Voilà un de tes problèmes résolus. As-tu déniché un directeur de campagne ?

— Oui. Après ton retour à Yale, j'ai choisi un nommé Joe Stein, qui a déjà de l'expérience en ce domaine, et qui nous assurera le vote juif.

— Ça existe, dans le Connecticut ?

— En Amérique, ils sont partout. Sur le campus, il y a un peu plus de quatre cents Juifs, et j'ai besoin que chacun d'eux me soutienne.

— Quelle est ton opinion sur les hauteurs du Golan ?

— Je ne sais même pas où ça se trouve.

— Mieux vaut que tu l'apprennes d'ici demain.

— Je me demande ce qu'Elliot peut en penser ?

— Il dira : elles font partie intégrante d'Israël, et il ne faut pas en céder le moindre pouce.

— Mais que dira-t-il aux Palestiniens ?

— Il n'y en a pas assez sur le campus pour qu'il prenne la peine d'avoir un avis. Où comptes-tu prononcer ton discours d'ouverture ?

— Je pensais à Russell Hall.

— Quatre cents places seulement ! Il n'y a rien de plus grand ?

— Si, les salles de réunion peuvent accueillir un millier de personnes, mais Elliot s'est planté en y prononçant son discours : l'endroit avait l'air à moitié vide. Non, mieux vaut que les gens s'entassent. Et si certains doivent rester dehors, ce sera parfait, on aura l'impression que tout le monde veut voter pour moi !

— Alors, choisis une date et réserve la salle immédiatement, tout en mettant en place le reste de ton équipe.

— Quoi d'autre ?

— Tu prépares un discours très consensuel, et surtout tu n'oublies pas de te présenter à chaque étudiant que tu rencontres : un truc simple, du genre « Bonjour, je m'appelle Nathan Cartwright et je me présente à la présidence ». Écoute ce qu'ils ont à dire, tu auras beaucoup plus de chances qu'ils te soutiennent !

— Et puis ?

— Utilise Su Ling sans scrupules et dis-lui de parler aux étudiantes. On va beaucoup l'admirer après sa décision de rester à la fac. Rares sont ceux qui envoient balader Harvard ! Je reviendrai t'aider pour les dix derniers jours du trimestre, mais sans faire officiellement partie de ton équipe.

— Pourquoi ?

— Parce qu'Elliot dirait à tout le monde que ta campagne est dirigée par un fils de banquier, étudiant à Yale de surcroît ! Souviens-toi que tu aurais gagné votre précédent affrontement s'il n'avait pas triché. Prépare-toi donc à un nouveau coup fourré.

— De quel genre ?

— Si je le savais, je serais secrétaire général de la Maison-Blanche avec Nixon.

— De quoi ai-je l'air ? demanda Annie, en agrippant sa ceinture de sécurité.

— Merveilleuse, chérie ! répondit Andrew sans même la regarder.

— Non, j'ai l'air affreuse, et l'occasion est si importante !

— C'est une simple réunion d'une dizaine de ses étudiants.

— J'en doute. L'invitation était écrite à la main, et précisait bien que nous allions rencontrer quelqu'un.

— Alors, nous allons bientôt savoir qui, répondit Andrew en garant sa vieille Ford derrière une limousine entourée d'hommes qui paraissaient appartenir aux services secrets.

— Andrew, c'est agréable de vous voir ! s'exclama le professeur, qui se tenait à l'entrée de la maison. Ah, madame Davenport, quel plaisir de vous revoir ! J'étais deux rangs derrière vous au tribunal.

— J'étais plus mince, alors ! répondit Annie en souriant.

— Mais aussi belle ! Quand le bébé doit-il arriver ?

— Dans dix semaines, monsieur.

— Appelez-moi Karl, j'aurai l'impression d'être beaucoup plus jeune. Entrez donc, je veux vous présenter quelqu'un.

Andrew et Annie le suivirent dans le salon, où une dizaine de personnes discutaient déjà. Apparemment, ils étaient les derniers à arriver.

— Monsieur le vice-président, j'aimerais vous présenter Mme Annie Davenport.

— Bonsoir, monsieur le vice-président.

— Bonjour, Annie, dit Spiro Agnew en lui tendant la main. On me dit que vous avez épousé quelqu'un de très brillant.

— Le voici, monsieur le vice-président, intervint Abrahams : Andrew Davenport.

— Bonjour, Andrew. Votre père est républicain ?

— Oui, monsieur, et même régulièrement inscrit.

— C'est bien ! Nous pouvons donc compter sur deux votes chez vous !

— Non, monsieur, car ma mère ne vous laissera pas entrer.

Spiro Agnew éclata de rire :

— Karl, je crains que tout ça ne porte tort à votre réputation !

— Non, Spiro. Je reste neutre, je ne fais pas de politique. Puis-je vous laisser en compagnie d'Annie ? Je voudrais présenter Andrew à quelqu'un.

Celui-ci resta perplexe : il avait cru que le professeur Abrahams voulait lui faire rencontrer le vice-président. Il le suivit cependant vers la cheminée, devant laquelle un groupe d'hommes discutait.

— Bill, voici Andrew Davenport. Andrew, voici Bill Alexander, d'Alexander...

— ... Dupont & Bell ! dit Andrew, qui serra la main du représentant de l'un des cabinets juridiques les plus prestigieux de New York.

— Heureux de faire votre connaissance, dit Bill Alexander. Vous avez réussi là où j'échoue depuis trente ans.

— En quoi donc, monsieur ?

— Faire de Karl votre assistant pour une de vos affaires. Comment vous y êtes-vous pris ?

— Je n'ai pas eu le choix, monsieur. Il s'est imposé de manière très peu professionnelle, mais il faut comprendre qu'il était au désespoir : personne ne lui avait proposé de travail sérieux depuis 1938.

Les deux hommes s'esclaffèrent.

— Mais valait-il vraiment le montant de ses honoraires? demanda Alexander. Ils ont dû être élevés puisque vous avez réussi à sortir cette femme de prison!

— En effet! s'exclama Abrahams avant qu'Andrew ait le temps de répondre.

Il prit un livre sur un rayonnage: les *Procès*, de Clarence Darrow.

— Ah oui, bien sûr, dit Alexander. J'en ai un exemplaire, évidemment.

— Mais pas en édition originale signée par l'auteur, avec une jaquette en parfait état, répondit Abrahams. Une pièce de collection!

Andrew songea avec reconnaissance à sa mère, qui lui avait donné un conseil précieux:

— Choisis quelque chose qu'il considérera comme un trésor, et tu n'auras même pas besoin de dépenser des sommes folles!

Nathan s'adressa aux huit hommes et aux six femmes qui composaient son équipe, demandant à chacun de se présenter, puis leur confiant des responsabilités spécifiques dans le cadre de la campagne.

— Bon, je vous écoute, dit-il ensuite.

Joe Stein se leva:

— Tu as bien spécifié qu'aucune contribution ne devait dépasser un dollar. J'ai donc augmenté le nombre de collecteurs, pour que nous puissions contacter le maximum de gens. Ils se réunissent une fois par semaine, généralement le lundi; il serait bon que tu t'adresses à eux.

— Lundi prochain, ça irait? demanda Nathan.

— Parfait. Jusqu'à présent, nous avons rassemblé trois cent sept dollars, dont l'essentiel après ton discours à Russell Hall.

— Merci, Joe. Passons à l'opposition: où en est-elle, monsieur Tim Ulrich?

Le jeune homme se leva:

— J'ai au moins deux personnes qui prennent des notes chaque fois qu'Elliot ouvre la bouche. Il a fait tant de promesses ces derniers jours que s'il tentait de les tenir, la fac serait en faillite dès l'année prochaine.

— Ray, les groupes ?

— Ils sont de trois types : ethniques, religieux, et les clubs. J'ai chargé trois personnes de s'occuper de chacun d'eux. Il y a évidemment des recoupements, par exemple entre Italiens et catholiques. Nous sommes d'ailleurs bien placés en ce domaine : Mario offre un café gratuit à ceux qui promettent de voter Cartwright !

— Attention ! dit Joe. Elliot va prétendre que ce sont là des dépenses électorales ! Mieux vaut ne pas perdre pour un détail technique.

— Je suis d'accord, convint Nathan. Et côté sports ? Jack Roberts était capitaine de l'équipe de basket.

— La victoire de Nathan en cross-country contre Cornell nous assurera bien des soutiens. Je m'occupe essentiellement du basket et du base-ball, et Elliot a mis la main sur le football américain. La surprise, c'est le hockey sur glace féminin : le club compte trois cents membres !

— J'ai une copine dans l'équipe, dit Tim.

— Je croyais que tu étais homo, lança Chris, ce qui provoqua des rires.

— Qui s'occupe du vote gay ? demanda Nathan.
Personne ne répondit.

— Si quelqu'un se reconnaît comme gay, faites-lui une place dans l'équipe, et épargnez-nous les petites remarques. Su Ling, les sondages, les statistiques ?

— L'université compte neuf mille six cent vingt-huit étudiants, cinq mille cinq cent dix-sept hommes et quatre mille cent onze femmes. Un sondage très rapide, mené samedi dernier, donnait six cent onze voix à Elliot et cinq cent quarante et une à Nathan. N'oubliez pas qu'Elliot a l'avantage, puisqu'il fait campagne depuis près d'un an, et que ses affiches sont partout. Les nôtres seront prêtes seulement vendredi.

— Et déchirées dès le lendemain.

— Nous les remplacerons aussitôt, dit Joe, sans déchirer celles des autres ! Excuse-moi, Su Ling.

163

— Pas de mal. Chaque membre de l'équipe doit veiller à discuter avec au moins vingt votants par jour. Il nous reste deux mois, il nous faudra solliciter chaque étudiant plusieurs fois d'ici là. Et ça doit être fait sérieusement ! Vous voyez au mur un tableau portant le nom de tous les étudiants, par ordre alphabétique. En dessous, il y a une table et dix-sept crayons-feutres. Il y a une couleur par membre de l'équipe. Chaque soir, vous cocherez tous ceux avec qui vous avez discuté.

— Dix-sept crayons ? dit Joe. Mais l'équipe ne compte que quatorze membres !

— Il y en a un noir, un jaune et un rouge en plus. Si la personne considérée dit vouloir voter pour Elliot, cochez-la en noir. Si vous n'êtes pas sûr, cochez-la en jaune, et en rouge si vous pensez qu'elle va voter pour Nathan. Chaque soir, j'entrerai les données sur ordinateur, et vous aurez les tirages papier le lendemain matin. Des questions ?

— Accepterais-tu de m'épouser ? demanda Chris.

Tout le monde éclata de rire :

— Mais bien sûr, dit Su Ling. Et ne croyez pas à tout ce qu'on vous raconte ! Ralph Elliot m'a posé la même question, et j'ai répondu oui.

— Et moi ? demanda Nathan.

— Je t'ai donné une réponse par écrit.

— Bonsoir, monsieur, et merci encore pour cette soirée mémorable.

— Bonsoir, Andrew. Je suis content qu'elle vous ait plu.

Comme tous deux montaient en voiture, Andrew dit à Annie :

— Tu as été fantastique !

— J'essayais de survivre ! Je ne m'attendais pas à être placée entre le vice-président et M. Alexander au dîner !

— C'est Bill Alexander qui l'a voulu.

— Et pourquoi ?

— Parce qu'il est l'associé principal d'un cabinet d'avocats à l'ancienne, très traditionnel, et il s'est dit qu'il pourrait en apprendre beaucoup sur moi s'il discutait avec ma femme. Quand on est invité à rejoindre Alexander, Dupont & Bell, c'est quasiment un mariage ! Et si Mme Alexander est venue s'asseoir à côté de toi quand on a servi le café, ça n'a rien non plus d'une coïncidence !

Annie soupira, puis geignit faiblement ; Andrew la regarda avec inquiétude.

— Les contractions commencent ! dit-elle.

— Dix semaines avant la date prévue ? Détends-toi, nous serons vite rentrés.

Elle geignit un peu plus fort :

— Conduis-moi à l'hôpital !

Fonçant à travers Westville, il chercha à déchiffrer les plaques de rue, en se demandant quel était le bon chemin, quand soudain il aperçut une station de taxis, pila net à hauteur du premier de la file, baissa la vitre et hurla :

— Ma femme va accoucher ! Quel est le plus court trajet pour l'hôpital de Yale-New Haven ?

— Suivez-moi ! s'écria le chauffeur, qui partit en trombe.

Andrew s'exécuta de son mieux, paume sur le klaxon et faisant clignoter ses phares. Annie se tenait le ventre et gémissait de plus en plus fort.

— Ne t'inquiète pas, on y est presque, dit-il en brûlant un feu rouge pour ne pas perdre de vue le taxi.

Quand les deux véhicules parvinrent à l'hôpital, Andrew fut surpris de voir qu'un médecin et une infirmière les attendaient près d'un chariot. Il comprit que le chauffeur de taxi avait dû contacter l'établissement par radio, et espéra qu'il aurait assez d'argent liquide sur lui pour payer la course, sans compter un généreux pourboire.

Sautant de la voiture, Andrew voulut venir en aide à sa femme, mais le chauffeur fut plus rapide. Chacun la tenant sous un bras, ils la firent sortir du véhicule et la déposèrent avec précaution sur le chariot, que l'infirmière emmena ensuite au-delà d'une porte.

— Merci ! dit Andrew à l'homme. Vous nous avez rendu un fier service ! Combien vous dois-je ?

— Rien du tout ! répondit l'autre. Si ma femme apprend que je vous ai demandé quoi que ce soit, elle me tuera ! Bonne chance !

Puis il s'éloigna et repartit sans attendre.

Andrew se précipita dans le couloir et rattrapa sa femme, dont il prit la main :

— Ne t'inquiète pas, chérie, tout ira bien.

L'infirmier de service posa à Annie des questions auxquelles elle répondit par monosyllabes, puis téléphona pour prévenir le Dr Redpath et le personnel de service que la patiente était là. Un vaste ascenseur les conduisit au cinquième étage. Annie fut conduite à travers un couloir, suivie d'Andrew qui aperçut au loin deux infirmières tenant ouvertes des portes battantes pour laisser passer le chariot.

Annie tenait toujours la main de son mari quand on la déposa sur la table d'opération. Trois personnes entrèrent, le visage couvert d'un masque. Le premier vérifia les instruments posés sur la table, le second prépara un masque à oxygène, le troisième tenta de poser quelques questions à la jeune femme, mais elle hurlait de douleur. Un homme d'allure âgée fit son apparition. Enfilant une paire de gants de chirurgien, il dit :

— Tout le monde est prêt ?

— Oui, docteur, répondit l'infirmière.

— Très bien, dit le médecin en se tournant vers Andrew : monsieur Davenport, je crains de devoir vous demander de nous laisser. Nous vous appellerons dès la naissance du bébé.

Andrew embrassa sa femme sur le front :

— Je suis fier de toi, chuchota-t-il.

22

Le jour des élections, Nathan se réveilla à 5 heures du matin et constata que Su Ling était déjà sous la douche. Il jeta un coup d'œil au programme posé sur la table de nuit : réunion de l'équipe à 7 heures, puis une heure et demie devant la cafétéria pour aborder les étudiants venus prendre leur petit-déjeuner.

Ils arrivèrent au point de rendez-vous quelques instants avant que la cloche ne sonne l'heure dite. Tous étaient là, et Tom, venu spécialement de Yale, faisait part de ses expériences :

— Personne ne s'arrête un instant, même pour respirer, jusqu'à 18 h 01, quand le dernier bulletin aura été jeté dans l'urne. Pour l'instant, je suggère que Nathan et Su Ling restent dehors jusqu'à 8 h 30, tandis que les autres s'installeront dans la cafétéria.

— À manger les cochonneries qu'ils servent ? demanda Joe Stein.

— Non ! À aller de table en table. Et souvenez-vous que l'équipe d'Elliot va très certainement faire de même, alors ne perdez pas de temps à discuter avec eux. On y va !

Quatorze personnes coururent donc s'engouffrer dans la cafétéria, et Nathan et Su Ling restèrent, comme convenu, à l'entrée.

— Bonjour, je suis Nathan Cartwright, je me présente à la présidence du conseil étudiant, j'espère que vous voterez pour moi.

Deux étudiants un peu endormis répondirent :

— Tu as déjà remporté le vote gay, mec !

— Bonjour, je suis Nathan Cartwright, je me présente à la présidence du conseil étudiant, et j'espère que vous...

— Je sais qui tu es ! Tu touches quatre cents dollars par mois, comment saurais-tu ce que c'est que de survivre sur une bourse ?

— Bonjour, je suis Nathan Cartwright, je me présente...

— Je ne voterai pour aucun de vous deux !

— Bonjour, je suis Nathan Cartwright, je me...

— Désolé, je suis d'un autre campus, je ne fais que passer.

— Bonjour, je suis Nathan Cartwright, je...

— Bonne chance ! Je vote pour toi à cause de ta copine ! Elle est super !

— Bonjour, je suis...

— Je suis de l'équipe de Ralph Elliot, et on va vous botter le cul !

— Bonjour...

Neuf heures plus tard, Nathan était aphone à force de répéter cette même phrase, et avait perdu le compte du nombre de mains qu'il avait serrées. À 18 heures 01, il se tourna vers Tom :

— Bonjour, je suis Nathan Cartwright...

— Laisse tomber, dit Tom. Je suis président du conseil étudiant de Yale.

— Qu'est-ce qu'on fait ensuite ?

— On pourrait dîner à trois tranquillement chez Mario.

— Et les autres ?

— Joe, Sue et Tim sont scrutateurs lors du dépouillement, et les autres prendront un repos bien mérité. Le décompte commence à 19 heures, il devrait prendre deux heures, j'ai donc dit à tout le monde d'être là à 20 h 30.

— C'est bien, dit Nathan. Ça me laisse le temps de dévorer un cheval.

Mario les conduisit à leur table habituelle, puis leur servit un large plat de spaghettis saupoudrés de parmesan. Mais Nathan avait beau y planter sa fourchette, son assiette n'arrivait pas à se vider. Tom nota qu'il semblait de plus en plus nerveux.

— Je me demande ce que prépare Elliot... demanda Su Ling.

— Il ne peut plus nous faire de coup fourré, dit Nathan.

— J'en suis moins sûre que toi, répondit-elle alors que Joe Stein arrivait en courant.

— On a un problème, haleta-t-il. Vous feriez bien de venir immédiatement.

Andrew se mit à marcher de long en large dans le couloir, comme son père plus de vingt ans auparavant. Mlle Nichol lui avait raconté la scène plus d'une fois.

Les portes battantes s'ouvrirent enfin et une infirmière sortit en courant, mais elle passa à hauteur d'Andrew sans s'arrêter. Plusieurs minutes s'écoulèrent avant que le Dr Redpath ne fasse son apparition ; ôtant son masque, il dit d'un ton grave :

— On est en train d'installer votre femme dans sa chambre. Elle est épuisée, mais elle va bien. Vous pourrez la voir dans quelques instants.

— Et le bébé ?

— Votre fils a été transféré à la pouponnière. Venez avec moi.

Il le conduisit jusqu'à une grande vitre, au-delà de laquelle on apercevait trois incubateurs. Deux étaient déjà occupés ; Andrew vit qu'on plaçait son enfant dans le troisième. Une infirmière lui inséra un tube en caoutchouc dans le nez, lui fixa sur la poitrine un capteur qu'elle raccorda à un moniteur, puis lui passa autour du poignet gauche un bracelet à son nom. L'écran du moniteur se mit à clignoter aussitôt, mais Andrew n'avait pas besoin d'être docteur en médecine pour voir que les battements de cœur étaient faibles. Il se tourna vers le Dr Redpath :

— Comment ça se présente ?

— C'est un prématuré ; si nous parvenons à lui faire passer la nuit, il a de bonnes chances de s'en tirer. Mais il n'y a ni règles ni pourcentages. Chaque enfant est unique.

— Vous pouvez voir votre femme, monsieur Davenport, dit une infirmière venue les rejoindre.

Remerciant le médecin, Andrew la suivit jusqu'à l'étage inférieur. Annie était assise dans son lit, avec plusieurs oreillers derrière le dos.

— Comment va notre fils? dit-elle aussitôt.

— Il a l'air superbe, madame Davenport, répondit l'infirmière.

— Mais on ne veut pas me laisser le voir! Je voudrais tant le tenir dans mes bras!

— On l'a placé dans un incubateur pour le moment, dit doucement Andrew.

— J'ai l'impression que le dîner chez le professeur Abrahams s'est passé voilà des années.

— Quelle soirée! Tu as ensorcelé l'associé principal d'un cabinet juridique que je rêvais d'intégrer avant de mettre au monde notre fils!

— Le plus important, c'est lui. Harry Robert Davenport!

— Ton père et le mien seront ravis.

L'infirmière revint dans la chambre:

— Madame Davenport, je crois que vous devriez dormir un peu, vous êtes épuisée.

Andrew embrassa Annie avant de sortir, puis l'infirmière éteignit la lumière.

Remontant en toute hâte à l'étage supérieur, il contempla, de l'autre côté de la vitre, le moniteur qui clignotait toujours, et réussit à se convaincre que le rythme cardiaque du bébé était plus assuré.

Puis, d'un seul coup, il se sentit exténué: faisant quelques pas en arrière, il s'effondra dans un fauteuil. Quelques instants lui suffirent pour plonger dans le sommeil.

Andrew se réveilla en sursaut en sentant une main posée sur son épaule. C'était une infirmière, au visage grave. Le Dr Redpath était juste derrière elle. Harry Robert Davenport n'avait pas survécu.

— Alors, quel est le problème? lança Nathan alors qu'ils couraient vers le bâtiment où s'effectuait le décompte des voix.

Joe Stein, hors d'haleine, avait du mal à le suivre :

— On était largement en tête il y a quelques minutes encore, et voilà qu'arrivent deux urnes dont les bulletins sont à 90 % pour Elliot !

Le laissant derrière eux, Nathan et Tom montèrent les marches quatre à quatre et, repoussant les portes de verre, aperçurent aussitôt Ralph Elliot qui souriait d'un air suffisant. Sue et Chris leur expliquèrent ce qu'il se passait :

— On avait quatre cents voix d'avance, ça paraissait joué, et voilà ces deux urnes qui sortent de nulle part et qui ne faisaient pas partie du décompte original. La première contenait trois cent dix-neuf bulletins pour Elliot, et quarante-huit pour Nathan, la seconde trois cent trente-deux pour Elliot et quarante et une pour Nathan. Elliot est passé en tête d'une poignée de voix.

— Donne-moi quelques chiffres sur les autres urnes, dit Su Ling.

— Elliot ne l'a emporté que dans une seule urne, deux cent une à cent quatre-vingt-seize. Dans les autres, les résultats sont très cohérents. Le plus favorable, c'est deux cent neuf pour Nathan et cent soixante-seize pour Elliot.

— Si bien que les résultats des deux dernières urnes sont statistiquement impossibles.

— Ça n'explique pas leur soudaine apparition, dit Tom.

— Pas compliqué ! lança Chris. Une fois le bureau de vote fermé, il suffisait de tomber sur deux urnes et de les bourrer de bulletins en faveur d'Elliot.

— Et comment le prouver ? demanda Nathan.

— Les statistiques ! s'écria Su Ling. Mais j'admets que ce n'est pas une preuve décisive.

— Qu'est-ce qu'on fait ? demanda Joe.

— On va transmettre nos observations à Chester Davies. Après tout, c'est lui qui supervise le vote.

— Vas-y, Joe, on va attendre de voir ce qu'il a à dire.

Le doyen des étudiants prit un air sombre en écoutant Joe Stein. Il appela le directeur de campagne d'Elliot, qui se contenta de hausser les épaules et de dire que les bulletins étaient valides.

— Davies réclame une réunion immédiate de la commission électorale dans son bureau. Ils discuteront de la question et nous ferons part de leurs conclusions dans environ une demi-heure.

— M. Davies est un homme juste, dit Su Ling. Il parviendra à la bonne conclusion.

— Peut-être, dit Nathan. Mais, quelles que soient ses réserves, il est tenu de suivre les règles existantes.

— Je suis bien d'accord ! dit une voix.

Faisant volte-face, Nathan se trouva en présence d'Elliot, qui souriait :

— Et la règle de base, c'est que celui qui a eu le plus de voix l'emporte.

— Encore faut-il savoir d'où elles viennent.

— Tu m'accuses d'avoir triché ? lança Elliot d'un ton mauvais.

— Disons que si tu gagnes, tu pourras toujours trouver du travail à Chicago.

Elliot s'avança, poings crispés, mais fut interrompu dans son geste par l'apparition de Davies qui se dirigea vers l'estrade pour y lire la feuille qu'il tenait à la main :

— « À l'issue de l'élection du président du conseil étudiant, il a été porté à ma connaissance que deux urnes ont été découvertes après que le décompte a été effectué. Une fois ouvertes, elles donnaient des résultats différant considérablement de toutes les autres urnes. Nous n'avons cependant trouvé, dans les règles relatives aux scrutins, aucune référence à l'absence, à la substitution ou au bourrage d'urnes, ni sur ce qu'il convient de faire en pareil cas. »

— Parce que personne n'a jamais triché ! s'écria Joe Stein.

— Et personne n'a triché cette fois-ci ! rétorqua aussitôt un partisan d'Elliot. Vous êtes mauvais perdants, voilà tout !

— S'il vous plaît ! intervint M. Davies, qui reprit sa lecture : « Nous sommes toutefois conscients de nos responsabilités, et en sommes venus à la conclusion que le résultat des élections doit être validé. »

172

Les partisans d'Elliot poussèrent de grands cris, et il fallut quelques instants avant que tout le monde se rende compte que M. Davies n'en avait pas terminé.

— « Cette élection s'étant accompagnée de plusieurs irrégularités, dont une au moins reste inexpliquée, j'ai décidé qu'aux termes de la règle 7B de la charte du conseil étudiant, le candidat vaincu devrait se voir accorder l'occasion de faire appel. Dans ce cas, la commission aura trois choix possibles : a) confirmer le résultat originel ; b) infirmer le choix originel ; c) réclamer de nouvelles élections, qui auront lieu durant la première semaine du trimestre suivant. Nous proposons donc de donner vingt-quatre heures à M. Cartwright pour faire appel. »

— Le délai est inutile, s'écria Joe Stein. Nous faisons appel !

— Il faut que le candidat en fasse la demande écrite, dit M. Davies.

Tom jeta un regard à Nathan, qui contemplait Su Ling.

— Tu te souviens de ce dont nous étions convenus, si je ne gagnais pas ?

III
CHRONIQUES

23

Se tournant, Nathan vit Su Ling s'avancer vers lui, et se souvint du jour de leur première rencontre.

— Te rends-tu compte de ta chance ? chuchota Tom.

— Si tu pensais à ton boulot ? Où est l'alliance ?

— L'alliance ? Quelle alliance ? Bon Dieu, je savais bien que j'oubliais quelque chose ! Peux-tu interrompre les festivités un instant, pendant que je retourne à la maison la chercher ?

— Je devrais t'étrangler ! lança Nathan en souriant.

— Oh oui ! dit Tom qui regardait Su Ling. Qu'elle soit mon dernier souvenir de ce monde !

S'avançant, la jeune femme vint s'asseoir à côté de Nathan, et tous deux attendirent que le prêtre entame la cérémonie. Nathan songea à la décision qu'ils avaient prise après l'élection, et sut que jamais ils ne la regretteraient. Pourquoi compromettre la carrière de Su Ling dans le vague espoir de remporter les élections à la présidence du conseil étudiant ? Pourquoi se lancer dans une nouvelle campagne épuisante ? Quand Su Ling avait expliqué au professeur Mullden qu'elle allait se marier avec un étudiant de l'université du Connecticut, Nathan s'était vu aussitôt proposer l'occasion d'achever ses études à Harvard.

— Acceptez-vous de prendre cette femme comme épouse légitime ? demanda le prêtre.

Nathan eut envie de hurler sa réponse, mais réussit à se contenir.

— Oui, dit-il d'une voix douce.

— Acceptez-vous de prendre cet homme comme époux légitime ?

— Oui, dit Su Ling.

— Vous pouvez embrasser la mariée.

— On parle de moi ? lança Tom en s'avançant.

Nathan prit Su Ling dans ses bras et l'embrassa, non sans donner un coup de pied à Tom.

— Est-ce là ma récompense pour tous les sacrifices que j'ai faits au fil des années ?

Nathan le serra dans ses bras tandis que toute l'assistance éclatait de rire.

Tom avait raison, et Nathan le savait bien. Il ne lui avait pas reproché de ne pas faire appel, bien qu'étant persuadé de sa victoire en cas de nouvelle élection. Et le père de Tom avait téléphoné pour offrir à Nathan de lui prêter sa demeure pour la réception de mariage. Comment Nathan pourrait-il jamais les remercier ?

— Sois prévenu, dit Tom, papa compte bien que tu le rejoindras à la banque dès que tu seras sorti de la Harvard Business School.

Les mariés se tournèrent vers leurs familles et leurs amis. Susan pleurait sans retenue, Michael rayonnait de fierté. La mère de Su Ling prit une photo du couple.

Puis commença la réception : M. et Mme Russell n'auraient pu faire mieux pour leur propre fils. Nathan y passa d'une table à l'autre, remerciant tout particulièrement ceux qui venaient de loin. Lorsque le choc d'un couteau contre un verre lui rappela que c'était l'heure des discours, il vint se rasseoir au moment même où Tom se levait. Le témoin du marié expliqua d'abord pourquoi la réception avait lieu chez lui :

— J'ai offert à Su Ling de l'épouser bien avant le marié mais, pour des raisons qui me dépassent, elle a fait un autre choix.

Tous les invités applaudirent et Nathan sourit, se demandant si les plaisanteries de Tom ne trahissaient pas ses véritables sentiments. Il se souvint aussi de leur première rencontre à Taft, et se dit qu'il avait bien de la chance d'avoir un tel ami. Peut-être se passerait-il peu de temps avant que lui-même soit le témoin de Tom ?

Ce fut ensuite au tour de Nathan de prendre la parole. Il remercia M. et Mme Russell de leur générosité, sa mère de sa sagesse et son père de lui avoir légué son physique.

— Mais je dois, plus que tout, remercier Su Ling de s'être trompée de chemin ce jour-là, sur la colline, et mes parents pour m'avoir donné une bonne éducation, qui m'a conduit à la suivre pour la prévenir qu'elle commettait une erreur.

— Elle en a commis une bien plus grave en te laissant lui parler ! lança Tom.

Nathan attendit que les rires s'apaisent, puis reprit :

— Je suis tombé amoureux d'elle au premier regard, et ce sentiment n'était, de toute évidence, pas réciproque. Mais, comme je vous l'ai dit, j'ai la fière allure de mon père. Je vous invite donc tous à nos noces d'or, qui auront lieu le 11 juillet 2024. Seuls ceux qui seront décédés d'ici là se verront excusés, sur présentation d'un bulletin de décès. À ma femme, Su Ling ! conclut-il en levant son verre.

Tandis que la jeune femme partait se changer, Tom demanda à Nathan où se déroulait leur voyage de noces.

— En Corée. Nous allons tenter de retrouver le village où Su Ling est née, ainsi que les membres de sa famille. Mais n'en dis rien à sa mère : ce sera une surprise à notre retour.

Trois cents invités accompagnèrent les mariés jusqu'à leur voiture, puis les virent disparaître sur la route qui les mènerait à l'aéroport.

— Je me demande où ils vont ? demanda la mère de Su Ling.

— Je n'en ai pas la moindre idée, répondit Tom.

Andrew serra Annie dans ses bras. Un mois s'était écoulé depuis la mort de Harry Robert, mais elle s'en rendait encore responsable.

— C'est injuste ! dit-il. Regarde Joanna : quand elle a accouché, elle subissait toutes sortes de pressions, et il ne s'est rien passé !

Avec le temps, Annie finit par reprendre des forces. Elle poussa son mari à travailler jour et nuit pendant les grandes vacances avant d'entamer sa dernière année d'études. Mais elle-même refusa de poursuivre les siennes.

— Je veux avant tout être ta femme, argua-t-elle.

De retour à Yale, Andrew réalisa que, bientôt, il devrait se mettre en quête de travail. Plusieurs cabinets lui avaient déjà proposé des entretiens d'embauche, mais il ne voulait pas aller s'installer à Denver, Phoenix ou Pittsburgh. Et il n'avait aucune nouvelle d'Alexander, Dupont & Bell. De son côté, Jimmy avait déjà envoyé une cinquantaine de lettres, ne recevant que trois réponses, d'ailleurs négatives. Il n'aurait pas refusé Dallas ou Tucson, mais il y avait Joanna.

Annie et Andrew choisirent ensemble les villes où ils aimeraient vivre, se renseignèrent sur les cabinets juridiques qu'on y trouvait, et rédigèrent une lettre qui, reproduite à cinquante-quatre exemplaires, fut envoyée le premier jour du trimestre.

Le même jour, Andrew trouva une missive dans sa boîte aux lettres. Il rit en voyant l'en-tête gravé sur l'enveloppe, qu'il ouvrit en hâte. Alexander, Dupont & Bell... bien sûr ! Ce cabinet distingué ne commençait à interroger les postulants qu'au mois de mars ; pourquoi Andrew Davenport aurait-il fait exception ?

Il ne cessa pas de travailler durant les longs mois d'hiver qui suivirent, et se rendit finalement à New York, plein d'appréhension. Sortant de Grand Central Station, il prit un taxi jusqu'à la 54e Rue, contemplant par la vitre baissée une ville qu'il ne connaissait guère.

Le véhicule s'arrêta au pied d'un gratte-ciel de verre de soixante-douze étages, et Andrew sut aussitôt que jamais il ne voudrait travailler ailleurs. Quand il sortit de l'ascenseur, au trente-sixième étage, la réceptionniste cocha son nom et lui tendit une feuille de papier listant une série d'entretiens qui dureraient toute la journée.

Le premier eut lieu avec Bill Alexander : il se déroula bien, mais l'associé principal du cabinet se montra moins chaleureux que chez le professeur Abrahams. Alexander ne manqua pas de demander des nouvelles d'Annie, fit preuve de la plus grande courtoisie mais, de toute évidence, Andrew n'était pas le seul candidat.

Il passa l'heure suivante avec trois des associés du cabinet, tous spécialisés en droit criminel, le domaine qu'il avait choisi. Après quoi il fut invité, avec les autres postulants, à déjeuner avec les responsables de la firme. Ce qui lui donna une idée de la concurrence.

Ce qu'il ne pouvait savoir, c'est qu'Alexander, Dupont & Bell avait effectué un rigoureux travail de tri, des mois avant de convoquer les candidats, et qu'il était au nombre des six heureux élus. Un ou deux se verraient proposer un emploi ; certaines années, personne n'était retenu.

Il y eut d'autres entretiens pendant l'après-midi, à l'issue desquels Andrew fut convaincu qu'il n'avait aucune chance.

— Ils me feront savoir à la fin du mois si je fais l'affaire, dit-il à Annie qui l'attendait à la gare. Mais je vais continuer à envoyer des lettres, même si je dois avouer que je ne veux plus travailler ailleurs qu'à New York.

Sur le chemin du retour, elle lui posa toutes sortes de questions et, comme leur voiture parvenait devant chez eux, déclara :

— Tu aurais peut-être dû lui dire.

— Quoi donc ?

— Je suis de nouveau enceinte.

Nathan adora l'agitation des rues de Séoul, ville bien résolue à laisser derrière elle les lointains souvenirs de la guerre. Elle était à présent hérissée de gratte-ciel, tentant de vivre en harmonie avec les bâtiments plus anciens. Su Ling, quant à elle, ne put s'empêcher de noter que les Coréennes occupaient toujours un rôle inférieur dans la société, et eut une pensée pour sa mère, qui avait eu le courage de partir en Amérique.

Nathan loua une voiture pour qu'ils puissent aller d'un village à l'autre à leur fantaisie. À quelques kilomètres seulement de la capitale, ils eurent l'impression de remonter cent ans en arrière.

La mère de Su Ling avait rarement parlé de sa vie en Corée, mais avait cependant confié à sa fille dans quel village elle était née, et que deux de ses oncles avaient été tués pendant la guerre. Quand ils parvinrent à Kaiping – 7 300 habitants, disait leur guide –, Su Ling n'avait guère d'espoir de retrouver quelqu'un qui se souviendrait de sa mère.

Elle commença ses recherches à l'hôtel de ville, compulsant les registres d'état civil. Près d'un millier de personnes portaient le nom de jeune fille de sa mère, Peng. La réceptionniste était du nombre ; elle dit à Su Ling que sa propre grand-tante, qui était nonagénaire, connaissait toutes les branches de la famille, et lui proposa d'arranger un rendez-vous.

Rappelant l'après-midi, Su Ling apprit que Ku Sei Peng serait ravie de prendre le thé avec elle le lendemain. La réceptionniste ajouta, en s'excusant, que mieux vaudrait qu'elle vienne sans son mari américain.

Le lendemain soir, elle revint à l'hôtel avec un bout de papier et dit en souriant :

— Nous avons fait tout ce chemin pour rien, il va nous falloir rentrer à Séoul !

— Comment ça ? demanda Nathan.

— Ku Sei Peng se souvient que ma mère avait quitté le village pour trouver du travail dans la capitale, et qu'elle n'était jamais revenue. Mais sa sœur cadette, Kai Pai Peng, vit toujours à Séoul, et Ku Sei m'a donné sa dernière adresse connue.

Ils revinrent dans la grande cité aux alentours de minuit.

— Je crois que je ferais mieux d'y aller seule, dit Su Ling au petit-déjeuner. Elle ne voudra peut-être pas dire grand-chose si elle sait que je suis mariée à un Américain.

— Très bien ! Je comptais me rendre au marché de l'autre côté de la ville, j'ai une petite course à faire.

— Que cherches-tu ?

— Attends de voir !

Il s'y rendit en taxi, passant la journée à errer parmi l'un des plus grands marchés en plein air du monde, aux étalages croulant sous toutes sortes de produits, parmi lesquels des Rolex incrustées de perles de culture, sans qu'on puisse jamais distinguer l'authentique de la contrefaçon. Le soir, en rentrant à l'hôtel, il était épuisé. Il rapportait plusieurs sacs, pleins de cadeaux pour son épouse.

Entrant dans leur suite, il entendit des sanglots. Laissant tomber ses achats sur le sol, il ouvrit la porte de la chambre à coucher. Su Ling était allongée sur le lit, en larmes. Ôtant ses chaussures, il s'assit à côté d'elle et la prit dans ses bras.

— Qu'y a-t-il, petite fleur ? demanda-t-il doucement.

Elle ne répondit pas ; il la serra contre lui, sachant qu'elle lui dirait tout quand elle l'aurait décidé.

Quand vint la nuit, il tira les rideaux, s'assit à côté d'elle et prit sa main.

— Je t'aimerai toujours, dit Su Ling sans le regarder.

— Moi aussi, tu le sais, répondit-il en l'enlaçant.

— Tu te souviens du soir de notre mariage ? Nous nous étions promis de n'avoir aucun secret l'un pour l'autre.

Elle posa la tête sur sa poitrine, comme pour éviter de croiser son regard.

— Ma grand-tante se souvenait bien de ma mère, et m'a expliqué pourquoi elle avait quitté son village pour venir la rejoindre à Séoul.

Puis elle lui répéta tout ce que Kai Pai lui avait appris et, quand elle en eut terminé, leva enfin la tête pour le regarder.

— Peux-tu encore m'aimer, maintenant que tu connais la vérité ?

— Il m'est impossible de ne plus t'aimer, et je me doute du courage qu'il t'a fallu pour m'apprendre tout cela.

— Je ne crois pas qu'il serait sage que je t'accompagne, dit Annie.

— Mais tu es mon porte-bonheur, et…

— … et le Dr Redpath ne serait pas content.

Andrew accepta donc, à contrecœur, de se rendre seul à New York. Annie en était à son septième mois de grossesse et mieux valait ne pas contredire le médecin, même si, jusqu'à présent, il n'y avait pas eu de complication.

Il arriva devant le gratte-ciel de la 54e Rue avec un quart d'heure d'avance : il avait entendu dire qu'un candidat en retard de trois minutes avait été éconduit sans cérémonie... Au trente-sixième étage, il fut installé dans une pièce spacieuse où il s'assit, ne sachant trop que penser de cet accueil. Quelques instants plus tard, un jeune homme survint et lui tendit la main en souriant :

— Je m'appelle Logan Fitzgerald, dit-il. Je vous ai entendu lors du débat des premières années, à Yale. Votre discours était très brillant, bien que j'aie été en désaccord complet avec vous !

— Vous étiez étudiant à Yale ?

— Non, je rendais visite à mon frère. Je suis de Princeton, et je crois que nous savons tous deux pourquoi nous sommes là.

— Il y en a d'autres ?

— À en juger par la pendule, nous sommes les deux derniers. Je vous souhaite bonne chance !

La porte s'ouvrit, et Mme Townsend, la secrétaire de M. Alexander, apparut :

— Par ici, messieurs, s'il vous plaît.

Le bureau de William Alexander était le dernier au fond du couloir, juste avant la salle de conférences. La secrétaire frappa discrètement, ouvrit la porte et s'effaça, tandis que vingt-cinq hommes et trois femmes se levaient pour applaudir.

— Asseyez-vous, messieurs, dit Bill Alexander. Je veux être le premier à vous féliciter : Alexander, Dupont & Bell a décidé de s'assurer vos services. Soyez prévenus, toutefois : vous n'aurez droit à de nouveaux applaudissements que quand vous deviendrez associés du cabinet, c'est-à-dire dans sept ans, au moins. Vous passerez le reste de la matinée en réunion avec les membres du comité exécutif, qui répondront à vos questions. Andrew, vous aurez affaire à Matthew Cunliffe, qui dirige la section des affaires criminelles, et vous, Logan, à Graham Simpson, responsable des fusions et acquisitions. À 12 h 30, vous vous joindrez à nous pour le déjeuner.

Celui-ci fut assez détendu ; les associés du cabinet avaient cessé, comme pendant les entretiens d'embauche, de se comporter comme M. Hyde, rôle qu'ils jouaient quotidiennement avec leurs clients ou leurs adversaires, pour redevenir de paisibles Dr Jekyll.

— On me dit que chacun d'entre vous était en tête de sa classe, dit Bill Alexander. Je l'espère bien ! Mais je n'ai pas encore décidé quels bureaux vous attribuer. Si l'un de vous n'est pas à la hauteur, il passera sa première année dans la salle du courrier, à délivrer des mémos aux autres cabinets. À pied.

Personne ne rit : Andrew se demanda s'il était sérieux ou non. Alexander allait poursuivre quand sa secrétaire survint :

— Un appel pour vous sur la ligne trois, monsieur.

— J'avais dit que je ne voulais pas être dérangé, madame Townsend !

— Oui, monsieur, mais c'est une urgence.

Bill Alexander décrocha le combiné, écouta avec attention et sourit :

— Je le lui ferai savoir, dit-il avant de raccrocher.

Puis il se tourna vers Andrew :

— Laissez-moi vous féliciter : vous êtes l'heureux père d'une petite fille. La mère et l'enfant se portent bien. Dès que j'ai rencontré votre épouse, j'ai su que c'était le genre de femme que nous apprécions chez Alexander, Dupont & Bell.

24

— Lucy.

— Pourquoi pas Ruth ou Martha ?

— On peut lui donner les trois, cela fera plaisir à nos mères ; mais nous l'appellerons Lucy, répondit Andrew en reposant doucement sa fille dans son berceau.

— As-tu songé à l'endroit où nous vivrons ? Je n'ai pas envie qu'elle grandisse à New York.

— Moi non plus ! J'en ai parlé avec Matt Cunliffe, qui m'a dit avoir eu les mêmes problèmes en entrant au cabinet. Il m'a suggéré trois ou quatre petites villes du New Jersey, qui sont à moins d'une heure de train de New York. Nous pourrions nous y rendre vendredi et passer le week-end à chercher quelque chose qui nous plaise. Le cabinet m'a indiqué qu'ils préféreraient que nous achetions, plutôt que de rester en location.

— Et si nous n'avons pas les moyens ?

— Alexander, Dupont & Bell nous accordera un prêt sans intérêt.

— C'est très généreux ! Mais, connaissant Bill Alexander, je suppose qu'il ne le fait pas sans raison.

— En effet. Cela nous liera au cabinet. Car tu te doutes qu'après avoir consacré autant d'efforts à sélectionner et à former les nouveaux venus, ils n'ont aucune envie de les voir passer à la concurrence.

— Tu as fait part de tes ambitions politiques à M. Alexander ?

— Non. Mieux valait m'en abstenir, je n'aurais jamais été pris. Et puis, qui sait ce que j'en penserai dans deux ou trois ans ?

— Je le sais, moi ! Et tu penseras la même chose dans cinq, dix ou vingt ans ! Tu n'es vraiment heureux que lorsque tu fais campagne. Quand papa a été réélu, tu étais encore plus excité que lui !

— Surtout, ne répète pas ça à Matt Cunliffe, sinon Bill Alexander le saurait dix minutes plus tard ! Le cabinet ne veut que des gens qui sachent s'engager pleinement. Souviens-toi de leur devise : « Chaque journée comporte vingt-cinq heures. »

Quand Su Ling s'éveilla, elle entendit Nathan parler au téléphone dans la pièce d'à côté. Il était pourtant très tôt !

— Petite fleur, dit-il en entrant dans la chambre à coucher, tu dois te lever et faire tes bagages, car il faut que nous soyons partis dans moins d'une heure.

— Mais…

— Moins d'une heure !

Sortant du lit, elle courut jusqu'à la salle de bains.

— Capitaine Cartwright, s'écria-t-elle sous la douche, suis-je autorisée à savoir où vous m'emmenez ?

— Cela vous sera révélé quand nous serons dans l'avion, deuxième classe Cartwright !

— On rentre chez nous ?

— Non.

Après s'être séchée, Su Ling s'habilla pendant que Nathan reprenait le téléphone pour demander un taxi.

— Une heure, c'est un peu juste pour me préparer ! protesta-t-elle.

— C'est voulu.

Elle jeta un coup d'œil aux cadeaux qu'il avait rapportés la veille :

— Jamais je ne pourrai emporter tout ça !

Raccrochant, il se dirigea vers un placard et en sortit une valise qu'elle n'avait jamais vue.

— Gucci ? demanda-t-elle.

— À dix dollars ? J'en serais surpris.

Il reprit le téléphone :

— Je voudrais que la note soit prête et qu'un porteur soit là quand nous descendrons. D'accord, dix minutes.

À l'aéroport, il alla chercher les billets tandis que Su Ling entrait dans un restaurant pour commander le petit-déjeuner.

— Où allons-nous? demanda-t-elle.

— Je te le dirai quand nous serons à l'embarquement. Et arrête de poser des questions, sinon tu ne le sauras qu'à l'arrivée! Au besoin, je te banderai les yeux! Maintenant, j'ai quelques questions importantes à te poser.

Il sentit qu'elle se tendait aussitôt, et fit semblant de n'avoir rien remarqué.

— Je me souviens que tu as dit à ma mère que lorsque le Japon se lancerait dans la révolution informatique, le processus technologique s'accélérerait.

— Ils sont partis au galop: Canon, Sony, Fujitsu ont déjà dépassé les Américains. Nous allons au Japon? Tu t'intéresses aux nouvelles compagnies?

— Oui et non, répondit Nathan, qui écouta attentivement une annonce émise par haut-parleur, et paya leur note avec ce qu'il lui restait d'argent coréen.

— Nous allons où, alors, capitaine Cartwright? Je suis ta prisonnière! Honolulu?

— Pourquoi t'emmènerais-je à Honolulu?

— Pour rester allongés sur la plage et faire l'amour toute la journée.

— Non. Nous allons dans un endroit où nous pourrons retrouver mes anciennes maîtresses, ce qui ne nous empêchera pas de faire l'amour toute la nuit.

— Saigon? Le décor des exploits du capitaine Cartwright?

— Tu gèles! répondit Nathan en avançant, dépassant la première porte d'envol, puis la seconde, la troisième, la quatrième...

— Singapour? Manille? Hong Kong!

— Non, non et non!

Il ne s'arrêta que devant la porte vingt et un.

— Vous vous rendez à Rome et Venise avec nous, monsieur? demanda la réceptionniste de Pan Am.

— Oui. Les billets sont au nom de M. et Mme Cartwright.

— Capitaine Cartwright, dit Su Ling, vous êtes vraiment un homme à part.

Au cours des week-ends qui suivirent, Annie finit par ne plus savoir combien de maisons ils avaient visitées. Certaines étaient trop grandes, d'autres trop petites, mal situées ou dans des endroits trop chers pour eux, même avec l'assistance d'Alexander, Dupont & Bell. Un dimanche après-midi, cependant, ils trouvèrent exactement ce qu'ils cherchaient à Ridgewood. Annie téléphona aussitôt à sa mère :

— C'est absolument idéal ! Un quartier tranquille, plus d'écoles que de cinémas, et il y a même une rivière qui passe en plein centre-ville !

— Et le prix ?

— Un peu plus cher que ce que nous voulons payer, mais l'agent immobilier attend un coup de fil de mon agent, une certaine Martha Gates. Si tu ne réussis pas à le faire baisser, personne n'y arrivera !

Andrew et Annie passèrent l'après-midi à se promener dans Ridgewood, en espérant que Martha saurait y faire. Mais il se passa près d'un mois avant que le marché soit finalement conclu : Andrew, Annie et Lucy Davenport passèrent leur première nuit dans leur nouvelle demeure le 1er octobre 1974.

— Crois-tu que nous pourrions demander à ta mère de s'occuper de Lucy pour une ou deux semaines ? s'enquit Andrew.

— Oui, ce serait une bonne idée, pendant que nous mettons la maison en état.

— Ce n'est pas à ça que je pensais. Je me suis dit qu'il était temps que nous prenions un peu de vacances... une sorte de seconde lune de miel. Nous allons faire quelque chose dont tu m'as souvent parlé : aller en Écosse et retrouver la lignée des Davenport et des Gates.

— Mais quand ?

— Notre avion décolle demain matin à 11 heures.

— Monsieur Davenport, c'est un vrai plaisir que d'être informée de vos projets si longtemps à l'avance.

— Qu'est-ce que tu fais ? demanda Su Ling en voyant son mari examiner les chiffres de la rubrique financière de l'*Asian Business News*.

— J'étudie les mouvements monétaires sur l'année.

— C'est là qu'intervient le Japon ?

— En effet. Depuis dix ans, le yen est la seule monnaie d'importance à avoir pris de la valeur face au dollar. Plusieurs économistes ont prédit que cela continuerait, dans la mesure où, en fait, il est sous-évalué. S'ils ont raison, et si tu vois juste s'agissant du rôle croissant du Japon dans les nouvelles technologies, alors je crois que j'ai mis la main sur un bon investissement. J'y consacrerai quelques dollars chaque mois.

— C'est un peu risqué, non ?

— C'est inévitable quand on veut faire des bénéfices. Le secret est d'éliminer les éléments qui accroissent le risque. Je gagne actuellement quatre cents dollars par mois comme capitaine dans l'armée de terre. Si j'échange ces dollars contre des yens à leur taux actuel, avant de les reconvertir d'ici un an, et si le taux de change reste ce qu'il est depuis sept ans, je pourrais faire un profit annuel de quatre cents à cinq cents dollars.

— Et si ça ne marche pas ?

— Cela fait sept ans que ça dure.

— Mais si ça ne marche pas quand même ?

— Alors je perdrais quatre cents dollars, un mois de ma solde. C'est jouable, non ?

— Je préfère quand même un salaire garanti chaque mois.

— On ne peut pas créer de capital à partir des revenus. La plupart des gens vivent au-dessus de leurs moyens : leur seule forme d'épargne, ce sont des polices d'assurance ou des bons du Trésor.

— Et pourquoi avons-nous besoin de cet argent ?

— Pour mes maîtresses.

— Ah ! Et où sont-elles ?

— La plupart en Italie, et quelques-unes dans les grandes capitales du monde.

— C'est pour ça que nous allons à Venise ?

— Et à Florence, Milan et Rome. Ce que j'aime le plus chez elles, c'est qu'elles ne vieillissent pas, même exposées à la lumière du jour.

— Quelle chance elles ont ! Tu as une préférée ?

— Il y a à Florence une petite dame qui loge dans un palais superbe ; je l'adore et je suis impatient de la revoir.

— Est-ce qu'elle ne serait pas vierge ?

— Quelle sagacité !

— Elle s'appelle Marie ? *L'Adoration des mages*, du Tintoret ?

— Non.

— *La Vierge à l'enfant*, de Bellini ?

— Non, ça, c'est au Vatican.

L'hôtesse passa dans la travée pour demander aux voyageurs de boucler leur ceinture.

— Le Caravage ? reprit Su Ling.

— Gagné ! Dans le palais Pitti, au troisième étage, à droite. Elle m'a promis d'être fidèle jusqu'à mon retour.

— Elle y restera, dans son palais ! Elle te coûtera beaucoup plus que quatre cents dollars par mois, et si tu comptes toujours faire de la politique, tu ne pourras même pas t'offrir le cadre.

— Je ne me lancerai pas tant que je n'aurai pas de quoi acheter la galerie tout entière !

Annie et Andrew passèrent dix jours paisibles en Écosse. Ils apprécièrent tout particulièrement le festival d'Édimbourg, où ils avaient le choix entre Marlowe, Mozart et Harold Pinter. Mais, pour tous deux, le plus grand moment du voyage fut de parcourir en voiture les rivages écossais : le décor était à couper le souffle, et ils eurent l'impression qu'il ne pouvait y en avoir de plus beau au monde.

Ils tentèrent également de retrouver des traces de leurs deux familles, mais durent se contenter d'une grande carte donnant les couleurs des différents clans, et d'une jupe particulièrement flamboyante des Davenport.

Mais Annie n'était pas très chaude pour la porter, même aux États-Unis.

Le vol de retour fut sans histoire. Annie ne pensait qu'à retrouver Lucy ; Andrew était impatient de commencer sa première journée chez Alexander, Dupont & Bell.

Quand Nathan et Su Ling revinrent de Rome, ils étaient épuisés, mais leur changement de destination avait été très productif. À mesure que les jours passaient, la jeune femme s'était détendue. Ils convinrent de dire à la mère de Su Ling qu'ils n'étaient allés qu'en Italie. Seul Tom resterait un peu perplexe.

Tandis que son épouse dormait, Nathan étudia une fois de plus les marchés monétaires dans l'*International Herald Tribune* et le *Financial Times* de Londres. Sur le long terme, le yen montait toujours, tandis que le dollar baissait. Comme d'ailleurs le mark, la livre et la lire. Il faudrait qu'il voie quels taux de change présentaient les plus fortes disparités. De retour à Boston, il en parlerait au père de Tom.

Nathan se rendait bien compte que le temps passé à Harvard serait vite écoulé, et qu'ensuite il ne pourrait différer une décision qui engagerait l'avenir de son couple. Il pourrait chercher un emploi à Boston, ce qui permettrait à Su Ling de rester à Harvard. Il pourrait accepter l'offre de M. Russell, et travailler avec Tom dans une banque importante, mais située dans une petite ville, ce qui handicaperait ses projets futurs. Ou bien il pourrait tenter de se faire embaucher à Wall Street, et voir s'il pourrait y survivre.

Su Ling, quant à elle, ne doutait nullement du choix qu'il ferait : elle se hâta de prendre contact avec l'université de Columbia.

25

À la fin de sa dernière année à Harvard, Nathan décida de s'occuper sérieusement de son projet financier. Il téléphona donc au père de Tom pour lui faire part de ses idées sur les échanges monétaires. M. Russell lui fit aussitôt remarquer que les sommes qu'il comptait y consacrer étaient bien trop réduites pour qu'un comptoir de change s'en occupe, mais il suggéra que sa propre banque fasse à Nathan un prêt de mille dollars, tandis que son fils et lui-même souscriraient chacun la même somme.

Quand Joe Stein entendit parler de la chose, il apporta à son tour mille dollars ; en un mois, le fonds de roulement passa ainsi à dix mille dollars. Nathan commença à s'inquiéter davantage, alors, de perdre l'argent de ses investisseurs que du sien. En fin de trimestre, la somme qu'il gérait atteignait quatorze mille dollars, et le bénéfice de Nathan s'élevait à sept cent vingt-six dollars.

— Mais tu pourrais tout perdre ! commença à s'alarmer Su Ling.

— C'est vrai. Mais comme les fonds dont je dispose sont plus substantiels, le risque d'une perte importante est plus faible.

— Tu ne crois pas que tu y passes trop de temps, alors que tu devrais te consacrer à ta thèse ?

— Ça n'exige que quinze minutes par jour ! Chaque matin, à 6 heures, je prends connaissance du marché japonais, chaque soir du cours de clôture à New York, et tant qu'il n'y a pas de retournement de tendance, je n'ai plus rien à faire, sinon réinvestir le capital chaque mois.

— C'est franchement obscène. Tu gagnes plus en un quart d'heure que je ne puis espérer gagner en un an à Columbia.

— Oui, mais une fois là-bas, tu y resteras, quoi qu'il arrive sur le marché. C'est ça, la libre entreprise : je risque toujours de tout perdre.

Nathan était bien conscient que sa femme n'aimait guère l'argent facile, aussi ne lui détaillait-il ses investissements que lorsqu'elle abordait le sujet. Lui-même ne se sentait nullement coupable de passer quelques minutes par jour à gérer ses fonds ; et aucun étudiant de sa classe ne travaillait plus que lui. Il ne s'accordait qu'une heure de répit par jour, qu'il consacrait à courir, et son plus grand bonheur fut d'arriver premier lors d'une épreuve de cross-country opposant Harvard à Cornell.

Après plusieurs entretiens d'embauche à New York, il se vit proposer de nombreux emplois mais ne prit que deux offres au sérieux, venant de deux institutions de taille et de réputation comparables. Lorsqu'il eut rencontré Annie Freeman, qui dirigeait le service des changes chez Morgan, il sut que son choix était fait et fut ravi d'être embauché dans la prestigieuse maison.

Su Ling lui demanda un jour où il en était, financièrement parlant.

— Le fonds atteint 40 000 dollars.

— Et ta part ?

— 20 %. À quoi veux-tu la consacrer ?

— À notre premier enfant.

À l'issue de sa première année chez Alexander, Dupont & Bell, Andrew ne regrettait pas non plus d'y être entré. Il avait vite compris que son rôle était de veiller à ce que Matt Cunliffe ait toujours sous la main les documents nécessaires, quelle que soit l'affaire sur laquelle il travaillait. Quelques jours lui avaient suffi pour se rendre compte que les avocats défendant des femmes aussi séduisantes qu'innocentes n'existaient que dans les feuilletons télé. Son travail était absorbant, minutieux, ingrat, et ne débouchait le plus souvent que sur un accord à l'amiable avant le procès.

Andrew découvrit également que ce n'était qu'une fois devenu associé qu'on pouvait espérer gagner gros. S'il emportait toujours du travail en rentrant, il s'efforçait, chaque fois que c'était possible, de passer une heure avec sa fille. Le premier anniversaire de Lucy donna lieu à la fête la plus bruyante à laquelle il ait jamais assisté, matchs de football exceptés. Annie s'était fait tant d'amis dans le voisinage que leur maison était pleine d'enfants qui semblaient tous vouloir pleurer et rire en même temps. Il s'émerveilla du calme dont sa femme faisait preuve face aux crèmes glacées renversées, au gâteau au chocolat tombé sur la moquette ou à la bouteille de lait qui avait taché sa robe. Quand le dernier des petits invités s'en fut, Andrew était épuisé, mais Annie constata simplement :

— Je crois que ça s'est bien passé !

Il voyait souvent Jimmy qui, grâce à son père – il ne s'en cachait nullement –, était entré dans un cabinet d'avocats de Lexington Avenue, de petite taille, mais très respecté. Il travaillait très dur, lui aussi, apparemment très motivé par son statut de père. Ce qui ne s'arrangea pas quand Joanna accoucha d'un deuxième enfant. Quand Andrew l'apprit, il espéra qu'Annie suivrait cet exemple ; il enviait Jimmy d'avoir un fils, et songeait souvent à Harry Robert.

Il était tellement absorbé par son travail qu'il eut à peine le temps de se faire des amis, à l'exception de Logan Fitzgerald, entré au cabinet le même jour que lui ; tous deux prenaient souvent un verre avant qu'Andrew ne rentre à Ridgewood. Logan, un grand gaillard blond de souche irlandaise, fut bientôt invité chez les Davenport, où Annie lui présenta ses amies célibataires. Au sens strict, les deux hommes étaient rivaux, mais cela ne semblait pas porter tort à leur amitié, bien au contraire. Au demeurant, personne au cabinet ne paraissait savoir lequel des deux serait le premier à devenir associé.

Discutant un soir autour d'un verre, Logan et lui convinrent qu'ils en étaient désormais des membres reconnus. Dans quelques semaines arriveraient des petits nouveaux, et tous deux avaient étudié les CV de ceux qui avaient survécu au premier tri.

— Qu'est-ce que tu penses d'eux? demanda Andrew.

— Ils ont l'air bien, répondit Logan, à une exception près : ce type de Stanford. Je ne sais pas comment il a pu être sélectionné.

— Il paraît que c'est le neveu de Bill Alexander.

— Ah! C'est donc une raison suffisante pour le mettre sur la liste, mais pas pour lui donner du boulot! Je n'arrive même pas à me souvenir de son nom!

Chez Morgan, Nathan était le plus jeune d'une équipe de trois. Son supérieur immédiat était Steven Ginsberg, âgé de vingt-huit ans, dont le second, Adrian Kewright, venait d'en avoir vingt-six. À eux trois, ils contrôlaient un fonds de plus d'un million de dollars.

Les marchés monétaires ouvrent à Tokyo au moment où les Américains se mettent au lit, et ferment à Los Angeles alors que le soleil s'est couché sur le continent américain : un des trois membres de l'équipe devait donc être de garde à chaque heure du jour ou de la nuit. Steven n'accorda qu'un après-midi à Nathan, pour qu'il puisse voir Su Ling recevoir son doctorat à Harvard ; encore dut-il quitter la cérémonie pour donner un coup de fil urgent et expliquer pourquoi la lire italienne s'effondrait.

— Il se pourrait que l'Italie ait un gouvernement comptant des communistes à partir de la semaine prochaine, dit-il. Passez aux francs suisses ! Et débarrassez-vous des livres et des pesetas : l'Angleterre et l'Espagne ont des gouvernements de gauche, ils vont subir le contrecoup.

— Et le deutschmark ?

— Allez-y ! Il restera sous-évalué tant que le mur de Berlin restera en place.

Le jour où tout le monde vendit des dollars pour acheter des livres, Nathan se hâta de vendre celles-ci sur le marché à terme. Pendant près d'une semaine, il semble bien qu'il ait fait perdre une fortune à la banque ; les collègues le croisaient dans le couloir en prenant soin de regarder ailleurs. Un mois plus tard, il était devenu un héros, et plusieurs autres banques lui proposaient un poste, accompagné d'une considérable augmentation de salaire. En fin d'année, Nathan reçut un bonus de 8 000 dollars, et décida que le temps était venu de se trouver une maîtresse.

Il ne parla de rien à Su Ling, qui venait de bénéficier d'une augmentation de quatre-vingt-dix dollars par mois. Pour maîtresse, il avait songé à une certaine dame qu'il voyait chaque jour au coin de la rue en allant travailler. Elle entrait dans son bain. Il finit par se décider à demander quel était son prix.

— Six mille cinq cents dollars, dit le propriétaire de la galerie. Vous avez l'œil, monsieur ! Bonnard est très fortement sous-évalué par rapport à ses contemporains : Renoir, Monet, Matisse... Je suis sûr qu'à l'avenir, sa cote ne cessera de monter.

Nathan n'en avait cure : il était amoureux, pas proxénète.

Sa femme légitime lui téléphona l'après-midi même pour lui apprendre qu'elle se rendait à l'hôpital.

— Il y a un problème ? demanda-t-il, inquiet.

— Aucun, je vais juste accoucher.

— Mais il ne devait naître que dans un mois !

— Apparemment, il en a décidé autrement !

— J'arrive, petite fleur, dit Nathan en laissant tomber le téléphone qui le reliait à Hong Kong.

Le soir, de retour de l'hôpital, il téléphona à sa mère pour lui apprendre qu'elle avait un petit-fils.

— Merveilleux ! dit Susan. Comment vas-tu l'appeler ?

— Luke.

— Et que comptes-tu offrir à Su Ling pour commémorer l'événement ?

Il hésita un instant :

— Une dame prenant son bain.

Deux jours s'écoulèrent avant que le galeriste et lui ne s'entendent sur un prix de 5 750 dollars, et le petit Bonnard quitta la galerie pour entrer dans la chambre à coucher de leur appartement de Soho.

— Elle te plaît à ce point ? demanda Su Ling, le jour où Luke et elle revinrent de l'hôpital.

— Pas vraiment, en fait. J'aime les femmes minces.

Elle contempla longuement le tableau avant de s'exclamer :

— Elle est magnifique. Merci !

Nathan fut ravi que son épouse apprécie l'œuvre autant que lui, et sans demander combien cela lui avait coûté.

Ce qui avait commencé un peu comme un caprice lors du voyage en Italie avec Tom devint une drogue dont il ne pouvait plus se passer. Chaque fois que Nathan touchait un bonus, il se mettait en quête d'un nouveau tableau. Le galeriste était peut-être un commerçant, mais son jugement était bon : Nathan fit l'acquisition d'impressionnistes à sa portée – Vuillard, Pissarro, Sisley – et découvrit qu'ils prenaient de la valeur plus vite que tous les investissements financiers qu'il pouvait proposer à ses clients de Wall Street.

Su Ling aimait voir leur collection s'agrandir. Elle ne cherchait pas à savoir combien Nathan payait pour ses maîtresses, ni leur valeur future. Les chiffres lui auraient probablement donné le tournis car, après avoir été nommée professeur associée à Columbia à vingt-cinq ans, elle gagnait moins en une année que son mari en une semaine. Et Nathan n'avait pas besoin qu'on lui rappelle à quel point c'était obscène.

Andrew se souvenait parfaitement de l'incident.

Matt Cunliffe lui avait demandé de porter un document chez Higgs & Dunlop pour le faire signer :

— En temps normal, j'enverrais un coursier, mais il a fallu des semaines à M. Alexander pour que les termes du contrat soient acceptés par les deux parties, et il ne veut pas que des pépins de dernière minute empêchent la conclusion de l'accord.

Andrew comptait être de retour au bout d'une demi-heure ; il lui suffisait d'obtenir quatre signatures. Pourtant, il ne revint que deux heures plus tard. Quand il expliqua à Matt que le document n'avait pas été signé, Cunliffe posa son stylo et attendit ses explications.

Arrivant chez Higgs & Dunlop, Andrew s'était entendu répondre que M. Higgs, dont il voulait la signature, n'était pas encore revenu de déjeuner. Il en fut surpris : c'était précisément lui qui lui avait donné rendez-vous à 13 heures.

Tout en attendant, il lut le texte de l'accord. Suite à une prise de contrôle, les compensations accordées à l'un des associés avaient donné lieu à discussions, et il avait fallu beaucoup de temps avant qu'on ne s'accorde sur un chiffre.

À 13 h 30, Andrew avait relu le document une seconde fois, et bu trois cafés offerts par la réceptionniste. M. Higgs était soit franchement incompétent, soit délibérément grossier.

Se levant, il alla demander à la réceptionniste le chemin des toilettes. Elle hésita un instant, puis sortit une clé d'un tiroir :

— Elles sont à l'étage supérieur. En principe, elles sont réservées aux membres du cabinet. Si on vous pose des questions, dites que vous êtes un client.

La pièce était vide : Andrew s'enferma dans la dernière toilette de la rangée. Il remontait sa fermeture Éclair quand deux personnes entrèrent. L'une d'entre elles revenait manifestement d'un long déjeuner où l'on n'avait pas servi que de l'eau minérale.

Première voix :

— Je suis content que ça soit réglé. Rien ne me plaît davantage que d'arnaquer Alexander, Dupont & Bell.

Deuxième voix :

— Ils nous ont envoyé un grouillot avec le document. J'ai dit à Millie de le faire attendre un moment à la réception.

Sortant un stylo de sa poche, Andrew tira doucement sur le rouleau de papier-toilette.

Première voix :

— Sur quel somme vous êtes-vous entendus ?

— C'est ça le plus beau : un million trois cent vingt-cinq dollars ! Beaucoup plus que nous l'espérions.

— Le client doit être ravi !

— C'est avec lui que j'ai déjeuné. Il a commandé une bouteille de château-lafitte 1952 pour fêter ça. Il faut préciser que nous lui avions dit de s'attendre à 5 000 dollars, qu'il aurait été déjà très heureux d'empocher !

— Nous touchons notre part ?

— Bien sûr ! 50 % de la somme au-dessus d'un demi-million de dollars.

— Ce qui nous fait 417 500 dollars ! Mais pourquoi le client avait-il besoin de ces 500 000 dollars ?

— Un de nos plus gros problèmes, c'était sa banque. La compagnie en est à 720 000 dollars de découvert. S'il n'est pas comblé d'ici vendredi soir, à l'heure de fermeture des bureaux, elle menace de ne plus honorer les paiements, si bien que nous n'aurions même pas pu obtenir les 500 000 dollars prévus à l'origine, obtenus après des mois de marchandage. Mais, heureusement, ces snobs de chez Alexander, Dupont & Bell sont vraiment nuls au poker.

— C'est bien vrai ! Mais je vais quand même m'amuser un peu avec leur grouillot.

Il y eut un bruit de porte qui s'ouvre, puis se ferme.

Andrew récupéra le papier-toilette et le fourra dans sa poche. Puis il se lava les mains en hâte et sortit, empruntant l'escalier d'incendie pour revenir à l'étage inférieur, avant d'aller rendre la clé à la réceptionniste :

— Vous arrivez au bon moment ! dit-elle. M. Higgs vous attend au onzième étage.

Andrew la remercia, entra dans l'ascenseur, et pressa le bouton du rez-de-chaussée.

Matt Cunliffe examinait le rouleau de papier-toilette quand le téléphone sonna :

— M. Higgs est en ligne, lui dit sa secrétaire.

— Dites-lui que je ne suis pas disponible, répondit-il en clignant de l'œil à l'adresse d'Andrew.

— Il demande quand il pourra vous contacter.
— Pas avant vendredi soir, après la fermeture.

26

Andrew ne se souvenait pas avoir autant détesté quelqu'un dès la première rencontre.

Bill Alexander lui avait demandé, ainsi qu'à Logan, de venir prendre le café dans son bureau, ce qui était très inhabituel.

— Je tenais à vous présenter Ralph Elliot, leur annonça-t-il.

La première réaction d'Andrew fut de se demander pourquoi le nouveau venu avait droit à tant d'honneurs. Il comprit vite pourquoi.

— J'ai décidé cette année de m'occuper moi-même d'une de nos recrues. Je tiens à rester en contact avec la jeune génération, et comme le parcours de Ralph à Stanford est exceptionnel, il m'a semblé être un choix parfait.

Andrew se souvint que Logan jugeait invraisemblable que le neveu d'Alexander ait pu être retenu ; de toute évidence, Bill avait repoussé toutes les objections que ses associés avaient pu lui faire.

— J'espère que vous saurez tous les deux l'accueillir comme il convient.

— Bien sûr ! dit Logan. Pourquoi ne pas déjeuner ensemble ?

— Oui, j'en serais ravi, dit Elliot d'un ton condescendant.

Pendant le repas, il ne manqua pas une occasion de leur rappeler qu'il était le neveu de l'associé principal, en laissant clairement entendre que si Andrew ou Logan lui portaient tort, il saurait s'en souvenir. Une telle

202

menace ne fit que renforcer l'amitié qui unissait les deux hommes.

Quelques jours plus tard, autour d'un verre, Andrew dit à Logan :

— Il raconte à qui veut l'entendre qu'il sera le premier à devenir associé avant sept ans.

— C'est un tel petit salopard rusé que je ne serais pas surpris qu'il y arrive !

— Comment a-t-il pu devenir président des étudiants à l'université du Connecticut s'il traitait les gens de cette façon ?

— Peut-être que personne n'osait s'en prendre à lui.

— C'est ce que tu as fait ?

— Comment sais-tu ça ?

— J'ai lu ton CV en entrant au cabinet. Ne me dis pas que tu n'as pas fait pareil pour moi !

— Bien sûr que si ! Je sais même que tu étais le meilleur joueur d'échecs de Princeton. Bon, il faut que j'y aille ! Sinon je vais manquer mon train, et Annie se demandera s'il n'y a pas une autre femme dans ma vie !

— Je t'envie ! dit Logan.

— Pourquoi donc ?

— La force de votre union. Jamais Annie ne penserait une seconde que tu puisses en regarder une autre.

— J'ai de la chance, c'est vrai ! Et tu en auras peut-être un jour. Meg, à la réception, ne te quitte pas des yeux.

— Il y a une Meg à la réception ? demanda Logan.

Andrew n'avait fait que quelques pas sur la 5e Avenue quand il aperçut Ralph Elliot. Il se dissimula aussitôt dans un encadrement de porte, attendit qu'il soit passé, puis reprit son chemin. Il faisait si froid qu'il plongea la main dans sa poche pour prendre son écharpe. Mais elle n'y était pas. Sans doute l'avait-il oubliée au bar. Il se dit d'abord qu'il la récupérerait le lendemain, mais c'était un des cadeaux qu'Annie lui avait faits à Noël. Pas question de risquer de la perdre. Il fit donc demi-tour.

— Oui, dit la serveuse, la voilà : je l'ai trouvée par terre, elle a dû tomber quand vous avez mis votre pardessus.

— Merci !

Andrew s'apprêtait à repartir quand il aperçut Logan devant le bar. Il se figea en reconnaissant la personne à qui il parlait.

Nathan dormait à poings fermés lorsque le téléphone installé à côté du lit se mit à sonner. Il décrocha aussitôt, écouta quelques instants et répondit à Adrian :

— Il faut nous débarrasser de nos francs aussi vite que possible et acheter des dollars.

Il passa dans la salle de bains sans songer à se raser. Quand il en sortit, Su Ling était éveillée :

— Il y a un problème ? demanda-t-elle en se frottant les yeux.

— Les Français ont dévalué leur monnaie de 7 %.

— C'est bon ou mauvais ?

— Ça dépend de ce qu'on a comme francs. Je pourrai faire une estimation dès que j'aurai un écran sous les yeux.

— Tu en auras un à côté du lit dans quelques années ! Tu n'auras même plus besoin d'aller au bureau ! répondit-elle en reposant la tête sur l'oreiller, après avoir jeté un coup d'œil à la pendule : 5 heures !

Nathan reprit contact avec Adrian :

— C'est difficile de vendre nos francs, il y a peu d'acheteurs, sauf le gouvernement français, et il ne pourra pas soutenir sa monnaie très longtemps.

— Continue à vendre. Achète des yens, des marks ou des francs suisses, mais rien d'autre. Je serai au bureau dans un quart d'heure. Steven est là ?

— Non, mais il arrive. Il m'a fallu un peu de temps pour savoir dans quel lit il passait la nuit.

Nathan raccrocha, se pencha pour embrasser sa femme et partit en toute hâte.

— Tu n'as pas mis de cravate ! lança-t-elle.

— Ce soir, je n'aurai peut-être plus de chemise !

Nathan descendit l'escalier quatre à quatre, sans prendre la peine d'appeler l'ascenseur. En temps normal, il se serait levé à 6 heures et aurait immédiatement appelé le bureau pour être informé de l'évolution de la situation. Ensuite, il aurait pris une douche et se serait rasé. Su Ling aurait préparé le petit-déjeuner pendant qu'il lisait le *Wall Street Journal*. Il aurait quitté l'appartement à 7 heures, après avoir jeté un coup d'œil à Luke et, qu'il pleuve ou qu'il vente, se serait rendu à pied au bureau, achetant le *New York Times* à un marchand de journaux tout proche.

Ce jour-là, Nathan héla le premier taxi qu'il aperçut, agita un billet de dix dollars et lança :

— J'ai besoin d'être là-bas depuis hier soir !

Quatre minutes plus tard, ils étaient arrivés. Nathan entra en courant dans le bâtiment et fonça vers l'ascenseur. Il était plein de traders, tous apparemment très nerveux. Il n'apprit rien de bien nouveau, sinon que le ministère des Finances français avait annoncé la nouvelle de la dévaluation à 10 heures, heure de Paris.

Steven et Adrian étaient déjà devant leurs écrans.

— Où est-ce qu'on en est ? lança Nathan.

— Tout le monde boit le bouillon, répondit Steven. Les Français ont dévalué de 7 %, mais les marchés sont un peu en retard.

— Et les autres monnaies ?

— La livre, la peseta et la lire plongent aussi. Le dollar monte, le yen et le franc suisse sont solides, le mark monte et descend.

Nathan contempla son propre écran, où les chiffres changeaient toutes les dix secondes.

— Essaie d'acheter des yens !

Steven décrocha un téléphone directement relié à un bureau de change :

— Où en est le cours ?

— Dix millions à deux mille soixante-huit.

— Vends les livres et les lires que nous avons encore, dit Nathan, elles seront les prochaines à dévaluer.

— Mais... et le taux ?

— Au diable le taux ! Vendez et achetez des dollars ! C'est une vraie tempête, tout le monde va aller chercher refuge à New York.

Nathan fut surpris de se sentir si calme au milieu des jurons poussés par ses deux compagnons.

— On n'a plus de lires, dit Adrian. On nous offre des yens à deux mille vingt-sept.

— Prends-les !

— On n'a plus de livres, dit Steven. Elle est à deux trente sept.

— Bien ! Change la moitié de nos dollars pour des yens.

— Plus de florins ! hurla Adrian.

— Achète des francs suisses !

— On vend nos marks ? demanda Steven.

— Non. Ils n'ont pas l'air de bouger, pour l'instant.

Vingt minutes plus tard, il avait pris toutes les décisions nécessaires. Il se planta devant les écrans en attendant de voir quelle était l'ampleur des dégâts. Les monnaies plongeaient toujours.

— Fichus Français ! grommela Adrian.

— Ils sont malins ! répliqua Nathan. Ils ont dévalué pendant que nous dormions.

Pour Andrew, qui apprit la nouvelle en lisant le *New York Times* dans le train le menant au travail, la dévaluation française n'avait pas grande importance. Plusieurs banques en avaient souffert ; une ou deux devraient même signaler à la SEC leurs problèmes de solvabilité. Tournant la page, il lut un portrait de celui qui allait se présenter contre Gerald Ford aux présidentielles. Andrew savait peu de choses sur Jimmy Carter, sinon qu'il avait été négociant en cacahuètes avant de devenir gouverneur de Géorgie. S'interrompant, il songea à ses propres ambitions politiques, qu'il avait mises de côté depuis son entrée au cabinet. Il décida de prendre part à la campagne en faveur de Carter à New York, si jamais il avait un peu de temps libre.

Tous ces problèmes furent toutefois oubliés dès son arrivée au bureau.

— Il y a une réunion à 8 h 30, lui dit Meg, la réceptionniste.

Plusieurs associés étaient déjà là, chuchotant, quand Andrew entra dans la salle de conférences dix minutes avant l'heure prévue; il s'installa dans un fauteuil, juste derrière Matt. La dévaluation du franc avait peu de chances d'affecter un cabinet juridique new-yorkais. Alexander voulait-il parler du contrat avec Higgs & Dunlop? Ce n'était pas son genre. Andrew jeta un coup d'œil autour de lui : manifestement, personne ne savait de quoi il serait question. Mais ce serait forcément une mauvaise nouvelle : les bonnes étaient toujours annoncées lors de la réunion de 18 heures.

Alexander fit son apparition à 8 h 24.

— Je dois m'excuser de vous retenir alors que vous devriez être au travail, mais j'ai pensé que le problème dont je vais vous entretenir ne pouvait être exposé dans un mémo interne, ni évoqué dans mon rapport mensuel. Jamais notre cabinet, et c'est ce qui fait sa force, n'a été impliqué dans des scandales d'ordre personnel ou financier. J'ai donc considéré que tout risque en ce domaine devait être abordé franchement et sans perdre de temps.

Il fit une pause et reprit :

— Il a été porté à ma connaissance qu'un membre de notre cabinet a été vu dans un bar fréquenté par des avocats de firmes concurrentes.

Et alors? songea Andrew. *C'est ce que je fais chaque jour!*

— En soi, poursuivit Alexander, cela n'a rien de répréhensible. Mais cela pourrait avoir des conséquences inacceptables pour Alexander, Dupont & Bell. Fort heureusement, un membre de notre cabinet, ne songeant qu'à nos intérêts, a pensé qu'il était de son devoir de m'informer de ce qui aurait pu devenir une situation gênante. Un membre de notre cabinet a donc été vu dans un bar discutant avec un de nos concurrents. Tous deux sont partis vers 22 heures, ont pris un taxi qui les a menés dans le West Side, et notre employé n'a refait son apparition qu'à 6 h 30, quand il est rentré chez lui. Apprenant la chose, je l'ai immédiatement convoqué : il n'a aucunement tenté de nier, et je suis heureux d'ajouter qu'il a convenu que le plus sage était de démissionner sur-le-champ. Je remercie celui qui, à contrecœur, a jugé qu'il devait m'informer de tout cela.

Andrew jeta un coup d'œil à Ralph Elliot, qui feignait la surprise. Mais il en faisait beaucoup trop. Il se souvint l'avoir vu sur la 5e Avenue, et fut révulsé de comprendre que Bill Alexander parlait de Logan.

— Puis-je rappeler à tout le monde, dit l'associé principal, que cette question ne doit être discutée ni en public, ni en privé?

Puis il se leva et sortit sans dire mot.

Andrew jugea que mieux vaudrait quitter la pièce dans les derniers, et se dirigeait vers son bureau quand il entendit derrière lui des bruits de pas. C'était Elliot:

— Tu étais dans le même bar que Logan, ce soir-là, non? Je ne l'ai pas dit à mon oncle.

Puis il s'éloigna. Andrew ne répondit rien mais, arrivé dans son bureau, nota soigneusement ce que l'autre venait de lui dire.

Sa seule erreur fut de ne pas prévenir aussitôt Bill Alexander.

Une des choses que Nathan admirait chez Su Ling, c'est qu'elle ne s'exclamait jamais : « Je te l'avais bien dit! » Et pourtant, elle aurait été en droit de le faire!

— Alors, que va-t-il se passer? demanda-t-elle.

— J'ai le choix entre démissionner ou attendre qu'on me jette dehors.

— Mais Steven est ton supérieur! Même Adrian a plus de pouvoir que toi!

— Je sais, mais ce sont mes décisions. C'est moi qui ai signé les ordres d'achat et de vente.

— Combien la banque a-t-elle perdu?

— Un peu moins de 500 000 dollars.

— Mais tu leur as rapporté beaucoup plus que ça depuis deux ans!

— Oui, mais désormais on va me considérer comme quelqu'un de peu fiable, et les autres responsables vont redouter que ça se reproduise. Steven et Adrian ont déjà pris leurs distances, ils ne veulent pas perdre leur boulot.

— Tout de même, tu peux encore assurer de très gros profits à la banque ! Pourquoi se sépareraient-ils de toi ?

— Parce qu'ils pourront me remplacer sans peine ! Tous les ans, les écoles de gestion lâchent leurs petits nouveaux sur le marché.

— Pas de ton calibre !

— Je croyais que tu désapprouvais mes activités !

— Je ne les approuve pas, mais ça ne veut pas dire que je n'admire pas tes capacités. Qui va t'offrir du boulot ?

— Je crains que les coups de fil ne se fassent rares, il va falloir que j'appelle moi-même.

Elle le prit dans ses bras :

— Tu as vu pire au Viêt-nam, comme moi en Corée, et nous n'avons pas flanché. Et ton fonds ?

— J'ai perdu cinquante mille dollars, mais sur l'année ça laisse un petit bénéfice. Ce qui me fait penser que je dois appeler M. Russell pour m'excuser.

— De quoi ? Tu lui as fait faire d'assez gros profits, à lui aussi.

— Oui, et c'est bien pour ça qu'il me faisait confiance. Bon sang, j'aurais dû voir ça arriver ! Que dois-je faire, d'après toi ?

Elle réfléchit :

— Démissionne et trouve-toi un vrai boulot.

Andrew composa un numéro sans passer par sa secrétaire :

— Tu es libre pour déjeuner ? Non, il faut nous retrouver dans un endroit où personne ne nous connaît. Ah, oui, celui sur la 57e Rue ! Bon, disons 12 h 30.

Il arriva chez Zemarki quelques minutes avant l'heure prévue. Son compagnon l'attendait déjà. Ils commandèrent des salades, puis Andrew expliqua ce qui venait de se passer.

— On se croirait au Moyen Âge ! s'exclama Jimmy. Il a vraiment l'air sympa, ton M. Elliot. Tu ferais mieux de rester sur tes gardes, tu seras sans doute le prochain à qui il s'en prendra.

— Je sais me défendre. C'est la situation de Logan qui m'inquiète.

— S'il est aussi bon que tu le dis, il ne restera pas longtemps sans boulot.

— Pas si le futur employeur téléphone à Bill Alexander pour savoir pourquoi il a quitté le cabinet si brusquement.

— Aucun avocat n'oserait affirmer qu'être gay est une raison suffisante pour se faire jeter.

— Alexander ne fera rien de tel. Il répondra simplement : « Oh, je préférerais ne pas parler de cette question, c'est un peu délicat. » Et c'est beaucoup plus redoutable. Jimmy, crois-moi, si ton cabinet acceptait de recourir aux services de Logan, il ne le regretterait pas !

— J'en parlerai cet après-midi à l'associé principal. Comment va ma petite sœur ?

— Elle prend peu à peu le contrôle de Ridgewood : club du livre, équipe de natation, donneurs de sang... Notre problème, en ce moment, est de savoir dans quelle école nous devons inscrire Lucy.

— Hotchkiss accueille les filles, désormais ! Nous nous demandions...

— Et que va en penser ton père ? Au fait, comment va-t-il ?

— Épuisé. Il se prépare à la nouvelle élection, comme toujours.

— Personne ne pourra jamais le battre ! Je n'ai jamais vu d'homme politique aussi populaire.

— C'est possible. Mais, la dernière fois que je l'ai rencontré, il avait pris plusieurs kilos et paraissait mal en point.

Andrew consulta sa montre :

— Transmets-lui mes amitiés, et dis-lui qu'Annie et moi tenterons de passer un week-end à Hartford dès que possible.

Puis il se leva :

— Souviens-toi bien que notre conversation n'a jamais eu lieu.

— Tu deviens parano ! Et c'est exactement ce qu'espère Elliot !

Nathan démissionna le lendemain matin, soulagé de voir que Su Ling prenait la chose avec calme. Quand il se rendit au bureau pour reprendre ses affaires personnelles, il eut l'impression d'être en quarantaine : ses anciens collègues passaient à sa hauteur en toute hâte ou contemplaient fixement leurs écrans. Il lui fallut trois voyages en taxi pour que tout soit ramené dans l'appartement.

Le téléphone n'avait pas sonné une seule fois de toute la matinée. L'appartement paraissait bizarrement vide, sans Su Ling et Luke. À midi, il entra dans la cuisine pour ouvrir une boîte de corned-beef qu'il jeta dans une poêle, avant d'y ajouter du beurre et de casser deux œufs.

Après ce déjeuner sommaire, il dressa la liste des institutions financières avec lesquelles il avait été en contact, puis les appela une par une. Partout, il eut droit aux mêmes réponses : trop tard… un de ces jours, peut-être…

Lui aussi avait été dévalué ; de toute évidence, personne ne voulait plus acheter. Son compte en banque était encore bien garni, mais pour combien de temps ? Il contempla le tableau de Camoin au-dessus de son bureau et se demanda quand il devrait revendre une de ses maîtresses au galeriste.

Le téléphone sonna ; il décrocha aussitôt. La voix était familière :

— M. Cartwright ! Veuillez me pardonner : j'aurais dû vous appeler beaucoup plus tôt.

Une fois Logan parti, Andrew se sentit très isolé ; il ne se passait guère de jour sans qu'Elliot ne cherche à saper sa position. Quand, un lundi matin, Bill Alexander demanda à le voir, il sentit que la discussion n'aurait rien d'amical.

La veille au soir, il avait tout raconté à son épouse de ce qui s'était passé les jours précédents.

— Si tu ne dis pas à M. Alexander la vérité sur son neveu, vous le regretterez tous les deux.

211

— Ce ne sera pas facile !

— Logan a été traité de manière scandaleuse ; sans toi, il n'aurait peut-être jamais retrouvé de travail.

— Et si je me fais virer, à mon tour ?

— Alors, ce sera la preuve que jamais tu n'aurais dû entrer chez Alexander, Dupont & Bell.

Quand Andrew arriva chez Bill Alexander, Mme Townsend le fit entrer aussitôt.

— Asseyez-vous, dit Alexander en désignant un fauteuil en face de son bureau.

Rien de plus, pas de « comment allez-vous », de « comment vont Annie et la petite ».

— Andrew, quand vous êtes arrivé chez nous, voilà deux ans, reprit Alexander, j'avais de grands espoirs en vous, et je dois reconnaître qu'au début vous avez plus que satisfait mes attentes. Nous nous souvenons tous de l'incident Higgs & Dunlop. Mais, récemment, vous semblez avoir changé. Je pense que nous sommes en droit, ici, d'exiger un sens du devoir supérieur à ce qu'exige la profession. On m'a signalé que vous étiez avec Logan Fitzgerald le soir où il a retrouvé son... ami.

— Information sans doute fournie par votre neveu, qui a joué dans toute cette affaire un rôle peu impartial.

— Que voulez-vous dire ?

— Simplement que M. Elliot donne des événements une version qui sert ses propres intérêts. Mais votre sagacité vous a sans doute déjà permis de vous en rendre compte. Je n'ai pas rencontré l'ami de Logan, car j'étais déjà parti pour Ridgewood, comme M. Elliot a dû vous le dire.

— Ralph m'a dit que vous étiez revenu.

— En effet. En bon observateur objectif, votre neveu a dû vous signaler que c'était simplement pour récupérer mon écharpe.

— Non, il ne me l'a pas dit. Vous n'avez donc pas parlé à Fitzgerald, ni à son ami ?

— Non, mais uniquement parce que je n'avais pas le temps.

— Vous lui auriez parlé, sinon ?

— Oui.

— Même en sachant que Fitzgerald était homosexuel?

— Je l'ignorais et je m'en moque. Sa vie privée ne me concerne pas.

— Elle pourrait concerner le cabinet, ce qui m'amène à des questions plus importantes. Vous savez que Logan Fizgerald fait désormais partie du cabinet dans lequel travaille votre beau-frère?

— Je le sais d'autant mieux que j'ai dit à Jimmy Gates que Logan cherchait du travail et que c'était une chance que d'embaucher un homme de son calibre.

— Je ne sais pas si c'était très judicieux.

— Quand il s'agit d'un ami, j'ai tendance à faire passer l'honnêteté et la décence avant mes propres intérêts.

— Et ceux de notre cabinet?

— Oui, si c'est moralement correct. C'est ce que le professeur Abrahams m'a appris.

— Ne jouez pas au plus fin avec moi, monsieur Davenport.

— Et pourquoi pas? C'est très exactement ce que vous êtes en train de faire.

Bill Alexander vira à l'écarlate:

— Vous vous rendez compte que je peux vous renvoyer d'ici?

— Deux départs en une semaine, cela ferait jaser.

— C'est une menace?

— Pas du tout! Je vous ferai remarquer que c'est vous qui me menacez.

— Monsieur Davenport, il se peut en effet que nous débarrasser de vous soit difficile. En tout cas, soyez certain que jamais vous ne deviendrez un associé du cabinet tant que je serai là. Ce sera tout.

Comme Andrew revenait dans son bureau, le téléphone sonna. Est-ce que par hasard Alexander voulait reprendre la conversation? Il décrocha, prêt à proposer sa démission. C'était Jimmy.

— Désolé de venir t'importuner au bureau! Papa vient d'avoir une crise cardiaque, on l'a emmené à Saint-Patrick. Est-ce qu'Annie et toi pouvez venir à Hartford le plus tôt possible?

27

— Je me suis trouvé un vrai boulot, dit Nathan à Su Ling comme elle rentrait.

— Chauffeur de taxi ?

— Non. Je n'ai pas les qualifications nécessaires.

— Ça n'a pas jamais eu l'air d'empêcher qui que ce soit de s'y mettre.

— Mais ça pourrait, si on quittait New York.

— Répète-moi ça ?

— Nous rentrons chez nous.

— À Hartford ? Alors, tu vas travailler à la banque Russell.

— Gagné. Il m'a proposé d'en devenir vice-président, au côté de Tom.

— Et c'est du vrai travail de banquier ? Pas de la simple spéculation sur les monnaies ?

— Je superviserai ce secteur, mais ce dont M. Russell a vraiment besoin, c'est que Tom et moi entreprenions de réorganiser complètement sa banque. Ces dernières années, elle a pris du retard sur ses concurrents et... Où vas-tu ? demanda Nathan en voyant Su Ling se diriger vers le téléphone.

— Je préviens ma mère, évidemment. Il va nous falloir chercher une maison, puis une école pour Luke, et une fois qu'elle se sera mise en quête, je devrai...

— Doucement, petite fleur, dit-il en la prenant dans ses bras. Dois-je en conclure que tu approuves mon idée ?

— Si je l'approuve ? Je meurs d'envie de quitter New York !

Le téléphone se mit à sonner. Elle décrocha, écouta et dit, en posant la main sur le combiné :

— C'est un nommé Jason, de Chase Manhattan. Qu'est-ce que je lui dis ?

Nathan sourit et prit le téléphone :

— Jason ! Qu'est-ce que je peux pour vous ?

— Nathan, j'ai réfléchi à votre appel, et il se pourrait que nous ayons quelque chose pour vous...

— Je vous en remercie, Jason, mais j'ai déjà accepté une offre.

— Pas d'un de nos rivaux, j'espère ?

— Pas encore. Donnez-moi un peu de temps !

Quand Andrew apprit à Matt Cunliffe que son beau-père était à l'hôpital, il fut surpris de sa froideur.

— Il y a toujours des crises domestiques. Nous avons tous des familles ! Vous êtes sûr que ça ne peut pas attendre le week-end ?

— Non. Et je dois plus à mon beau-père qu'à qui que ce soit, mes parents exceptés.

Andrew venait à peine de quitter le bureau de Bill Alexander, et déjà l'ambiance semblait avoir changé. Quand il reviendrait, cela aurait sans doute pris les proportions d'une maladie contagieuse...

Il téléphona à Annie depuis la gare. Elle paraissait très calme, soulagée de savoir qu'il revenait. Montant dans le train, il se souvint brusquement qu'il n'avait pas emporté de travail, pour la première fois depuis son entrée au cabinet. Il consacra le voyage à réfléchir à ce qu'il devrait faire après son entrevue avec Bill Alexander, mais n'était parvenu à aucune conclusion quand il parvint à Ridgewood.

Il prit un taxi pour rentrer chez lui, et ne fut pas surpris de voir la voiture devant la maison, tandis qu'Annie arrivait, Lucy dans les bras.

Comme elle est différente de sa mère, songea-t-il, *et pourtant comme elle lui ressemble !*

Il rit, pour la première fois de la journée.

En route, elle lui répéta tout ce que Martha lui avait appris au téléphone. Harry Gates avait eu une crise cardiaque peu après son arrivée au Sénat, et on l'avait transporté à l'hôpital. Martha était à son chevet ; Jimmy, Joanna et les enfants avaient quitté Vassar pour Hartford.

— Qu'en pensent les médecins ?

— Qu'il est trop tôt pour se prononcer, mais ils ont prévenu papa que, s'il ne ralentissait pas l'allure, il pourrait avoir une nouvelle attaque.

— Ralentir l'allure ? C'est une expression qu'il ignore.

— Oui, mais maman et moi allons lui dire cet après-midi qu'il doit renoncer à se présenter aux prochaines élections.

Bill Russell regarda Nathan et Tom par-dessus son bureau :

— C'est ce que j'ai toujours voulu. J'aurai la soixantaine dans deux ans, et je sens que j'ai gagné le droit de ne plus venir ouvrir la banque chaque matin et d'en refermer les portes chaque soir. Je serais ravi de vous voir travailler ensemble.

— Par où veux-tu que nous commencions ? dit Tom.

— Je suis bien conscient que ces dernières années nous avons pris du retard sur nos concurrents. Peut-être parce que, étant une banque familiale, nous accordions plus d'importance aux clients qu'au chiffre d'affaires. Votre père devait sans doute en être satisfait, Nathan : cela fait trente ans qu'il a un compte chez nous. Vous devez aussi savoir que plusieurs autres banques nous ont proposé un rachat. Mais ce n'est pas ainsi que je voudrais mettre un terme à ma carrière. Ce que je veux, c'est que vous passiez les six mois qui viennent à démonter l'établissement du sol au plafond. Je vous donne carte blanche, je vous laisserai fouiner partout. Il va falloir tout rebâtir de fond en comble. Quelle est votre première question ?

— Je peux avoir les clés ? demanda Nathan.

— Oui, mais pourquoi ?

— 10 heures, c'est un peu tardif comme heure d'ouverture.

Sur le chemin du retour à New York, Tom et Nathan entreprirent de se partager les responsabilités.

— Papa a été touché que tu déclines l'offre de la Chase pour venir chez nous, dit Tom.

— Tu as fait le même sacrifice en quittant la Bank of America.

— Oui, mais il a toujours pensé que je prendrais sa succession quand il aurait soixante-cinq ans. J'allais justement le prévenir que ça ne m'enchantait pas.

— Pourquoi donc ?

— Je n'ai pas les idées qu'il faut pour sauver la banque. Toi, tu les as.

— Sauver la banque ?

— Oui. Ne nous leurrons pas. Tu as étudié les chiffres, tu sais parfaitement que la banque permet tout juste à mes parents de sauvegarder leur niveau de vie. Cela fait plusieurs années que les bénéfices ne progressent pas, et nous avons besoin de tes compétences plus que des miennes. Il est donc important de régler une chose dès le départ : j'entends être directeur général, mais c'est toi qui seras le patron.

— Il faudra pourtant que tu deviennes président de la banque, une fois que ton père sera à la retraite.

— Et pourquoi, alors que c'est toi qui prendras les décisions stratégiques ?

— Parce que la banque porte ton nom, et que ça compte encore dans une ville comme Hartford. Et il est tout aussi important que les clients ne sachent pas ce que fabrique le directeur général.

— D'accord, dit Tom, mais à une condition : salaires, bonus et autres considérations financières seront rigoureusement égaux.

— C'est très généreux de ta part.

— Non. Avisé, peut-être, mais pas généreux. T'accorder 50 % donnera des résultats bien meilleurs que si je m'attribuais 100 %.

— N'oublie pas que je viens de faire perdre une fortune à Morgan.

— Et que tu as beaucoup appris, ce faisant.

— Comme quand nous avons perdu face à Elliot.

— Qu'est-ce qu'il devient, celui-là ? demanda Tom en prenant la Route 85.

— Pour autant que je sache, après Stanford, il est devenu avocat dans un cabinet new-yorkais.

217

— Je ne voudrais pas être un de ses clients.

— Ni avoir à l'affronter.

— Enfin, nous n'avons plus à nous soucier de lui.

— On ne sait jamais.

Ils étaient assis autour du lit, bavardant de tout et de rien, sauf de ce qui les préoccupait vraiment. Seule Lucy faisait exception : elle avait escaladé son grand-père et semblait le prendre pour un cheval de bois.

— Avant d'être trop fatigué, dit le sénateur, je voudrais discuter en privé avec Andrew.

Martha fit sortir toute la famille, sachant de quoi son mari voulait parler avec son gendre. Prenant une chaise, Andrew s'assit à côté du lit.

— J'ai beaucoup réfléchi à ce que j'allais te dire, souffla Harry Gates. Je n'en ai discuté qu'avec Martha, et elle est d'accord avec moi. Peut-être était-ce son idée, d'ailleurs, comme tant de choses depuis trente ans. Je lui ai promis que je ne me représenterai pas.

Il fit une pause :

— Je vois que tu ne protestes pas ! J'en conclus que tu es d'accord avec ma femme et ma fille.

— Annie aimerait vous voir vivre le plus longtemps possible, comme moi !

— Je sais bien que vous avez tous raison, Andrew. Mais ça me manquera !

— Et vous manquerez aux électeurs, comme le montrent les fleurs et les cartes entassées dans cette chambre ! Demain, tout l'étage en débordera !

— Quand Jimmy est né, j'ai eu l'idée folle qu'il me succéderait, et que, peut-être, il pourrait aller à Washington représenter l'État. Mais j'ai vite compris que ça n'arriverait jamais. Je ne pourrais pas être plus fier de lui, mais il n'est pas fait pour la vie publique.

— En tout cas, il a fait du sacré bon boulot pour me faire élire président.

— Oui, mais il sera toujours dans la salle des machines, parce qu'il n'est pas destiné à être le conducteur. Toutefois, il y a douze ans, lors d'une partie de football américain entre Taft et Hotchkiss, j'ai rencontré un jeune homme qui, lui, pourrait s'en charger. Une rencontre que je n'oublierai jamais !

— Moi non plus, monsieur !

— À mesure que les années passaient, je l'ai vu devenir quelqu'un de remarquable, et je suis fier qu'il soit mon gendre et le père de ma petite-fille. Mais j'ai peur de me montrer trop larmoyant ! Je vais en venir à l'essentiel avant que l'un de nous deux ne s'endorme.

Le sénateur redressa la tête et regarda Andrew bien en face :

— Je devrai bientôt faire savoir que je ne me représente pas au Sénat. Dans le même temps, j'aimerais annoncer que je suis heureux que mon gendre, Andrew Davenport, ait accepté de faire campagne à ma place.

28

Il ne fallut pas longtemps à Nathan pour comprendre pourquoi la banque Russell n'avait pas su accroître ses bénéfices depuis plus d'une dizaine d'années : elle ignorait pratiquement toutes les règles d'une gestion moderne. Elle vivait encore à l'époque des registres bien tenus, des comptes personnalisés ; l'ordinateur paraissait peu fiable, voué à commettre plus d'erreurs que les êtres humains. Il se rendait trois ou quatre fois par jour dans le bureau de M. Russell, pour découvrir que ce sur quoi ils s'étaient entendus le matin avait été oublié l'après-midi – généralement après qu'un membre du personnel fut passé voir le patron.

Nathan rentrait donc le soir à la maison épuisé, parfois furieux. Il prévint Su Ling que le rapport qu'il présenterait avait toutes les chances de finir aux oubliettes. Et il n'était plus tout à fait sûr de rester vice-président de la banque si celui qui la dirigeait n'avait pas le courage d'appliquer les changements qu'il recommandait. Su Ling l'écouta sans se plaindre ; elle venait pourtant à peine de réussir à les installer tous les trois dans leur nouvelle maison, après avoir vendu l'appartement new-yorkais, et à trouver une maternelle pour Luke, tout en se préparant à son nouveau poste de professeur de statistiques à l'université du Connecticut. La perspective de devoir revenir à New York ne lui plaisait guère.

Elle avait conseillé son mari sur le choix des ordinateurs qui conviendraient le mieux à la banque, supervisé leur installation, et proposé de donner des cours de formation. Toutefois, le personnel superflu restait le plus gros problème de Nathan : l'établissement comptait soixante et onze employés, et la banque Bennett, seul établissement comparable à Hartford, trente-neuf seulement. Nathan avait suggéré un programme de départs en préretraite, coûteux sur les trois années à venir, mais qui se révélerait bénéfique à long terme. C'était là un point sur lequel il ne voulait pas céder : comme il l'expliqua à Tom, s'ils attendaient pour cela le départ à la retraite de M. Russell, ils se retrouveraient tous au chômage.

Le père de Tom prit connaissance du rapport de Nathan et le convoqua, ainsi que son fils, un vendredi soir à 18 heures. Ils le trouvèrent dans son bureau, occupé à écrire une lettre :

— Je suis navré de dire que je ne peux accepter vos recommandations. Je ne veux pas renvoyer mes employés, que je connais parfois depuis plus de trente ans. J'en suis donc venu à la conclusion que, pour qu'elles soient mises en œuvre, une seule personne doit s'en aller : moi.

Il griffonna sa signature en bas de sa lettre de démission et la tendit à son fils.

Bill Russell quitta le bâtiment à 18 h 12, et n'y remit plus jamais les pieds.

— Vous vous présentez aux élections sénatoriales. Quelles sont vos qualifications ?

Sur l'estrade, Andrew se pencha vers le petit groupe de journalistes assis devant lui. Harry sourit : c'était l'une des questions qu'ils avaient travaillées la veille.

— Je suis né dans le Connecticut et j'y ai grandi avant de partir à New York pour m'intégrer à l'un des cabinets juridiques les plus prestigieux du pays. Je suis revenu mettre mes compétences au service de mes concitoyens.

— Vous avez vingt-six ans, est-ce que ce n'est pas un peu jeune ? demanda une jeune femme assise au deuxième rang.

— J'avais le même âge que lui, la première fois, et votre père ne s'est jamais plaint ! lança Harry Gates.

— Oui, sénateur, mais vous reveniez de la guerre, où vous aviez été officier pendant trois ans. À ce sujet, monsieur Davenport, j'aimerais savoir si, pendant la guerre du Viêt-nam, vous avez brûlé votre livret militaire?

— Non. Si j'avais été appelé, ce qui ne s'est pas produit, j'aurais servi sans me plaindre.

— Vous pouvez le prouver?

— Non, mais si vous lisez le discours que j'ai prononcé à Yale devant les premières années, vous n'auriez plus aucun doute sur ce que je pensais à l'époque.

— Si vous êtes élu, demanda quelqu'un d'autre, ne peut-on pas craindre que votre beau-père ne tire les ficelles?

— Si j'ai la chance d'être élu, il serait absurde de ma part de ne pas tirer parti de l'énorme expérience du sénateur Gates! Je ne cesserai de l'écouter que lorsque je penserai qu'il n'a plus rien à m'apprendre.

— Que pensez-vous de l'amendement Kendrick à la loi de finances, dont l'Assemblée discute actuellement?

— Dans la mesure où elle affecte les citoyens d'âge mûr, je crois qu'elle porte tort à ceux qui sont déjà à la retraite et ne disposent que de revenus fixes. Confucius disait qu'une société civilisée se reconnaît à ce qu'elle éduque les jeunes et prend soin des vieux. Si je suis élu, je voterai contre l'amendement du sénateur Kendrick quand le projet de loi sera soumis au Sénat. Au cours d'une législature, il arrive à tout le monde de rédiger de mauvaises lois, mais il faut ensuite des années pour en venir à bout. Je ne voterai que pour celles qui me paraîtront réalistes.

— Monsieur Davenport, dans votre CV – qui, je dois le dire, est très impressionnant –, vous affirmez avoir démissionné de chez Alexander, Dupont & Bell afin de vous présenter aux élections.

— C'est exact.

— Un de vos collègues, M. Logan Fitzgerald, n'a-t-il pas démissionné à la même époque?

— Oui, en effet.

— Y avait-il un rapport entre ces deux démissions?

222

— Aucune !

— Où voulez-vous en venir ? demanda le sénateur Gates au journaliste.

— Notre bureau de New York m'a demandé d'enquêter là-dessus.

— Sur la foi de renseignements anonymes, bien entendu ? lança Harry.

— Je ne suis pas autorisé à révéler mes sources.

— Alors, au cas où votre bureau ne vous aurait pas dit qui était leur informateur, je serai ravi de vous donner son nom dès que la présente conférence de presse sera terminée, lança Andrew.

— Je crois que c'est à peu près tout, intervint Harry avant que quiconque ait pu poser une nouvelle question. Je vous remercie de vous être joints à nous. Vous pourrez interroger le candidat lors de chacune de ses conférences de presse hebdomadaires !

— C'était vraiment répugnant ! dit Andrew comme son beau-père et lui quittaient l'estrade. Il faudra que j'apprenne à me contrôler !

— Tu t'en es très bien sorti ! Ne t'en fais pas, ces enfoirés ne se souviendront que de ta réponse sur l'amendement Kendrick. À parler franc, la presse doit être le cadet de tes soucis. La vraie bataille commencera quand nous saurons qui est le candidat républicain.

29

— Que savez-vous d'elle ? demanda Andrew.

Harry Gates n'ignorait rien de Barbara Hunter, qu'il avait affrontée lors des deux précédents scrutins.

— Quarante-huit ans, née à Hartford, fille de fermier, diplômée de l'université du Connecticut, mariée à un publicitaire, mère de trois enfants ; actuellement membre du congrès de l'État du Connecticut.

— Des défauts ?

— Elle ne boit pas, elle est végétarienne, si bien que tu vas devoir rendre visite à tous les bars et tous les bouchers de la circonscription. Comme quiconque a passé une vie entière dans la politique, elle a beaucoup d'ennemis, et n'a obtenu la nomination républicaine que de justesse ; ce qui veut dire que beaucoup de militants du parti ne voulaient pas d'elle.

Harry et Andrew entrèrent dans le local du parti démocrate sur Park Street, dont la vitrine était remplie d'affiches et de photos – chose à laquelle Andrew n'était pas encore habitué.

« L'homme qu'il vous faut. »

Il n'avait pas fait très attention au slogan – du moins jusqu'à ce que les experts des médias lui expliquent qu'il était bon de dire « l'homme » quand l'adversaire était une femme : c'était une sorte de message subliminal.

Ils montèrent au premier étage et entrèrent dans la salle de conférences, où Harry s'assit en bout de table. Andrew prit place à côté de lui et ne put réprimer un bâillement. Ils n'étaient en campagne que depuis sept jours, et il en restait vingt-six !

Les responsables du parti avaient demandé à Harry de présider la campagne. Martha y avait consenti, tout en prévenant Andrew qu'il faudrait renvoyer son mari à la maison dès qu'il montrerait le moindre signe de fatigue. Mais il était de plus en plus difficile de respecter ses instructions, car c'était toujours Harry qui donnait le rythme.

Lors du dernier scrutin, il avait battu Barbara Hunter de plus de cinq mille voix, mais les sondages montraient que, cette fois-ci, les deux candidats étaient au coude à coude.

— Du nouveau ? demanda le sénateur à son équipe, dont plusieurs membres avaient joué un rôle dans ses sept victoires précédentes.

— Oui, dit une voix à l'autre bout de la table.

Harry eut un sourire : Dan Mason, chargé des relations publiques et des rapports avec la presse, était l'un de ses plus fidèles lieutenants.

— Barbara Hunter vient de publier un communiqué mettant Andrew au défi de l'affronter lors d'un débat. En ce qui me concerne, je serais partisan de lui dire d'aller se faire voir, et j'ajouterais que cette requête montre qu'elle sait déjà qu'elle va perdre. C'est ce que vous avez toujours fait, en tout cas.

— En effet, Dan, répondit Harry Gates après un instant de réflexion. Mais j'étais le sortant, et je n'avais rien à gagner à un affrontement de ce genre. Cette fois-ci, la situation est différente, et je crois que nous devrions en discuter avant de décider. Quels sont les avantages et les inconvénients ? Opinions ?

Tout le monde se mit à parler en même temps :

— Notre candidat se fera connaître !

— Elle va accaparer l'attention générale !

— Andrew n'en fera qu'une bouchée !

— Elle connaît bien les problèmes locaux, on risque d'avoir l'air hors du coup !

— Si elle remporte le débat, on perd l'élection !

— Bien ! s'exclama Harry. Nous venons d'entendre ce qu'en pensent les membres du comité, si nous demandions au candidat quelle est son opinion ?

— Je serais ravi de débattre avec Barbara Hunter. Elle donne l'impression d'avoir plus d'expérience que moi, je pense qu'il faut tourner cela à notre avantage.

— Oui, intervint Dan, mais si elle vous enfonce sur les problèmes locaux, vous aurez l'air de ne pas être au niveau. Et la campagne prendra fin d'un coup. Il n'y aura pas seulement un millier de personnes dans la salle, mais aussi la radio et la télévision, et on peut être sûr que le *Hartford Courant* en fera sa première page dès le lendemain. C'est quand même un sacré risque.

— Combien de temps ai-je pour y réfléchir? demanda Andrew.

— Cinq minutes! s'exclama Harry. Elle a sorti un communiqué de presse, il faut répondre sur-le-champ. Ou nous refusons fermement, ou nous acceptons avec enthousiasme. Qui est pour?

Onze mains se levèrent.

— Qui est contre?

Quatorze mains se levèrent.

— Je crois que ça règle la question.

— Non, dit Andrew. Je vous suis reconnaissant de donner votre avis, mais l'élection est trop serrée. Dan, je vous prierai de préparer un communiqué disant que je serai ravi de relever le défi de Mme Hunter, et que cela permettra d'aborder les vraies questions, loin des petites manœuvres auxquelles les Républicains se livrent depuis le début de la campagne.

Il y eut un instant de silence, puis tout le monde applaudit.

— Qui est pour le débat, à présent? demanda Harry.

Toutes les mains se levèrent.

— Qui est contre? Personne? Je déclare donc la motion votée à l'unanimité.

— Pourquoi procéder à un second vote? demanda Andrew à son beau-père quand ils eurent quitté le bâtiment.

— Pour pouvoir dire à la presse que la décision a été adoptée à l'unanimité.

Andrew sourit. Il venait d'apprendre une leçon de plus.

Chaque matin, douze personnes occupaient la gare, distribuant des brochures, tandis que le candidat serrait la main de ceux qui partaient travailler. Harry avait bien recommandé de se concentrer sur ceux qui entraient dans le bâtiment : on pouvait être à peu près sûr qu'ils vivaient à Hartford.

— Bonjour, je suis Andrew Davenport...

À 8 h 30, ils passèrent chez « Ma » pour avaler un sandwich, puis partirent vers le quartier des bureaux pour accueillir les cadres. Dans la voiture, Andrew mit sa cravate de Yale, sachant qu'ils en seraient impressionnés.

— Bonjour, je suis Andrew Davenport...

À 9 heures, ils retournèrent au quartier général démocrate pour une conférence de presse. Barbara Hunter en avait donné une peu auparavant ; Andrew savait donc que, ce matin-là, il n'y aurait qu'une question au programme. Il mit une cravate plus neutre et suivit les nouvelles à la télévision.

Harry déclara aux journalistes présents que le comité démocrate avait unanimement décidé de relever le défi de Mme Hunter – qu'il prenait soin de ne jamais appeler Barbara –, mais que le lieu et la date restaient à discuter.

Andrew fut en revanche surpris de sa réponse lorsqu'on l'interrogea sur les chances de son candidat :

— Bien entendu, Mme Hunter a un avantage certain : elle connaît bien les questions locales, c'est une oratrice remarquable. Mais je pense qu'en acceptant de débattre, Andrew fait la preuve de sa franchise et de son honnêteté.

— Est-ce que ce n'est pas courir un gros risque, sénateur ? demanda un journaliste.

— Certes ; mais, comme notre candidat l'a fait remarquer, s'il refusait, comment pourrait-il demander aux électeurs de le choisir pour les représenter, ce qui est un défi autrement important ?

Andrew ne se souvenait pas d'avoir jamais rien déclaré de tel...

Une fois la conférence de presse terminée, il demanda à son beau-père :

— Vous m'aviez bien dit que Barbara Hunter était une médiocre oratrice, qui n'en finissait jamais de répondre aux questions...

— En effet, en effet.

— Mais alors, pourquoi avoir déclaré aux journalistes que...

— Tout est dans l'attente, mon garçon. Désormais, ils pensent tous que tu ne feras pas le poids, et qu'elle triomphera sans peine. Ce qui fait que même si c'est un match nul, tu seras déclaré vainqueur.

30

Tom passa la tête à l'entrée du bureau :

— Je peux amener quelqu'un à dîner, ce soir ?

— Bien sûr, répondit Nathan en levant la tête. Affaires ou plaisir ?

— Si tout se passe bien, les deux.

— Une femme ?

— Aucun doute là-dessus.

— Quel est son nom ?

— Julia Kirkbridge.

— Qu'est-ce que…

— Ah non ! On n'est pas dans un commissariat ! Tu lui poseras toutes les questions que tu veux, elle est assez grande pour se défendre toute seule.

— Merci de m'avoir prévenue ! dit Su Ling quand Nathan lui apprit la nouvelle en rentrant à la maison.

— J'aurais dû téléphoner, je sais.

— Cela aurait rendu les choses plus faciles. Mais je suis sûre que tu étais trop occupé à gagner des millions.

— Il y a de ça.

— Qu'est-ce que tu sais d'elle ?

— Rien. Tu connais Tom ! S'agissant de sa vie privée, il est encore plus secret qu'un banquier suisse. Qu'il veuille nous la présenter est donc significatif.

— Qu'est donc devenue cette rousse magnifique qui s'appelait Maggie ?

— Disparue, comme les autres. Te souviens-tu qu'il nous en ait jamais amené une deux fois de suite à dîner ?

— Non, en effet. C'est peut-être la faute à ma cuisine.

— Non, mais je pense que tu en es tout de même la cause.

— Comment ça ?

— Le pauvre est épris de toi depuis des années, et il ne peut que te comparer aux pauvres créatures qu'il nous présente...

— Mais il n'a jamais rien fait de plus que m'embrasser sur la joue !

— Et il ne fera jamais davantage.

Nathan partit faire la lecture à Luke, et Su Ling plaçait un couvert supplémentaire sur la table quand on sonna à la porte.

— Bonsoir ! dit Tom. Voici Julia !

Su Ling découvrit une femme élégante, presque aussi grande que Tom, et aussi mince qu'elle, avec des cheveux blonds et de grands yeux bleus.

— Heureuse de vous rencontrer ! dit Julia. Je sais bien que ça fait cliché, mais j'ai beaucoup entendu parler de vous !

Su Ling sourit en prenant son manteau de fourrure :

— Mon mari...

— ... était très occupé avec son fils ! intervint Nathan en entrant dans la pièce. Bonjour ! Je m'appelle Nathan, je suppose que vous êtes Julia ?

— Oui, répondit-elle avec un sourire qui rappela à Su Ling que bien des femmes trouvaient son mari attirant.

— Passons donc dans le séjour ! dit Nathan. J'ai mis du champagne au frais.

— Qu'est-ce qu'on fête ? demanda Tom.

— Hormis le fait que tu as enfin réussi à trouver quelqu'un qui t'accompagne à dîner, rien de spécial... Sinon un appel de mes avocats pour dire que le rachat de Bennett est dans les tuyaux.

— Quand ?

— En fin d'après-midi. Jimmy a appelé pour dire qu'ils avaient signé les documents. Il ne reste plus qu'à leur donner le chèque.

— Tu ne me l'avais pas dit en rentrant, observa Su Ling.

— La pensée de Julia m'a fait presque tout oublier. Mais j'en ai parlé avec Luke.

— Quelle est son opinion?

— Un dollar, ça lui a paru beaucoup trop pour une banque.

— Un dollar? s'exclama Julia.

— Oui. Cela fait cinq ans que Bennett est dans le rouge, et ses avoirs ne suffisent plus à garantir sa dette à long terme; il se pourrait donc que Luke ait raison.

— Quel âge a-t-il? demanda Julia.

— Deux ans, mais il maîtrise déjà les questions financières.

Nathan versa le champagne:

— Et ce n'est qu'un début! Je songe toujours à Morgan!

— Ce qui coûterait? intervint Su Ling.

— Aujourd'hui, dans les 300 millions de dollars. Le temps que je sois prêt à faire une offre, on sera plus proche du milliard.

— Des sommes pareilles m'éblouissent, dit Julia. C'est beaucoup trop pour moi!

— Allons, Julia! dit Tom. N'oublie pas que j'ai examiné les comptes de ta compagnie, et qu'elle n'a cessé de faire des bénéfices.

— Oui, mais qui ne dépassent pas le million de dollars.

— Excusez-moi, dit Su Ling, je vais voir où en est le dîner.

— Qu'est-ce que vous faites dans la vie, Julia? demanda Nathan.

Elle eut un sourire enjôleur:

— D'après vous?

— Mannequin, peut-être actrice...

— Pas mal. J'ai bel et bien été mannequin autrefois, mais depuis six ans je suis dans l'immobilier.

Su Ling revint:

— Le dîner est prêt!

Tous se levèrent et passèrent dans la salle à manger.

— L'immobilier! dit Nathan en s'asseyant. Jamais je n'aurais deviné.

— Et pourtant, c'est vrai ! s'exclama Tom. Julia voudrait que nous gérions son compte. Elle recherche un site à Hartford, et va déposer 500 000 dollars à la banque, au cas où elle devrait se décider très vite.

— Pourquoi nous avoir choisis ? demanda Nathan.

— Parce que mon défunt mari a traité avec M. Russell à propos du centre commercial Robinson. Nous n'avons pas réussi à décrocher l'affaire, mais il ne nous a rien demandé. Pas un centime !

— C'est bien de mon père ! commenta Tom.

— Nous avions donc décidé que si jamais nous revenions dans le coin examiner quelque chose, nous ne traiterions qu'avec la banque Russell.

— Les choses ont changé, dit Nathan. M. Russell a pris sa retraite et…

— Mais son fils est toujours président.

— Et il me charge de veiller à ce que les gens comme vous se voient réclamer des frais quand nous leur fournissons nos services. Qu'est-ce qui vous a ramenée à Hartford ?

— J'ai entendu dire qu'il y avait des projets de construction d'un autre centre commercial, de l'autre côté de la ville.

— C'est exact, le conseil municipal va mettre le terrain en vente.

— Quels sont les chiffres ? demanda Julia en faisant honneur à la soupe au homard.

— Trois millions, mais je pense que ça montera jusqu'à trois millions trois ou cinq, vu le succès du centre Robinson.

— Trois millions cinq, ce serait le grand maximum… Ma compagnie est assez prudente.

— Nous pourrions peut-être vous indiquer d'autres propriétés que nous représentons.

— Non, merci. Ma société est spécialisée dans les centres commerciaux, et une des nombreuses choses que mon mari m'a enseignées, c'est de ne jamais s'aventurer hors de son domaine de compétence.

— C'était un homme avisé !

— En effet ! Une fois mon argent déposé, votre banque accepterait-elle de me représenter à la vente aux enchères ? En toute discrétion, bien entendu : je ne veux pas qu'on sache pour qui vous traitez.

Nathan remplit les verres de ses convives :

— Comment vous êtes-vous rencontrés, tous les deux ?

— Tu ne vas pas le croire, répondit Tom : sur un terrain à bâtir. C'était dimanche dernier, j'étais venu voir l'endroit. J'ai croisé Julia qui faisait du jogging.

— Je croyais que vous teniez à la discrétion ! dit Nathan en souriant.

— Peu de gens voyant une femme faire du jogging, un dimanche matin, près d'un site à construire, penseront qu'elle a l'intention de l'acheter.

— En fait, reprit Tom, c'est seulement après l'avoir emmenée déjeuner que j'ai découvert ce qu'elle mijotait !

— L'immobilier doit être un secteur assez dur pour une femme ? demanda Nathan.

— Oui, un peu, répondit Julia. Après être sortie de fac, dans le Minnesota, j'ai fait le mannequin un petit moment, puis j'ai rencontré mon mari. Il m'a beaucoup appris – l'idée du jogging est de lui. En moins d'un an, je savais exactement ce qu'il voulait et, l'année d'après, je suis entrée au conseil d'administration.

— Et maintenant vous dirigez la compagnie.

— Non, je laisse ça au président, mais je suis l'actionnaire majoritaire. Mon mari savait qu'il avait peu de temps à vivre et, comme nous n'avions pas d'enfants, il a décidé de m'apprendre tout ce qu'il savait.

— Crème brûlée ? demanda Su Ling.

— Je ne pourrai rien avaler de plus, l'agneau était si délicieux ! répondit Julia. Mais que cela ne te retienne pas ! ajouta-t-elle en tapotant l'estomac de Tom.

Nathan regarda son vieil ami et songea que jamais il ne l'avait vu aussi heureux. Peut-être Julia reviendrait-elle chez eux une fois de plus !

— Oh, il est si tard ? remarqua la jeune femme en regardant sa montre. Su Ling, c'était une soirée merveilleuse, mais j'ai une réunion du conseil d'administration demain matin, à 10 heures, il faut vraiment que j'aille me coucher. Je vous prie de m'excuser.

— Je vous en prie ! répondit la femme de Nathan en se levant.

Tom fit de même et accompagna Julia dans le couloir, où il l'aida à enfiler son manteau.

— Je suis navré que Julia doive regagner New York, dit-il à Su Ling. La prochaine fois, on se retrouvera chez moi !

— Une sacrée femme ! lança Nathan en refermant la porte d'entrée.

Puis il alla rejoindre Su Ling dans la cuisine et s'empara d'un torchon.

— Elle est bidon, déclara-t-elle.

— Comment ça ?

— Accent bidon, vêtements bidon, histoire bidon beaucoup trop travaillée. Ne traite pas avec elle.

— Et si elle dépose 500 000 dollars à la banque ?

— Je suis prête à parier un mois de salaire que tu ne les verras jamais.

Le lendemain matin, en arrivant à la banque, Nathan demanda à sa secrétaire de trouver tous les détails financiers disponibles sur Kirkbridge and Company. Une heure plus tard, elle revint avec le rapport annuel de la société, qu'il examina avec soin. L'année précédente, les bénéfices s'élevaient à un peu plus d'un million de dollars, et tous les chiffres correspondaient à ceux que Julia avait donnés la veille. Toutefois, vu les appréhensions de Su Ling, il décida d'appeler le numéro new-yorkais de la société.

— Kirkbridge and Company, dit une voix, que puis-je pour vous ?

— Bonjour ! Je désirerais parler à Mme Kirkbridge.

— Je crains que ce ne soit pas possible, monsieur, elle est en réunion avec le conseil d'administration.

Nathan regarda sa montre et sourit : il était 10 h 25.

— Mais si vous me laissez votre numéro, poursuivit la voix, je pourrai...

— Non, ce ne sera pas nécessaire, merci, répondit Nathan.

Il raccrocha, et le téléphone se mit à sonner aussitôt.

— Monsieur Cartwright ? C'est Jeb, du service des nouveaux comptes. J'ai pensé qu'il vous intéresserait de savoir que nous venons de recevoir un virement de Chase, d'un montant de 500 000 dollars, sur le compte d'une certaine Mme Julia Kirkbridge.

Nathan ne put résister à la tentation de téléphoner à Su Ling pour lui apprendre la nouvelle.

— Elle est bidon quand même ! répondit-elle.

31

— Pile ou face? demanda Frank McKenzie, le président de la section de journalisme de l'université du Connecticut.

— Pile, décida Barbara Hunter.

Il hocha la tête et jeta la pièce en l'air :

— Pile!

— Alors, je parlerai la première.

Andrew réprima un sourire : s'il avait gagné, il aurait de toute façon pris la parole en second.

McKenzie s'assit derrière le bureau placé au centre de l'estrade, Barbara Hunter à sa droite, Andrew à sa gauche. Depuis dix jours, la réunion avait donné lieu à bien des palabres : où aurait-elle lieu, à quelle heure, et même quelle hauteur devaient avoir les lutrins derrière lesquels les candidats s'exprimeraient, car Barbara Hunter était beaucoup plus petite qu'Andrew.

— Bonsoir, mesdames et messieurs, commença McKenzie. Je ferai office de modérateur pour le débat de ce soir. Mme Hunter parlera la première, pendant six minutes, suivie de M. Davenport. Je dois les prévenir que je ferai résonner cette cloche – il l'agita, provoquant des rires qui apaisèrent un peu la tension régnant dans la salle – au bout de cinq minutes, afin de leur rappeler qu'il ne leur reste plus que soixante secondes pour s'exprimer. Après leur déclaration d'intention, les deux candidats répondront aux questions pendant quarante minutes. Enfin, Mme Hunter, puis M. Davenport, disposeront de trois minutes chacun pour faire d'ultimes remarques. Je vais demander à Mme Hunter de commencer.

Barbara Hunter se leva et se dirigea avec lenteur vers le lutrin situé à droite de l'estrade. Elle avait calculé que parler la première lui permettrait de toucher le plus grand nombre de téléspectateurs : un match de football américain devait être diffusé à partir de 20 h 30, si bien que tout le monde changerait de chaîne.

Andrew, quant à lui, avait jugé que cela n'aurait pas grande importance : tous deux auraient prononcé leur discours d'ouverture avant 20 h 30. Il tenait par ailleurs à prendre la parole en second, de manière à pouvoir répondre à certaines remarques de son adversaire ; si, en fin de soirée, il avait le dernier mot, les électeurs s'en souviendraient.

— Je suis née à Hartford, dit Barbara Hunter. J'ai épousé un citoyen de cette ville, mes enfants sont nés à Saint-Patrick et tous vivent encore ici. J'ai donc le sentiment d'être qualifiée pour représenter les citoyens de cette grande ville.

La moitié du public applaudit.

Jimmy avait été chargé de la répartition des sièges. Il avait été convenu que chaque parti se verrait attribuer trois cents tickets chacun, quatre cents autres étant destinés au public proprement dit. Andrew s'était posé la question : combien de gens réellement neutres se trouveraient dans la salle ?

— Ne t'inquiète pas de ça, lui avait dit Harry Gates. Ce sont les téléspectateurs qui comptent, eux qu'il faut influencer. Regarde bien la caméra en prenant un air sincère !

Le programme exposé par Barbara Hunter était des plus respectables. Mais quand le modérateur fit résonner la cloche au bout de cinq minutes, elle n'en était encore qu'à la moitié de son discours. Andrew fut surpris qu'avec toute son expérience des campagnes électorales, elle n'ait pas songé que les applaudissements réduiraient son temps de parole. Toutefois, elle fut saluée par de vives acclamations.

— Je demanderai maintenant à M. Davenport de s'exprimer.

Andrew se leva et gagna le lutrin, en ayant un peu l'impression d'être un condamné se dirigeant vers la potence. « Mieux vaut finir quelques secondes en avance que de devoir se précipiter à la fin! » avait dit Harry Gates. Il contempla le public et sourit, sachant que McKenzie ne déclencherait le compte à rebours que lorsqu'il aurait prononcé ses premiers mots.

— Je crois que j'ai fait une grosse erreur, dit-il : je ne suis pas né à Hartford. Mais j'ai tenté de réparer ma faute. Je suis tombé amoureux d'une jeune fille d'ici alors que j'avais quatorze ans...

Il y eut des rires et des applaudissements qui lui permirent de se détendre un peu ; il prononça le reste de son discours avec une confiance qui, espéra-t-il, ferait oublier sa jeunesse, et l'acheva sous les acclamations. Mais ce n'était jamais que la fin du premier round.

Harry et Jimmy étaient assis au deuxième rang ; leurs sourires montrèrent à Andrew qu'il avait gagné la première épreuve.

— Maintenant, dit le modérateur, nous allons passer aux questions ; cela durera quarante minutes, et je demanderai aux candidats de rester brefs. Je vais commencer par Charles Lockhart, du *Hartford Courant*.

— Les candidats pensent-ils que le système des bourses d'étude devrait être réformé?

Andrew était bien préparé à cette question, qu'on n'avait cessé de poser pendant les réunions électorales, et que Lockhart lui-même évoquait régulièrement dans ses éditoriaux.

Barbara Hunter ayant parlé la première, il fut invité à s'exprimer d'abord :

— Aucune discrimination ne devrait empêcher ceux qui sont issus de milieux pauvres de faire des études supérieures. Il ne suffit pas de croire à l'égalité, il faut qu'elle se traduise dans les faits.

— Belles paroles, répliqua Barbara Hunter, mais ce sont des actes qu'il nous faut! Monsieur Davenport, j'ai fait partie de suffisamment de comités scolaires pour que vous puissiez vous dispenser de me sermonner sur les discriminations. Si j'ai la chance d'être élue au Sénat, je soutiendrai tout projet de loi offrant à tous, hommes et femmes, une égalité de chances réelle ! Quelqu'un qui a eu le privilège de faire Hotchkiss et Yale n'est peut-être pas le plus qualifié en ce domaine !

Suivirent des questions sur les impôts locaux, les hôpitaux, les transports publics, la délinquance. Tout cela était prévisible ; après le premier accrochage, Andrew se reprit peu à peu, et commençait à penser que le débat prendrait fin par un match nul quand fut posée la dernière question. Jill Bertrand était présentatrice d'un talk-show sur une radio locale où Barbara Hunter semblait invitée un jour sur deux :

— Les candidats se considèrent-ils comme vraiment indépendants, ou bien leur politique sera-t-elle dictée par la machine de leur parti, et leurs votes au Sénat influencés par des politiciens à la retraite ?

Barbara Hunter répondit aussitôt :

— Tous ceux qui sont ici savent que j'ai dû me battre pied à pied pour obtenir la nomination républicaine, et que, contrairement à certains, elle ne m'a pas été offerte sur un plateau. En fait, j'ai dû me battre pour tout, toute ma vie. Je vous rappellerai par ailleurs que je n'ai pas hésité à défendre mon point de vue chaque fois que je pensais que mon parti avait tort. Ce qui ne m'a pas toujours rendue populaire ! Mais, au moins, personne n'a jamais douté de mon indépendance. Si je suis élue au Sénat, je ne décrocherai pas mon téléphone tous les matins pour savoir comment je dois voter. Je prendrai mes décisions moi-même et je m'y tiendrai.

Il y eut de vifs applaudissements, et Andrew sentit son estomac se nouer tandis qu'il s'efforçait de rassembler ses pensées.

— Je suis né à Farmington, à quelques kilomètres d'ici. Mes parents ont toujours joué un grand rôle dans notre communauté, en particulier pour tout ce qui touche à l'hôpital Saint-Patrick. Je suis un ancien de Hotchkiss, en effet, et Mme Hunter a raison : c'était un privilège. Je suis allé à Yale aussi, je suis devenu président du conseil étudiant, et rédacteur en chef de la *Law Review*, ce qui m'a valu d'être invité à rejoindre le cabinet d'avocats le plus prestigieux de New York. Je ne me satisfais jamais de la deuxième place, et je pense ne pas avoir à m'en excuser. Pour autant, j'ai été ravi de renoncer à tout cela pour revenir à Hartford et tenter de rendre à notre communauté un peu de ce qu'elle m'avait donné. Ce n'est certainement pas pour le salaire que peut m'offrir l'État et, jusqu'à présent, personne ne m'a rien présenté sur un plateau.

Il y eut de vifs applaudissements à l'issue desquels il reprit :

— Je vais répondre franchement à la question qui vient d'être posée, et qui en fait sous-entendait : aurai-je régulièrement le sénateur Harry Gates au bout du fil ? Je l'espère bien : j'ai épousé sa fille ! Laissez-moi vous rappeler ce que vous savez déjà : Harry Gates a servi pendant vingt-huit ans avec honneur et intégrité, deux mots qui semblent avoir perdu toute signification, et je pense réellement qu'aucun de nous deux – Andrew se tourna vers Barbara Hunter – n'est digne de lui succéder. Si je suis élu, vous pouvez être certains que je tirerai profit de sa considérable expérience, et que je saurai vous représenter au Sénat !

Andrew revint à sa place tandis que la moitié de la salle se levait pour applaudir. Barbara Hunter avait commis l'erreur de s'en prendre à lui sur un sujet qu'il n'avait pas besoin de préparer à l'avance.

— J'aimerais remercier les deux candidats... dit le modérateur.

Andrew suivit alors les recommandations de son beau-père : se levant, il se dirigea vers son adversaire et lui serra la main – assez longtemps pour que le photographe du *Hartford Courant* ait le temps d'enregistrer la scène.

Le lendemain, tous deux étaient en première page, et le cliché montrait exactement ce que Harry avait espéré : un homme de près d'un mètre quatre-vingt-dix face à une femme qui avait une bonne tête de moins que lui.

L'éditorial déclarait qu'Andrew s'était vraiment bien défendu lors du débat. Toutefois, Barbara Hunter avait encore deux points d'avance dans les sondages, et il ne restait plus que neuf jours avant le scrutin.

32

— Ça t'ennuie si je fume?

— Non, il n'y a que Su Ling qui n'aime pas ça.

— Je ne crois pas qu'elle m'aime beaucoup non plus, dit Julia Kirkbridge.

— Elle a été élevée par une mère très conservatrice, expliqua Tom. Au début, Nathan non plus ne lui plaisait guère! Mais elle changera d'avis quand je lui dirai que...

— Chut! Pour le moment, cela doit rester un secret entre nous. J'aime bien Nathan; vous faites une bonne équipe, tous les deux.

— Oui, mais je tiens à conclure l'affaire pendant qu'il est en congé. Il le méritait bien, après avoir réussi à absorber notre plus vieille rivale.

— Je le comprends sans peine. Quelles sont tes chances?

— Apparemment, il n'y a que deux ou trois candidats sérieux. Les restrictions imposées par le conseil municipal devraient éliminer les aventuriers.

— Les restrictions?

— Les enchères doivent être publiques, et la somme doit être payée dans son intégralité à la signature.

Julia se redressa dans le lit:

— Pourquoi y tiennent-ils tant? J'ai toujours versé 10 %, en partant du principe que j'aurais au moins vingt-huit jours pour compléter la somme.

— Oui, c'est la pratique normale, mais le site est devenu un enjeu politique. Récemment, il y a eu des problèmes, parce qu'il s'est révélé qu'un spéculateur n'avait pas les fonds nécessaires pour conclure deux ou trois marchés. Barbara Hunter a vivement dénoncé la chose et, comme il y a des élections dans quelques jours, personne ne veut prendre le risque de l'affronter ensuite.

— Alors, je devrai déposer trois millions de plus chez toi vendredi prochain ?

— Non. Si tu emportes l'affaire, la banque t'accordera un prêt à court terme.

— Mais si je la rate ?

— Peu importe. Nous revendrons le prêt à celui qui l'a décrochée, et tu auras toujours tes 500 000 dollars pour couvrir des pertes éventuelles.

Julia écrasa sa cigarette et se glissa sous les draps :

— Vous, les banquiers, vous ne perdez décidément jamais !

— Fais-moi une faveur, dit Su Ling, tandis que l'avion entamait sa descente vers l'aéroport de Los Angeles.

— Je t'écoute, petite fleur.

— Essaie de rester une semaine sans téléphoner à la banque. Après tout, c'est le premier grand voyage de Luke.

— Et le mien ! J'ai toujours voulu visiter Disneyland. Mais j'aimerais quand même garder l'œil sur l'accord que Tom s'apprête à conclure avec la compagnie de Julia.

— Ne crois-tu pas qu'il a droit à son petit triomphe, sans être surveillé par le grand Nathan Cartwright ? Après tout, c'est toi qui as décidé de faire confiance à Julia.

— Je comprends ton point de vue. Si je lui téléphonais juste vendredi après-midi, rien que pour voir si nous avons réussi à décrocher le projet Cedar Wood ?

— Oui, mais pas avant.

— Papa, dit Luke, on voyagera dans un spoutnik ?

— Évidemment ! répondit Nathan. Pourquoi venir à Los Angeles, sinon ?

Tom vint attendre Julia à la gare et la conduisit à l'hôtel de ville. Les femmes de ménage sortaient de la salle où avait eu lieu le débat de la veille. Selon le *Hartford Courant*, plus d'un millier de personnes avaient assisté à la réunion, et le journal ajoutait qu'il était difficile de choisir entre les deux candidats. Tom avait toujours voté républicain, mais Andrew Davenport avait l'air d'un homme honnête.

— Pourquoi sommes-nous arrivés si tôt ? demanda Julia.

— Je veux connaître la disposition de la salle, de manière à ne pas être pris au dépourvu quand les enchères commenceront. N'oublie pas que tout pourrait être terminé en quelques minutes.

— Où devons-nous nous asseoir ?

— Au milieu, sur la droite. J'ai déjà expliqué au commissaire-priseur quels signes je ferais.

L'homme arrivait : il monta sur l'estrade, donna un petit coup sec sur le micro, puis contempla la maigre assistance, en s'assurant que tout était en place.

— Qui est là ? demanda Julia.

— Des membres du conseil municipal ; M. Cooke, le secrétaire de mairie ; des gens qui n'ont rien de mieux à faire ; et les enchérisseurs. Mais, pour autant que je sache, il n'y en a que trois de sérieux, répondit Tom, qui regarda sa montre. Nous pourrions peut-être nous asseoir.

Tous deux s'installèrent en bout de rangée. Tom prit la brochure déposée sur un siège voisin et, quand Julia toucha sa main, ne put s'empêcher de se demander combien de gens comprendraient qu'ils étaient amants. Le commissaire-priseur fit signe qu'il allait commencer et se racla la gorge :

— Mesdames et messieurs, nous allons procéder à la mise aux enchères d'un site exceptionnel situé au nord de la ville, celui de Cedar Wood. Le conseil municipal le met en vente en accordant le droit d'exploitation commerciale – vous trouverez tous les détails nécessaires dans le fascicule déposé sur les sièges. Je dois souligner que si l'une quelconque des exigences qui y sont détaillées n'était pas respectée, le conseil serait en droit d'annuler la transaction. Le prix de départ est fixé à deux millions de dollars.

Il se tourna aussitôt vers Tom, qui demeura impassible.

— Deux millions deux cent cinquante mille ! annonça le commissaire-priseur.

Il feignit de parcourir toute la salle du regard, tout en sachant parfaitement où se trouvaient les enchérisseurs sérieux. Au deuxième rang, un avocat fort connu dans la ville leva sa brochure.

— Deux millions cinq cent mille !

De nouveau le commissaire-priseur se tourna vers Tom, qui ne cilla même pas :

— Deux millions sept cent cinquante mille !

L'avocat parut hésiter quelques instants puis, de nouveau, agita le fascicule qu'il avait en main :

— Trois millions !

Regard à Tom :

— Trois millions deux cent cinquante mille !

— Ça va marcher ! dit Julia en prenant la main de Tom.

— Ça n'est pas encore fait ! murmura-t-il.

— Trois millions cinq cent mille ? demanda le commissaire-priseur, regardant fixement l'avocat.

La brochure se leva pour la troisième fois.

— Je crois que nous avons atteint la limite que nous nous étions fixée, dit Tom en ôtant ses lunettes.

— Alors, poussons jusqu'à trois millions six, répondit Julia. Comme ça, au moins, nous serons fixés.

Le commissaire-priseur savait que si M. Russell enlevait ses lunettes, cela signifiait qu'il n'enchérirait plus ; mais il était en grande conversation avec la dame qui l'accompagnait.

— Plus d'enchères ? Ou bien…

Tom hésita un instant, puis dit :

— Trois millions six cent mille.

Le commissaire-priseur se tourna vers l'avocat, qui avait déposé son fascicule sur le siège placé devant lui.

— D'autres enchères ? C'est la dernière chance !

Il abattit son marteau d'un coup sec :

— Vendu à trois millions six cent mille dollars !

— Bien joué ! s'exclama Julia.

— Ça va te coûter cent mille dollars de plus, mais on ne pouvait pas savoir que quelqu'un d'autre s'était fixé la même limite. Je vais aller m'occuper de la paperasse et leur donner le chèque. Ensuite, nous pourrons aller fêter ça.

— Félicitations, monsieur Russell, dit M. Cooke. Votre client s'est porté acquéreur d'un site magnifique qui, j'en suis sûr, lui assurera d'excellents profits à long terme.

— Tout à fait d'accord, répondit Tom en rédigeant un chèque qu'il lui tendit.

— C'est pour votre banque que vous avez mené les enchères ?

— Non. Nous représentons un client new-yorkais qui fait affaire avec nous.

— Monsieur Russell, je ne voudrais pas avoir l'air de chipoter, mais les termes de l'accord spécifient que le chèque doit être signé par l'acheteur et non son représentant.

— Mais nous représentons la compagnie, et nous détenons leurs dépôts.

— Alors, il ne devrait pas être difficile à votre client de signer le chèque. Vous savez, monsieur Russell, après la débâcle du contrat Aldwich, l'année dernière, je dois répondre tous les jours à des questions de Mme Hunter. Je n'ai pas d'autre choix que de m'en tenir à la lettre, comme à l'esprit, de l'accord.

— Que puis-je faire, arrivé à ce stade ? demanda Tom.

— Vous avez jusqu'à cinq heures pour présenter un chèque signé par l'acheteur, faute de quoi le site sera vendu à l'autre enchérisseur pour trois millions cinq cent mille dollars. De surcroît, le conseil vous réclamera la différence, soit cent mille dollars.

Tom se précipita vers Julia :

— Tu as ton chéquier sur toi ?

— Non ! Tu m'as dit que la banque couvrirait l'ensemble de la transaction, jusqu'à ce que je verse la différence lundi.

— C'est vrai. Passons à la banque, dit Tom en jurant intérieurement : si Nathan avait été là, il aurait immédiatement repéré la clause et anticipé les conséquences.

En route, il expliqua à Julia ce que M. Cooke lui avait dit.

— Alors, j'ai perdu l'affaire et ça va me coûter cent mille dollars ?

— Non. J'ai trouvé un moyen de contourner l'obstacle, mais il me faudra ton accord.

— Si cela me permet de conclure l'affaire, je ferai tout ce que tu me demanderas.

Dès qu'ils furent arrivés à la banque, Tom se dirigea vers son bureau et demanda à Ray Jackson, le caissier principal, de venir le rejoindre. En attendant, il sortit un chéquier vierge et se mit à le remplir.

— Ray, je veux que vous transfériez trois millions cent mille dollars sur le compte de Mme Kirkbridge.

Le caissier parut hésiter :

— Il me faut une lettre d'autorisation, monsieur. C'est une somme beaucoup trop élevée pour que je puisse procéder de mon propre chef.

— Oui, bien sûr, répondit Tom, qui sortit d'un tiroir un formulaire standard qu'il remplit et passa à Jackson, lequel l'étudia avec la plus vive attention.

— Et sur-le-champ !

— Bien sûr, monsieur Russell, répondit le caissier, qui repartit aussi vite qu'il était venu.

— Tu es sûr que c'est raisonnable ? demanda Julia. Tu prends peut-être un risque inutile.

— Nous avons le site de construction et tes cinq cent mille dollars, nous sommes couverts.

Tom tendit le chéquier à Julia pour qu'elle signe un chèque et y porte le nom de sa compagnie, puis dit :

— Mieux vaut retourner à l'hôtel de ville aussi vite que possible !

Quand ils y parvinrent, Tom fut soulagé de voir que M. Cooke était toujours derrière son bureau. Il se leva en les voyant arriver et étudia le chèque avec minutie :

— Tout cela m'a l'air parfaitement régulier, madame Kirkbridge ! Une simple pièce d'identité me suffira.

— Certainement ! répondit Julia en sortant son permis de conduire.

— La photo n'est pas très flatteuse ! dit M. Cooke. Bon, il ne vous reste plus qu'à signer les documents nécessaires au nom de votre compagnie.

Il y avait trois exemplaires de l'accord. Julia en donna un à Tom :

— Garde ça jusqu'à ce que l'argent ait été transféré.

— Monsieur Russell, intervint M. Cooke, je présenterai ce chèque lundi matin, et je serais ravi s'il était encaissé aussitôt que possible ; je ne voudrais pas donner de nouvelles munitions à Mme Hunter.

— Ce sera fait le jour même, dit Tom.

Tom fut tenté de serrer Julia dans ses bras, mais se contint :

— Je repars à la banque leur dire que tout s'est bien passé, et ensuite nous rentrerons.

— C'est vraiment nécessaire ? demanda Julia. Après tout, le chèque ne sera présenté que lundi matin.

— Oui, c'est vrai.

— Oh ! zut, s'écria-t-elle en se penchant. J'ai cassé un de mes talons en courant sur ces marches !

— C'est de ma faute, je n'aurais pas dû t'obliger à te presser. Nous avions le temps, en fait !

Elle sourit :

— Ce n'est rien ! Mais si tu pouvais aller chercher la voiture... je t'attendrai en bas de l'escalier.

— Bien sûr ! répondit Tom en se dirigeant vers le parking.

Il était de retour quelques minutes plus tard, mais Julia restait invisible. Peut-être était-elle à l'intérieur ? Il attendit quelques instants, en vain. Sortant de la voiture, il se précipita dans le bâtiment, et aperçut enfin la jeune femme dans une cabine téléphonique. Elle raccrocha en le voyant.

— Je viens de prévenir New York, chéri, et ils ont enjoint à notre banque de transférer les trois millions cent mille dollars avant l'heure de la fermeture.

— C'est bien ! dit Tom. Si nous allions dîner en ville ?

— Non, je préférerais que nous rentrions chez toi. Nous aurons tout le temps de manger.

Le temps qu'ils atteignent la chambre, au premier étage, Julia avait déjà laissé derrière elle une partie de ses vêtements. Elle ôtait un de ses bas, et Tom était en sous-vêtements, quand le téléphone sonna.

— Laisse tomber ! dit-elle en se mettant à genoux.

— Pas de réponse, dit Nathan. Ils ont dû aller dîner.

— Ça ne peut pas attendre qu'on rentre lundi ? demanda Su Ling.

— Si, sans doute, mais j'aurais aimé savoir si Tom a réussi à acheter Cedar Wood, et à quel prix.

33

— « TROP SERRÉ POUR UN PRONOSTIC ! » disait la manchette du *New York Times*. « DANS UN MOUCHOIR ! » estimait le *Hartford Courant*. Le premier faisait allusion à la course à la Maison-Blanche disputée entre Jimmy Carter et Gerald Ford, le second à l'affrontement entre Hunter et Davenport pour un siège au Sénat.

— La seule chose qui compte maintenant, dit Harry Gates lors de l'ultime réunion de campagne, tenue dès 6 heures du matin, c'est d'amener nos partisans aux urnes !

Quarante personnes se verraient remettre une liste d'électeurs qu'ils déposeraient en voiture au bureau de vote le plus proche de leur domicile : les vieillards, les infirmes, mais aussi quelques fainéants et probablement un ou deux pervers qui aiment se faire transporter par un candidat pour aller voter pour l'autre.

Une autre équipe, de loin la plus importante, se chargerait du téléphone depuis le quartier général démocrate.

— Ils travailleront à raison de deux heures d'affilée, expliqua Harry Gates : d'abord pour contacter certains de nos supporters puis, plus tard, s'assurer qu'ils ont bel et bien voté. Soyez prévenus, certains devront être appelés trois ou quatre fois avant la fermeture des bureaux !

Un troisième groupe tiendrait un relevé détaillé, constamment remis à jour, de la participation électorale dans leur circonscription : de mille à trois mille votants, selon les endroits, quartier urbain ou zone rurale.

— C'est notre colonne vertébrale, avait expliqué Harry à Andrew. Dès que le premier bulletin est déposé dans l'urne, des volontaires sont chargés, au sortir des bureaux, de cocher les noms des électeurs ayant voté. Toutes les demi-heures, ces listes sont remises à des messagers. La liste complète est ensuite marquée en rouge pour un électeur républicain, en bleu pour un démocrate, en jaune quand on ne sait pas. Un coup d'œil suffit donc à chaque responsable de circonscription pour savoir exactement comment les choses se passent, et comparer avec les élections antérieures. Les détails sont ensuite transmis à notre quartier général, afin que ceux qui téléphonent ne perdent pas leur temps avec ceux qui ont déjà voté.

— Et moi, qu'est-ce que je suis censé faire de la journée ? demanda Andrew.

— Rester à l'écart de tout ça ! C'est pourquoi tu passeras dans les quarante-quatre foyers où l'on effectue les décomptes ; tout le monde tient à te voir à un moment ou l'autre de la journée. Jimmy sera ton chauffeur.

Ce dernier disposait d'une certaine expérience en ce domaine : il avait pareillement conduit son père lors des deux scrutins précédents. Une fois la réunion terminée, il expliqua donc à Andrew comment les choses se passeraient.

— Pour commencer, ce qu'il ne faut surtout pas faire. Nous allons passer dans toutes les maisons d'ici 20 heures. Dans les premières heures, tout le monde va t'offrir un café ; entre 11 h 45 et 14 h 15 de quoi te restaurer ; et un verre après 17 h 30. Tu dois à chaque fois refuser, poliment mais fermement. Tu ne boiras que de l'eau, nous déjeunerons ici en vitesse vers 12 h 30, et tu ne mangeras plus rien jusqu'à la fermeture des bureaux de vote.

Andrew pensait que la tournée serait un peu ennuyeuse, mais il n'en fut rien, bien au contraire. À l'issue de la première heure de scrutin, peu de gens avaient encore voté. Avant 10 heures, la vue de nombreuses lignes bleues l'encouragea, mais Jimmy le prévint : le meilleur moment pour les démocrates, c'était entre 7 et 9 heures : les ouvriers votent en partant au travail, ou en revenant d'une équipe de nuit.

— Entre 10 et 16 heures, les républicains devraient prendre l'avantage, si bien que les démocrates ne peuvent espérer les rattraper qu'entre 17 heures et la fermeture des bureaux, à 20 heures. Il nous faut donc espérer qu'il pleuvra de la fin de la matinée à la fin de l'après-midi, et qu'il y aura du beau temps ensuite.

À 11 heures, tous les responsables firent savoir que la participation restait légèrement inférieure à celle du précédent scrutin, qui était de 55 %.

— En dessous de cinquante, on perd ; entre cinquante et cinquante-cinq, on ne peut pas dire ; au-dessus, on gagne, dit Jimmy.

— Et pourquoi ?

— Les Républicains votent, qu'il pleuve ou qu'il vente, si bien qu'une faible participation est à leur avantage. Faire voter nos électeurs a toujours été le gros problème des Démocrates.

Jimmy s'en tint strictement à son programme : avant chaque visite, Andrew se voyait remettre une feuille de papier donnant les détails de base sur les militants qui s'occupaient du décompte dans le foyer sur le point d'être visité. Andrew pouvait ainsi connaître de nombreux détails.

— Bonjour, Dick ! s'exclamait-il par exemple. C'est votre quatrième élection, je crois. Je tiens vraiment à vous remercier. Ben est toujours en fac ? Oui, le sénateur me l'a dit. Vous avez un nouveau chien, non ?

Jimmy signalait au bout de dix minutes qu'il était temps de s'en aller et de recommencer plus loin mais, malgré tous ses efforts, ils revinrent au quartier général démocrate avec vingt minutes de retard.

Une table était chargée de nourriture : Andrew se jeta sur le premier sandwich qu'il vit. Puis, avec Annie, il fit le tour des bureaux, serrant autant de mains que possible.

— Bonjour, Martha ! dit-il en entrant dans la salle des téléphones. Que fait Harry ?

— Ce qu'il sait faire de mieux : il est devant le Congrès, harangue la foule et demande à tous d'aller voter.

Une demi-heure plus tard, alors qu'il repartait, Andrew croisa son beau-père dans un couloir.

— Bon courage, Andrew! lui lança celui-ci. Heureux de voir que tu as trouvé le temps de manger!

Le premier foyer qu'ils visitèrent montrait que les républicains avaient une légère avance, qui ne cessa de croître durant l'après-midi. À 17 heures, il leur restait encore dix-sept maisons à visiter.

— Si tu en manques une, dit Jimmy, nous ne saurons pas ce qui se passe, et surtout ils ne te viendront plus en aide la prochaine fois!

À 18 heures, les républicains étaient nettement en tête; Andrew prit soin de ne pas montrer qu'il déprimait un peu. Jimmy lui dit de se détendre, et lui promit que les choses iraient mieux dans deux heures; il se garda de lui apprendre qu'à ce moment de la journée, son père avait toujours eu l'avantage, et savait donc qu'il serait élu.

— À quel moment peut-on être certain de gagner ou de perdre? soupira Andrew.

— Perdre? dit Jimmy. Je ne sais pas ce que c'est. Bien avant ma naissance, papa a gagné sa première élection par cent vingt et une voix d'écart. Au cours des trente dernières années, il a obtenu une majorité d'environ onze mille voix. Mais il dit toujours que si, la première fois, soixante électeurs avaient voté autrement, il aurait perdu, et que jamais il n'aurait eu de seconde chance.

Il regretta aussitôt ses paroles.

À 19 heures, Andrew fut soulagé de voir apparaître de nouvelles lignes bleues; si les républicains étaient toujours en tête, il paraissait possible de les coiffer sur le poteau. La visite aux militants démocrates, en dépit des efforts de Jimmy, leur prit tant de temps qu'ils ne purent visiter les deux dernières maisons qu'après la fermeture des bureaux de vote.

— Et maintenant? demanda Andrew.

— On rentre au quartier général et on écoute les histoires les plus aberrantes qu'on ait jamais entendues. Si

251

tu gagnes, elles deviendront partie intégrante du folklore électoral ; si tu perds, elles seront vite oubliées.

Jimmy avait raison : tout le monde parlait en même temps, mais seuls les optimistes endurcis osaient prédire le résultat. Le premier sondage à la sortie des urnes, annoncé quelques minutes après la clôture du scrutin, affirmait que Barbara Hunter l'emportait d'un cheveu. Au niveau national, on annonçait pareillement que Ford avait battu Carter.

— L'Histoire se répète ! dit Harry en entrant dans la pièce où étaient réunis les militants. En 1948, les mêmes annonçaient que Dewey l'avait emporté sur Truman, et que j'avais perdu d'un rien.

— Et la participation électorale ? demanda Andrew.

— Il est trop tôt pour être sûr. Plus de cinquante, mais en dessous de cinquante-cinq. Nous ne pouvons plus faire grand-chose. Reposez-vous tous un peu, nous nous retrouverons plus tard pour le décompte. J'ai le sentiment que la nuit sera longue.

Dans la voiture qui les emmenait chez Mario, Harry expliqua à Andrew qu'il serait inutile de faire son apparition avant 23 heures :

— Nous pourrons dîner tranquillement et suivre les résultats à l'échelon national à la télévision du restaurant.

Mais c'était compter sans la réaction des habitués de chez Mario : plusieurs d'entre eux se levèrent et applaudirent les deux hommes quand ils entrèrent. Andrew vit que ses parents étaient déjà là et buvaient un verre en attendant.

— Que pourrais-je vous recommander ? demanda Mario.

— Je suis trop fatiguée pour y réfléchir ! répondit Martha. Choisissez pour nous !

— Ce sera fait, madame Gates !

Annie se leva et eut un grand signe de la main quand Joanna et Jimmy pénétrèrent dans le restaurant. Andrew embrassa la jeune femme sur la joue, tout en gardant un œil sur le poste de télévision. Jimmy Carter arrivait dans son ranch, le président Ford descendait d'un hélicoptère. Il se demanda si leur journée avait été aussi éreintante que la sienne.

Quelques minutes plus tard, Mario arriva avec deux grands plateaux de hors-d'œuvre, tandis qu'un serveur leur apportait deux bouteilles de vin blanc.

— Je vais dire quelques mots, déclara Andrew.

— C'est vraiment nécessaire ? demanda Jimmy, qui se servait déjà à boire. J'ai entendu assez de discours de toi pour le restant de mes jours !

— Je serai bref, répondit Andrew en se levant. Tous ceux que je veux remercier sont à cette table. D'abord Harry et Martha. Je ne les aurais jamais rencontrés, comme d'ailleurs Annie, si je n'avais pas dû venir à ton secours lors de notre première journée à Hotchkiss. Mais il faut peut-être en accuser ma mère ! Mon père voulait que j'aille à Taft, et ma vie serait bien différente s'il l'avait emporté. Merci à tous !

Il se rassit au moment même où Mario amenait une autre bouteille de vin.

— Je ne me souviens pas avoir commandé ça ! dit Andrew.

— En effet, répondit le patron du restaurant. C'est un cadeau d'un monsieur assis à l'autre bout de la salle. Il m'a dit qu'il était navré de n'avoir pas pu vous donner un coup de main pendant la campagne, à cause de ses occupations. C'est l'un des responsables de la banque Russell.

Andrew leva les yeux et vit Nathan Cartwright agiter la main. Il eut l'impression de l'avoir déjà vu quelque part.

34

— Comment a-t-elle fait ? demanda Tom, livide.

— Elle a bien choisi sa victime et elle a soigné les détails avec une grande minutie, répondit Nathan.

— Mais ça n'explique pas...

— Comment savait-elle que nous accepterions de procéder à un transfert d'argent ? Mais c'était le plus facile, en fait. Une fois toutes les pièces en place, il lui suffisait d'appeler Ray et de lui enjoindre de faire passer le contenu de son compte sur une autre banque.

— Mais la nôtre ferme à 17 heures, et tout le personnel est parti à 18 heures, surtout avant le week-end.

— Ça, c'est ce qui se passe à Hartford ! Elle a dit à notre caissier de transférer la totalité des fonds dans une banque de San Francisco, où il n'était que 14 heures.

— Je ne l'ai laissée seule que quelques minutes !

— C'était suffisant pour qu'elle téléphone à son avocat.

— Mais alors, pourquoi Ray n'a-t-il pas tenté de me contacter ?

— C'est bien ce qu'il a fait, mais tu n'étais plus dans ton bureau, et elle a décroché le téléphone quand vous êtes rentrés chez toi.

— Si seulement tu n'avais pas été en vacances...

— Je parie qu'elle en a tenu compte aussi. Je suppose que tu lui en as parlé peu après l'avoir rencontrée ?

— Oui. Mais ça n'explique pas que Ray ait accepté de procéder à la transaction.

— Parce que tu as déposé la somme entière sur le compte de Julia ! Dans ce cas, la loi est très claire : si elle réclame un transfert, nous n'avons pas d'autre choix que de lui obéir, comme son avocat l'a fait remarquer à Ray quand il l'a appelé à 16 h 30, alors que tu rentrais chez toi.

— Mais elle avait déjà signé un chèque qu'elle avait donné à M. Cooke.

— Oui, et si tu étais retourné à la banque pour en informer notre caissier principal, il aurait peut-être été en mesure de retarder toute décision jusqu'à lundi.

— Mais comment pouvait-elle être si sûre que je permettrais le placement de l'argent supplémentaire sur le compte ?

— Elle n'était sûre de rien ; c'est bien pourquoi elle a ouvert chez nous un compte sur lequel elle a déposé cinq cent mille dollars, pour que nous pensions qu'elle avait des fonds plus que suffisants pour acquérir Cedar Woods.

— Tu t'es pourtant renseigné sur la compagnie ?

— Oui, parce que Su Ling n'aimait pas Julia. J'ai téléphoné à Kirkbridge and Company, et on m'a dit que le conseil d'administration était en réunion, comme elle l'avait déclaré la veille. À ce moment, toutes les pièces du puzzle se sont mises en place. C'est ce que j'appelle un grand souci du détail.

— Il manque encore quelque chose.

— Oui, et c'est ce qui fait d'elle une véritable artiste de l'escroquerie, et non une simple arnaqueuse. Elle a tiré profit d'un amendement du sénateur Gates à la loi de finances.

— Qu'est-ce qu'il vient faire là-dedans ?

— Il a fait voter une mesure stipulant que toutes les transactions conclues avec le conseil municipal devraient, à l'avenir, être entièrement payées à la signature de l'accord.

— Mais je lui ai dit que la banque couvrirait toutes les sommes supplémentaires nécessaires.

— Et elle savait que ça ne suffirait pas. L'amendement Gates stipule que l'acheteur doit signer en même temps le chèque et l'accord. Quand tu as demandé à Julia si elle avait son chéquier, elle a su qu'elle te tenait.

Tom soupira :

— Et si je lui avais dit que le marché ne pouvait être conclu tant que tu n'étais pas là ?

— Elle serait retournée à New York le soir même, aurait transféré ses cinq cent mille dollars de chez nous sur son compte Chase, et tu n'aurais plus jamais entendu parler d'elle.

— Elle nous a eus de trois millions cent mille dollars et a récupéré ses cinq cent mille. Je n'en reviens pas.

— En effet. Quand la banque de San Francisco ouvrira, ce matin, l'argent aura disparu, en direction des îles Caïmans, via Zurich ou même Moscou. Je vais faire les démarches nécessaires, bien entendu, mais je ne crois pas que nous puissions récupérer le moindre dollar.

— Et Cooke va nous présenter le chèque ce matin ! Je lui ai donné ma parole qu'il serait encaissé le jour même.

— Alors, nous y serons bien contraints. Pour une banque, perdre de l'argent est une chose, perdre sa réputation en est une autre. Ton père et ton grand-père ont mis près d'un siècle à l'établir.

— Eh bien, je crois que je n'ai plus qu'à démissionner.

— Jamais de la vie ! Tu veux que tout le monde sache que tu t'es fait pigeonner ? Ils transféreraient tous leurs comptes ailleurs ! Non, la seule chose dont j'ai besoin, c'est d'un peu de temps. Je te demande donc de prendre quelques jours de congé. Ne fais plus jamais allusion à Cedar Wood et, si des gens évoquent le sujet, dis-leur que c'est moi qui m'en occupe.

Tom resta silencieux un moment, puis dit :

— Le plus drôle, c'est que je lui avais demandé de m'épouser.

— Ça faisait partie de son plan.

— Une fille très intelligente !

— Si elle avait donné suite, j'aurais été prêt à lui offrir un siège au conseil d'administration.

— Elle t'a donc dupé aussi ?

— Oh, que oui ! Et, avec son sens de la finance, si elle t'avait épousé, elle aurait pu gagner beaucoup plus que trois millions et cent mille dollars. Je pense donc qu'il doit y avoir quelqu'un d'autre derrière. Et c'est sûrement à cette personne qu'elle téléphonait quand tu l'as retrouvée à l'hôtel de ville.

Nathan se leva et se dirigea vers la porte :

— Je serai dans mon bureau. Dorénavant, nous ne discuterons de cette affaire qu'en privé ; rien par écrit, rien au téléphone.

Tom acquiesça de la tête.

— Bonjour, monsieur Cartwright, lui dit sa secrétaire en le voyant arriver. Vous avez passé un bon congé ?

— Tout à fait, Linda, merci. Je ne sais pas qui a le plus apprécié Disneyland, de Luke ou de moi ! Des problèmes ?

— Pas que je sache. Les documents relatifs au rachat de Bennett sont arrivés vendredi, si bien qu'à partir du 1er janvier, vous dirigerez deux banques !

Ou plus aucune ! songea Nathan.

— Il faut que je parle à Mme Kirkbridge, la directrice de Kirkbridge and Company.

Il répétait ce qu'il allait dire quand Linda le prévint que son interlocutrice était en ligne.

— Bonjour, madame Kirkbridge. Je m'appelle Nathan Cartwright, je suis le directeur général de la banque Russell, de Hartford, Connecticut. Nous avons une proposition qui pourrait intéresser votre compagnie. J'espère que vous pourrez m'accorder quelques minutes.

— Puis-je vous rappeler, monsieur Cartwright ? répondit-elle avec un accent britannique assez marqué.

— Bien sûr. J'attends votre appel.

Il se demanda combien de temps il lui faudrait pour s'assurer qu'il était bien responsable de la banque Russell. Elle n'avait même pas demandé son numéro de téléphone, ce qui montrait qu'elle était déjà en train de vérifier.

Sept minutes plus tard, elle était au bout du fil.

— Monsieur Cartwright, je pourrais vous voir à 14 h 30, est-ce que cela vous convient ?

— Tout à fait !

Nathan téléphona ensuite à la banque Riggs, de San Francisco, et vit confirmées ses pires craintes. Elle avait reçu l'ordre de transférer l'argent à la Banco Mexico, quelques instants à peine après qu'il eut été déposé. Nathan savait qu'ensuite, il avait disparu. Appeler la police serait inutile, à moins bien sûr de vouloir apprendre la nouvelle à toute la communauté bancaire. Sans doute la fausse Julia y avait-elle pensé aussi.

Il s'occupa des affaires laissées en plan pendant son absence avant de prendre le train pour New York, et gagna sans perdre de temps les bureaux de Kirkbridge, sur la 97e Rue. À peine s'était-il assis dans la salle de réception qu'une porte s'ouvrit, et une femme très élégante fit son apparition.

— Monsieur Cartwright? Je suis Julia Kirkbridge. Voudriez-vous me suivre dans mon bureau?

C'était bien la première fois, à New York, qu'un haut responsable venait le chercher personnellement plutôt que de lui envoyer sa secrétaire.

— Votre appel m'a intriguée, dit-elle en lui faisant signe de s'asseoir. Il est rare qu'un banquier du Connecticut vienne me rendre visite !

Nathan sortit des papiers de son attaché-case, en tentant de jauger la femme assise en face de lui. Mince, la trentaine, très élégante, mais possédant des yeux bruns et des cheveux noirs, sans aucun rapport avec la fausse Julia.

— En fait, c'est très simple. Le conseil municipal de Hartford a mis en vente un terrain sur lequel il accepte que soit construit un centre commercial. Notre banque l'a acheté à des fins d'investissement et recherche un partenaire. Nous avons pensé que cela pourrait vous intéresser.

— Pourquoi nous ?

— Parce que vous faites partie des sociétés qui ont enchéri pour le centre Robinson – qui, soit dit en passant, s'est révélé être un grand succès commercial ; nous avons donc pensé que vous pourriez vouloir prendre part à ce nouveau projet.

— Je suis un peu surprise que vous n'ayez pas pensé à nous contacter avant l'achat ; si c'était le cas, vous auriez su que nous considérions les termes du contrat comme un peu trop restrictifs.

Nathan fut pris par surprise et, pour gagner du temps, répondit :

— Oui, je sais.

— Puis-je vous demander à combien vous l'avez acheté ?

— Trois millions six.

— C'est très supérieur à notre estimation, dit Mme Kirkbridge en consultant le dossier placé devant elle.

Nathan s'était toujours considéré comme un bon joueur de poker, mais il n'avait aucun moyen de savoir si son interlocutrice bluffait. Il ne lui restait qu'une carte :

— Je suis navré de vous avoir fait perdre votre temps, dit-il en se levant.

— Peut-être pas ; je suis toujours disposée à écouter votre proposition.

Nathan se rassit, souriant intérieurement :

— Nous cherchons un partenariat à cinquante-cinquante.

— Ce qui veut dire ?

— Vous fournissez un million huit cent mille dollars, notre banque finance le reste du projet et, une fois la dette remboursée, tous les bénéfices seront partagés à égalité.

— Alors, pourquoi ne pas me donner tous les détails, monsieur Cartwright ? Je vous contacterai ensuite. De combien de temps puis-je disposer avant qu'il vous faille prendre une décision ?

— Je dois rencontrer deux autres investisseurs possibles aujourd'hui.

Julia Kirkbridge resta impassible ; pas moyen de savoir si elle le croyait ou non. Elle sourit :

— Il y a une demi-heure, j'ai reçu un appel du secrétaire de mairie de Hartford, un certain M. Cooke.

Nathan se figea.

— Je ne l'ai pas pris, poursuivit-elle, il me paraissait plus prudent de vous voir d'abord. Mais j'ai du mal à croire que c'est le genre d'affaire qu'on vous fait analyser à la Harvard Business School, monsieur Cartwright. Il vaudrait peut-être mieux que vous me disiez pourquoi vous vouliez *réellement* me voir.

35

Annie conduisait son mari à l'hôtel de ville, heureuse de se retrouver seule avec lui pour la première fois de la journée.

— Nous n'avons pas discuté de ce que je ferais si je perdais, lança-t-il.

— J'ai simplement pensé que tu rejoindrais un autre cabinet juridique. Il y en a beaucoup qui sont venus frapper à ta porte, non ? Simpkins & Welland n'ont-ils pas besoin d'un spécialiste de droit criminel ?

— C'est vrai, ils m'ont même offert de devenir associé ! Mais c'est vraiment la politique qui m'attire, à présent. Je crois bien que je suis encore plus mordu que ton père !

— Non, ça, c'est impossible !

Ils trouvèrent à se garer non loin de l'hôtel de ville et se dirigèrent vers le bâtiment, entourés d'une foule cosmopolite venue assister à la proclamation des résultats.

— Monsieur Davenport, demanda un journaliste en lui tendant son micro, vous sentez-vous en confiance ?

— Non, pas vraiment ! Je suis très nerveux !

— Vous pensez avoir battu Mme Hunter ?

— Je serai heureux de répondre à cette question dans une heure ou deux.

— Pensez-vous que l'affrontement ait été honnête ?

— Vous êtes plus apte à répondre que moi sur ce sujet.

Le couple pénétra dans l'édifice, accompagné par quelques applaudissements. Andrew sourit, agita la main, tentant d'avoir l'air sûr de lui. Puis il aperçut son beau-père, qui paraissait pensif.

Tout avait bien changé depuis le débat avec Barbara Hunter ; les chaises avaient cédé la place à des tables disposées en fer à cheval. Au milieu, M. Cooke, qui avait déjà présidé plus de sept élections. Ce serait la dernière : il devait prendre sa retraite à la fin de l'année.

Un des responsables vérifiait les urnes, alignées sur le sol. La veille, lors du briefing des deux candidats, M. Cooke avait expliqué que le décompte ne commencerait pas tant qu'elles n'auraient pas été toutes ramenées des bureaux de vote et dûment authentifiées. Ce qui prenait environ une heure après la clôture du scrutin.

On brisa les scellés et les bulletins furent déversés sur les tables. De chaque côté du fer à cheval, une bonne centaine de personnes se chargeraient du décompte, par groupes composés d'un représentant des Républicains, d'un représentant des Démocrates et d'un observateur neutre. Au cas où l'un d'eux jugerait que quelque chose n'allait pas, il lèverait la main et l'un des officiels arriverait aussitôt. Les bulletins seraient répartis en trois piles : une pour chaque parti, une troisième pour ceux qui posaient problème.

Andrew fit le tour de la pièce, regardant les piles qui croissaient peu à peu, tandis que Jimmy l'imitait, mais en sens inverse.

— Et ensuite ? lui demanda Andrew au bout d'un moment.

— Cooke va additionner tous les bulletins, dire combien de gens ont voté, puis calculer le pourcentage de votants par rapport à l'ensemble de l'électorat.

Andrew jeta un coup d'œil à sa montre : il était tout juste 23 heures, et il apercevait, sur un grand écran, Jimmy Carter discutant avec son frère Billy. On aurait bien dit que les Démocrates allaient reprendre la Maison-Blanche, pour la première fois depuis huit ans. Gagneraient-ils aussi dans le Connecticut ?

Une fois ses calculs achevés, M. Cooke traversa la pièce et, montant sur l'estrade, donna un petit coup sec sur le micro. Le silence se fit.

— Bon sang, s'exclama Harry Gates, ça fait une heure que c'est terminé ! Il pourrait se dépêcher !

— Calme-toi ! répondit Martha. Et surtout, souviens-toi bien que ce n'est plus toi le candidat !

— Le nombre d'électeurs ayant voté pour l'élection au siège de sénateur est de quarante-deux mille quatre cent vingt-neuf, soit une participation de 52,9 %, se borna à dire M. Cooke avant de s'en aller retrouver son équipe au centre du fer à cheval.

Les bulletins, rassemblés en piles de cent, furent ensuite examinés. Il se passa près de trois quarts d'heure avant que le secrétaire de mairie ne remonte sur l'estrade :

— Je dois vous informer que soixante-dix-sept bulletins prêtent à discussion. Je vais donc demander aux deux candidats de se joindre à moi, afin que nous puissions décider s'ils sont valides ou non.

Harry se pencha vers Andrew :

— Ça veut dire que, quel que soit le candidat arrivé en tête, c'est par moins de soixante-dix-sept voix ! Sinon, Cooke ne prendrait pas la peine de solliciter votre opinion, dont il n'a nullement besoin. Il faut que tu choisisses quelqu'un qui se chargera de vérifier les bulletins.

— Pourquoi pas vous ?

— Non. Cela mettrait la puce à l'oreille de Barbara Hunter. Il te faut quelqu'un qui ait l'air inoffensif.

— Jimmy ?

— Bonne idée. Elle ne se méfiera pas de lui.

— Tu crois ça ? s'écria Jimmy en arrivant.

— Il se pourrait que ce soit utile, dit Harry d'un air mystérieux.

— Comment ça ? demanda Andrew.

— C'est Cooke qu'il faut suivre de près, pas Barbara Hunter.

— Mais il ne peut rien tenter alors que tant de gens le regardent.

— Et il ne tentera rien ! J'ai rarement vu quelqu'un d'aussi pointilleux. Mais il a le gros avantage de détester Barbara Hunter.

— Pour quelle raison ? demanda Andrew.

— Parce que, depuis le début de la campagne, elle lui téléphone chaque jour pour lui demander des statistiques sur tous les sujets. Je parie qu'il n'a aucune envie de la voir devenir membre du Sénat.

— Mais vous avez dit vous-même qu'il ne peut rien faire.

— Rien d'illégal, évidemment ! Toutefois, s'il y a désaccord sur un bulletin, on lui demandera d'arbitrer. Donc, à chaque fois qu'il recommandera quelque chose, tu répondras : « Oui, monsieur Cooke », même si ça te paraît sur le moment favoriser Barbara Hunter.

— Je crois que j'ai compris, dit Andrew.

— Pas moi ! soupira Jimmy.

Quand on sonna à la porte, Su Ling ne prit pas la peine d'appeler Nathan, qui était en train de faire la lecture à Luke, et alla ouvrir. Tom se tenait bien droit derrière la porte, un bouquet de tulipes à la main.

— Veux-tu m'épouser ? demanda-t-il.

— Si tu es capable d'aller accueillir les invités et de mettre le couvert tout en t'occupant du repas, j'y penserai !

Elle prit le bouquet et l'embrassa sur la joue :

— Merci, Tom ! Elles auront fière allure sur la table ! Je suis navré pour cette Julia Kirkbridge !

— Ne me parle plus jamais d'elle ! À l'avenir, nous ne dînerons qu'à trois.

— Pas ce soir ! Nathan ne te l'a pas dit ? Il a invité quelqu'un. Je pensais que tu le savais ; d'habitude, c'est moi que l'on prévient toujours à la dernière minute.

— Non, il ne m'en a pas parlé, répondit Tom comme on sonnait de nouveau.

— J'y vais ! s'écria Nathan, qui descendait l'escalier quatre à quatre. C'est bon de te revoir, Tom. Mais promets-moi qu'on ne parlera pas boutique toute la soirée !

— Tu nous raconteras ton voyage à Londres, déclara Su Ling.

— C'était rapide, comme vacances !

— Tu es allé au théâtre ?

— Oui, j'ai vu… commença Tom.

Il fut interrompu par l'arrivée de l'invité-surprise.

263

— Laissez-moi vous présenter ma femme, Su Ling. Chérie, voici Julia Kirkbridge qui, comme tu le sais sans doute, est notre associée dans le projet Cedar Wood.

Su Ling se reprit plus vite que Tom :

— Enchantée, madame !

— Moi de même ! Mais vous pouvez m'appeler Julia !

— Julia, voici Tom Russell, qui attendait avec impatience de vous rencontrer.

— Bonsoir, monsieur Russell. Moi aussi, j'étais très désireuse de vous connaître, après ce que Nathan m'a dit de vous !

Tom lui serra la main, sans rien trouver à répondre.

— Je crois qu'un verre de champagne s'impose, pour fêter la signature du contrat ! dit Nathan.

— Du contrat ? balbutia Tom.

— Quelle bonne idée ! s'écria Julia.

Su Ling disparut dans la cuisine pendant que Nathan ouvrait la bouteille, remplissait les verres et les tendait à ses invités.

— Au projet Cedar Wood ! dit-il en levant le sien.

Après cet apéritif, tous quatre passèrent dans la salle à manger, et Nathan se décida à éclaircir la situation.

— Julia, je pense que mieux vaudrait que j'explique à ma femme et à Tom que vous et moi n'avons plus de secrets.

— Nous en avons d'autant moins que nous avons signé un accord de confidentialité relatif aux détails de la transaction Cedar Wood.

— Madame Kirkbridge… dit Tom, sans toucher à sa bisque de homard.

— Appelez-moi Julia, je vous en prie. Après tout, nous nous connaissons depuis un certain temps.

— C'est à dire… Je…

— Tom, dit Julia, ne me dites pas que vous avez tout oublié ! Il y a quelques semaines, je faisais du jogging quand vous m'avez rencontrée, avant de m'inviter au restaurant, le lendemain soir. C'est là que je vous ai parlé du projet Cedar Wood.

Tom se tourna vers Nathan :

— Tout ça est très habile, mais tu sembles oublier que deux personnes extérieures ont eu affaire à la fausse Mme Kirkbridge : M. Cooke et notre caissier principal.

— J'ai beaucoup réfléchi à ce problème. M. Cooke prend sa retraite dans quelques mois, il n'y aura plus aucune chance qu'il rencontre Julia. D'ailleurs, c'est toi qui avais enchéri, pas elle. Pour ce qui est de Ray, je vais le muter dans notre agence de Newington.

— Et il y a New York !

— Ils ne savent rien, répondit Julia, sinon que j'ai conclu un marché très avantageux. Su Ling, cette bisque de homard est merveilleuse !

— Merci ! répondit-elle en retournant dans la cuisine.

— Tom, pendant que notre hôtesse n'est pas dans la pièce, je voudrais préciser que je préférerais oublier ce qui s'est passé entre nous, le mois dernier.

— Espèce de salopard ! lança Tom en se tournant vers Nathan.

— C'est moi qui ai insisté, le calma Julia. J'ai tenu à ce qu'on me dise tout avant de signer l'accord de confidentialité.

Su Ling revint avec un plat duquel montait un irrésistible fumet d'agneau rôti :

— Je comprends maintenant pourquoi Nathan m'a demandé de servir exactement la même chose que la dernière fois ! Mais j'ai un peu de mal à suivre toute cette histoire. Pourrais-je avoir quelques explications ?

— Que désirez-vous savoir ? demanda Julia.

— J'ai compris que vous êtes la vraie Julia Kirkbridge, actionnaire majoritaire de Kirkbridge and Company. Est-ce à la demande de votre mari que vous alliez faire du jogging, le dimanche, autour des sites à construire ?

Julia éclata de rire :

— Non ! Ce ne serait pas la peine, je suis déjà diplômée d'architecture.

— Mais il vous a bien laissé la société, après son décès, après vous avoir appris tout ce qu'il savait ?

— Non, il est toujours en vie ! Mais j'ai divorcé il y a deux ans, quand j'ai découvert qu'il puisait dans nos bénéfices.

— Pourtant, c'était sa société, non ? demanda Nathan.

— Oui, en effet, et je ne m'en serais pas formalisée outre mesure s'il n'en avait pas fait profiter une autre femme.

— Est-ce que, d'aventure, ce ne serait pas une blonde très élégante originaire du Minnesota ?

— Je vois que vous l'avez rencontrée ! Je suppose également que c'est mon ex-mari qui vous a appelé depuis une banque de San Francisco en affirmant être mon avocat.

— Vous avez une idée de l'endroit où ils se trouvent ? demanda Tom. J'aimerais pouvoir les tuer.

— Aucune, soupira Julia. Mais, si jamais vous le découvrez, prévenez-moi. Vous la tuez pendant que moi, je le tue.

— Crème brûlée ? s'enquit Su Ling.

— Comment la première Mme Kirkbridge a-t-elle répondu à cette question ?

M. Cooke semblait tenir à ce que toutes les personnes présentes puissent voir ce qu'il se passait. Andrew et Jimmy s'en allèrent donc rejoindre Barbara Hunter et son représentant à l'intérieur du fer à cheval.

Cooke s'adressa aux deux candidats :

— Il y a soixante-dix-sept bulletins litigieux. Quarante-trois me paraissent nuls, et je vais d'abord vous les présenter. Pour les trente-quatre autres, je vous exposerai mon sentiment. Dites simplement non si vous n'êtes pas d'accord.

Le sort des quarante-trois premiers bulletins fut réglé en un peu plus de deux minutes.

— Excellent ! s'écria-t-il. Nous allons maintenant examiner les trente-quatre autres. Dans le passé, au cas où les deux camps ne pouvaient s'entendre, la décision finale revenait à une tierce partie.

— S'il y a discussion, dit Andrew, je serai ravi de m'en remettre à vous, monsieur Cooke.

Barbara Hunter chuchota quelques instants avec son assistant avant de concéder qu'elle aussi acceptait.

— Des trente-quatre bulletins en question, reprit Cooke, onze me paraissent pouvoir être considérés comme nuls, dans la mesure où ils émanent des partisans de M. Harry Gates.

Le nom de l'ancien sénateur était en effet écrit à la main sur chacun d'eux. Andrew et Barbara Hunter les examinèrent un par un.

— Ils sont nuls, de toute évidence, dit-elle.

— Toutefois, poursuivit M. Cooke, deux d'entre eux portent une croix en face du nom de M. Davenport.

— Ça ne change rien, répondit la candidate républicaine. Le nom de M. Gates y est écrit, ce qui leur ôte toute validité.

— Comme il y a manifestement désaccord sur ces deux bulletins, dit Andrew, je serai ravi de laisser la décision à M. Cooke.

Celui-ci se tourna vers Barbara Hunter, qui hocha la tête, un peu à contrecœur.

— Celui qui porte la mention « Harry Gates président ! » doit être considéré comme nul. Toutefois, celui qui comporte une croix devant le nom de M. Davenport, accompagnée de la formule « mais je préférerais Harry Gates » me semble, selon la loi électorale, une claire indication des intentions de l'électeur. Par conséquent, je considérerai qu'il s'agit d'un vote en faveur de M. Davenport.

Barbara Hunter parut agacée mais, vu la foule qui les observait, se borna à un faible sourire.

— Maintenant, dit Cooke, nous pouvons en venir aux sept bulletins portant le nom de Mme Hunter.

Il les étala sur la table pour que les deux candidats puissent les voir. Le premier portait « Hunter a gagné », avec une croix devant le nom de la candidate.

— L'électeur a clairement voté pour Mme Hunter, dit Andrew.

— J'en conviens, répondit Cooke.

— Ce garçon est trop honnête ! maugréa Harry Gates. Ça le tuera !

— Ou ça lui portera chance ! répliqua son épouse.

On avait griffonné « Hunter, c'est la dictature ! » sur le bulletin suivant, sans cocher le nom de l'un ou l'autre candidat.

— Il me paraît nul, dit Cooke.

Barbara Hunter acquiesça à contrecœur.

« Hunter est une garce », « Flinguez Hunter ! », « Hunter est folle », « Hunter est nulle » et « Hunter à la papauté ! » furent également déclarés nuls, sans que la candidate ne s'y oppose.

— Nous en arrivons aux seize derniers, déclara Cooke.

Ces derniers bulletins litigieux formaient une pile. Sur le premier d'entre eux, la case placée devant « Hunter » avait été cochée.

— Celui-là est un vote en ma faveur, dit la candidate républicaine.

— Je suis porté à le penser, convint Cooke. Mais j'aimerais que M. Davenport le confirme avant de continuer.

Andrew jeta un coup d'œil à Harry, qui hocha la tête.

— C'est une voix en faveur de Mme Hunter, répondit donc Andrew.

Le bulletin suivant comportait également une croix devant la case « Hunter ».

Sur le troisième, elle était devant « Davenport » ; et de nouveau devant « Hunter » sur le quatrième.

— Trois à un ! lança la candidate d'un ton narquois.

Cooke poursuivit l'examen des suivants, avant d'annoncer :

— L'examen des bulletins litigieux est terminé. Quatorze voix pour M. Davenport, six pour Mme Hunter. Je remercie les candidats de leur rigoureuse objectivité.

Quittant le fer à cheval, Andrew s'en alla retrouver son beau-père :

— Combien de temps va-t-il falloir attendre le résultat ?

— Pour ce qui est des voix, dans quelques minutes. S'agissant de la proclamation officielle, je dirais plusieurs heures.

Cooke entra les chiffres sur sa calculatrice, puis les recopia sur une feuille de papier, que ses quatre assistants signèrent. Il revint ensuite sur l'estrade, pour la troisième fois :

— Les deux camps s'étant entendus sur les bulletins litigieux, je puis maintenant vous informer du résultat de l'élection au Sénat pour le comté de Hartford : M. Andrew Davenport, vingt et un mille deux cent dix-huit voix ; Mme Barbara Hunter, vingt et un mille deux cent onze.

Il y eut dans la salle un vacarme qui l'empêcha d'aller plus loin. Quand le calme revint, il ajouta :

— Nous allons procéder à un nouveau décompte !

Il revint cinquante minutes plus tard :

— Voici les résultats de l'élection au Sénat pour le comté de Hartford, après deuxième décompte : M. Andrew Davenport, vingt et un mille deux cent dix-sept voix ; Mme Barbara Hunter, vingt et un mille deux cent treize.

Il lui fallut attendre un petit moment que le brouhaha s'apaise :

— Mme Hunter a demandé un nouveau décompte !

Il y procéda avec la plus grande minutie, vérifiant chaque pile avec le plus grand soin. Ce n'est que quelques minutes après 1 heure du matin qu'il remonta sur l'estrade et demanda aux deux candidats de le rejoindre.

— Les résultats de l'élection au Sénat pour le comté de Hartford sont les suivants : M. Andrew Davenport, vingt et un mille deux cent seize voix ; Mme Barbara Hunter, vingt et un mille deux cent quatorze.

Les huées se mêlèrent aux acclamations ; il fallut plusieurs minutes avant que le calme ne revienne. La candidate républicaine suggéra que tous ceux qui avaient pris part au dépouillement rentrent chez eux ; un quatrième décompte pourrait avoir lieu le lendemain.

M. Cooke l'écouta poliment, puis revint vers le micro :

— J'ai avec moi le manuel électoral officiel, dit-il en le levant en l'air pour que tous le voient. Il comporte, page quatre-vingt-onze, un passage que je vais vous lire.

Le silence revint dans la salle.

— Lors d'une élection au Sénat, si un candidat l'emporte trois fois de suite lors des décomptes, et si faible que soit sa majorité, il sera déclaré vainqueur. Je déclare donc...

Mais le reste se perdit sous les cris de joie des supporters d'Andrew.

Harry Gates se tourna vers lui et, le secouant par l'épaule, lui dit quelque chose qu'il entendit à peine :

— Sénateur, je veux être le premier à vous féliciter !

IV
LES ACTES

36

Nathan revenait de New York par le train quand il lut un bref article dans le *New York Times*. Il venait d'assister à une réunion du conseil d'administration de Kirkbridge and Company, au cours de laquelle il avait fait savoir que la première phase du projet Cedar Wood – la construction du centre – était achevée. Il faudrait ensuite procéder à la location des soixante-treize boutiques. Nombre de commerçants installés sur le site Robinson avaient déjà témoigné de leur intérêt, et Kirkbridge and Company préparait une brochure destinée aux clients potentiels.

George Turner, le nouveau secrétaire de mairie, avait rendu visite en début d'année à la banque Russell. Ray Jackson était alors directeur de l'agence de Newington.

Il avait fallu sept mois à Tom pour oser inviter Julia – qui avait accepté avec enthousiasme. Il prit très vite l'habitude d'emprunter, tous les vendredis, le train de 16 h 49 pour New York, ne revenant que le lundi matin. Su Ling aurait aimé en apprendre davantage, mais Nathan paraissait bizarrement mal informé.

— Nous en saurons peut-être plus vendredi !

Ce week-end là, en effet, les deux couples devaient dîner ensemble.

Nathan relut l'entrefilet du *New York Times*, qui donnait l'impression que beaucoup de choses restaient dans l'ombre :

« William Alexander, d'Alexander, Dupont & Bell, vient d'annoncer sa démission du cabinet fondé par son grand-père, et dont il était l'associé principal. Il a simplement fait savoir que, depuis un certain temps, il songeait à prendre sa retraite. »

Nathan regarda, par la vitre du compartiment, le paysage défiler sous ses yeux. Ce nom lui disait quelque chose.

— M. Logan Fitzgerald sur la ligne 1, sénateur.

— Merci, Sally. Logan, c'est agréable d'avoir de tes nouvelles ! Que deviens-tu ?

— Ça va très bien, Andrew, et toi ?

— En pleine forme !

— Et la famille ?

— Annie m'aime toujours, sans que je sache pourquoi, car je quitte rarement le Sénat avant 22 heures. Lucy est à l'école primaire. Et toi ?

— Je viens de devenir associé.

— Ça ne m'étonne pas ! Félicitations !

— Merci ! Mais je n'appelais pas pour ça. Est-ce que tu as lu, dans le *New York Times*, l'entrefilet sur la démission de Bill Alexander ?

— Non. Quelle page ?

— Sept, en bas à droite.

Andrew parcourut le texte et dit :

— Ça ne tient pas debout ! Ce cabinet représentait toute sa vie, et il n'a pas atteint la soixantaine, n'est-ce pas ?

— Exact. Cinquante-sept ans. De plus, l'âge de la retraite est de soixante-cinq ans pour les associés !

— Donc, il y a un mystère.

— Il suffit de creuser un peu.

— Et qu'est-ce qu'on trouve ?

— Un trou. Il semble qu'une importante somme d'argent ait disparu du compte d'un client.

— Bill Alexander est incapable de gruger qui que ce soit d'un dollar. J'en mettrais ma main au feu.

— Moi aussi. Tu seras toutefois intéressé d'apprendre ce que le *New York Times* ne dit pas : un autre associé a démissionné le même jour.

— Et qui donc ?

— Ralph Elliot.

— Le même jour?

— En effet.

— Tu sais pourquoi?

— Nul n'en sait rien. La responsable des relations publiques du cabinet a dit qu'il ne pouvait pas faire de commentaires. Et elle s'est bien gardée de rappeler qu'il était le neveu de Bill Alexander.

— Ainsi donc, beaucoup d'argent a disparu du compte d'un client, et Bill Alexander préfère en assumer la responsabilité plutôt que d'embarrasser le cabinet.

— En gros, c'est ça.

Quand il raccrocha, Andrew avait les mains moites.

Tom entra en coup de vent dans le bureau de Nathan:

— Tu as lu l'entrefilet du *New York Times* sur la démission de Bill Alexander?

— Oui, ce nom me dit quelque chose, mais sans plus.

— Il était l'associé principal du cabinet juridique où Ralph Elliot est entré après ses études à Stanford.

— Alors, il va en devenir l'associé principal.

— Non, parce qu'il a démissionné aussi. Joe Stein m'a appelé pour me dire que 500 000 dollars avaient disparu du compte d'un client, et que les membres du cabinet avaient dû couvrir la somme de leurs propres deniers. La rumeur veut qu'Elliot soit à l'origine de tout.

— Mais pourquoi l'associé principal démissionne-t-il, si c'est Elliot qui a fait le coup?

— Parce que Bill Alexander est son oncle et l'a imposé à ses associés.

Nathan sourit:

— La vengeance est un plat qui se mange froid.

— Nous risquons de le voir réapparaître à Hartford.

— Comment ça?

— Il raconte à tout le monde qu'il ramène sa femme chez elle! Rebecca regrette sa famille et ses amis.

— Sa femme?

— Oui. Selon Joe, ils se sont mariés tout récemment à New York. Elle ressemblait déjà à une citrouille.

— Je me demande qui est le père!

— Il a ouvert un compte dans notre filiale de Newington, apparemment sans savoir que tu en es le directeur.

— Il le sait parfaitement. Prenons garde, il pourrait bien y déposer 500 000 dollars !

— Joe dit qu'on n'a pas de preuves, et que Bill Alexander gardera le silence.

— Elliot ne reviendrait pas ici sans avoir trouvé de boulot ; il est trop fier pour ça.

— Sais-tu que Ralph Elliot est de retour en ville ? demanda Jimmy à l'autre bout du fil.

— Non, répondit Andrew. Logan m'a appris ce matin qu'il avait démissionné du cabinet, mais sans plus.

— Il entre chez Belman & Weyland, où il sera chargé des entreprises. En fait, la firme va désormais s'appeler Belman, Wayland & Elliot !

— Et c'est elle qui représente le conseil municipal.

— Et c'est notre plus grande rivale.

— Moi qui pensais ne plus le revoir !

— Tu peux toujours aller t'installer en Alaska ; je crois qu'ils cherchent un sénateur.

— Inutile. Il me suivrait aussitôt !

— Bon, enfin, pas de quoi perdre le sommeil ! Je pense qu'il devinera que nous sommes au courant pour les 500 000 dollars, et qu'il restera discret jusqu'à ce que les rumeurs s'éteignent.

— Lui, rester discret ? Il va arriver en ville les armes à la main, et c'est nous qu'il aura en ligne de mire.

— Et qu'as-tu découvert d'autre ? demanda Nathan.

— Rebecca et lui ont un fils, dont on me dit qu'il va entrer à Taft.

— Pourvu qu'il soit plus jeune que Luke ! Sinon, je le mets à Hotchkiss.

— Qu'il ait rejoint Belman & Wayland a d'autres conséquences. Tu sais que ce sont eux qui supervisent le projet Cedar Wood pour le compte du conseil municipal. Si jamais ils découvrent le pot aux roses…

— Il n'y a aucune raison, tout cela remonte à deux ans, maintenant. Quatre personnes sont au courant : M. Cooke est à la retraite, Ray n'est plus là, ma femme ne semble pas poser de problème... Mais préviens quand même Julia.

— Ne t'inquiète pas, ma femme non plus ne posera pas de problème.

— Pardon ? s'exclama Nathan, incrédule.

— Cela fait dix-huit mois que je demande Julia en mariage. Hier soir, elle a fini par céder. C'est donc ma fiancée que j'amènerai ce soir à dîner. Cette fois-ci, ne préviens pas Su Ling au dernier moment !

— Ça ne me paraît pas très grave ! dit Harry Gates.

— Ralph Elliot est quelqu'un de très dangereux, répondit Andrew. Il faut que nous sachions ce qu'il prépare.

— J'ai simplement reçu un coup de fil de George Turner, pour me prévenir qu'Elliot avait réclamé tous les papiers relatifs aux transactions entre le conseil municipal et la banque. Il a également demandé plus de précisions sur le projet Cedar Wood, en particulier les termes de l'accord que j'avais recommandé au Sénat.

— Le projet Cedar Wood ? Pourquoi diable ? C'est un énorme succès.

— Il a également demandé des copies de tous mes discours. Personne n'a jamais réclamé ça, c'est très flatteur !

— Mais ça cache quelque chose. Quels étaient les objectifs de votre amendement ?

— J'ai tenu à ce que tout acheteur de terrains appartenant à la ville et valant plus d'un million de dollars ne puisse se dissimuler derrière une banque ou un cabinet juridique, de façon à ce que nous sachions à qui nous avions affaire. De surcroît, lors de la signature du contrat, l'intégralité de la somme convenue doit être versée. Tout le monde a trouvé que c'était une bonne idée, et plusieurs États ont suivi cet exemple. Elliot doit simplement vouloir s'informer.

— On voit bien que vous n'avez jamais eu affaire à lui ! Il a toujours choisi ses ennemis avec soin, il doit savoir que mieux vaut ne pas s'en prendre à vous. Mais il prépare quelque chose, j'en suis sûr.

— Au fait, tu es au courant, pour Jimmy et Joanna ?

— Non.

— Alors, Jimmy t'en parlera lui-même en temps voulu.

— Félicitations, Tom ! dit Su Ling en venant ouvrir. Je suis si heureuse pour vous deux !

— C'est gentil, répondit Julia, tandis que Tom offrait à leur hôtesse un grand bouquet de fleurs.

— Quand allez-vous vous marier ?

— En août, dit Tom. Mais nous n'avons pas encore fixé de date, de peur que vous ne repartiez avec Luke pour Disneyland, ou que Nathan ne soit convoqué pour sa période annuelle.

— Non. Luke ne parle plus que de Rome, de Venise, et même d'Arles ! Et Nathan ne devra se rendre à Fort Benning qu'en octobre.

— Pourquoi Arles ? demanda Tom.

— Parce que c'est là que Van Gogh a passé ses dernières années ! intervint Julia tandis que Nathan arrivait.

Les deux femmes montèrent à l'étage pour aller voir le petit garçon.

— Tu as prévenu Julia de ce que prépare Ralph Elliot ? demanda Nathan.

— Oui, et elle ne pense pas qu'il y ait de quoi s'inquiéter. Elliot n'a aucune raison de savoir qu'il y a eu deux Julia Kirkbridge. La première n'est restée ici que quelques jours, et on ne l'a pas revue depuis, tandis que la seconde est là depuis bientôt deux ans, et tout le monde la connaît.

— Mais le chèque ne porte pas sa véritable signature.

— Ça pose problème ?

— Quand la banque a versé les trois millions six cent mille dollars, le conseil a demandé que le chèque leur soit renvoyé.

— Alors il doit être dans un dossier, quelque part. Et même si Elliot le trouve, pourquoi se méfierait-il ?

— Parce qu'il réfléchit en criminel. Ni toi ni moi ne pensons comme lui. Bon, oublions ça pour ce soir. Avant que Julia et Su Ling ne redescendent, j'aimerais te demander s'il va me falloir chercher un nouveau président, ou bien si Julia a accepté de s'installer à Hartford et de laver la vaisselle ?

— Ni l'un ni l'autre ! Elle a décidé d'accepter l'offre de rachat de Donald Trump, qui louchait sur sa société depuis un bon bout de temps.

— Elle en a obtenu un bon prix ?

— Quinze millions de dollars en liquide, quinze millions en actions de chez Trump.

— Pas mal ! De toute évidence, il croit au potentiel du projet Cedar Wood. Elle compte ouvrir une société immobilière à Hartford ?

— Elle te dira elle-même ce qu'elle compte faire.

— Pourquoi ne pas l'inviter à faire partie du conseil d'administration ? dit Nathan. Elle s'occuperait du secteur immobilier.

— Elle y avait déjà pensé.

— Lui aurais-tu proposé en même temps que tu lui demandais de t'épouser ?

— Oui, et elle avait repoussé mes deux offres ! Mais, maintenant que je l'ai convaincue de devenir ma femme, je laisse tomber son entrée au conseil d'administration : j'ai le sentiment qu'elle a d'autres projets.

37

Andrew était en train d'écouter un discours sur les allocations au logement, au Sénat, en attendant de prendre la parole à son tour, quand un huissier entra et passa un bout de papier au président de la séance, qui le lut et se leva aussitôt :

— Je vous prierai de m'excuser si j'interromps les débats, mais un homme armé retient en otage un groupe d'enfants à l'école primaire de Hartford. Je suppose que le sénateur Davenport va vouloir se rendre sur les lieux et, vu les circonstances, je propose d'ajourner la séance pour la journée.

Andrew s'était levé aussitôt pour quitter la salle. Il courut jusqu'à son bureau, tout en s'efforçant de rassembler ses pensées. L'école était en plein milieu de sa circonscription, Annie faisait partie du comité scolaire, Lucy y était inscrite. Sa propre fille était peut-être parmi les otages !

— Annulez tous mes rendez-vous de la journée, dit-il à sa secrétaire, appelez ma femme et dites-lui de me rejoindre à l'école ! Et surtout, restez près du téléphone !

S'emparant de ses clés de voiture, il se joignit à la foule qui sortait du bâtiment en toute hâte. Comme il émergeait du parking, il vit un véhicule de police passer devant lui à vive allure et le suivit ; il se dirigeait également vers l'école, tous phares allumés, en faisant hurler sa sirène. Sept minutes plus tard, les deux voitures s'arrêtèrent, dans de grands crissements de freins, devant un barrage policier.

— Où est le chef de la police ? s'exclama Andrew, descendu en toute hâte.

— Il s'est installé dans le bureau du principal, sénateur. Quelqu'un va vous y emmener.

— Pas la peine ! Je sais où c'est !

Il courut, sans même se rendre compte que le bâtiment était entouré de membres de la garde nationale,
fusils pointés dans la même direction.

— Qui est-ce ? demanda le chef de la police, voyant
une silhouette traverser la cour à toute allure.

— Le sénateur Davenport, répondit Alan Shepherd,
le principal.

— Il arrive à point !

Andrew entra dans la pièce presque aussitôt :

— Bonjour, sénateur.

— Bonjour, chef !

Il connaissait et admirait Culver, un homme bedon-
nant et gros fumeur, mais qui savait accompagner ses
hommes sur le terrain quand c'était nécessaire.

Saluant Alan Shepherd, Andrew demanda :

— Qu'est-ce qui se passe exactement ?

— On dirait bien que le gars est arrivé quelques
minutes avant que les cours commencent, répondit le
policier.

Il désigna du doigt, sur le plan improvisé scotché au
mur, un rectangle portant la mention « Salle de
Mlle Hudson ».

— Apparemment, il a choisi cette salle au hasard,
simplement parce que c'était la première à sa portée.

— Combien d'enfants compte-t-elle ? demanda
Andrew au principal.

— Trente et un. Lucy n'est pas du nombre.

Par décence, Andrew essaya de cacher son soulagement.

— Et qu'est-ce qu'on sait du gars ?

— Pas grand-chose pour l'instant, répondit le chef de
la police, mais les infos arrivent. Il s'appelle Billy Bates.
Il paraît que sa femme l'a quitté il y a un mois, après
qu'il a perdu son boulot de veilleur de nuit chez Pearl ;
apparemment, on l'avait surpris alors qu'il était ivre.
Selon nos archives, il a plus d'une fois passé la nuit en
cellule.

— Bonjour, madame Davenport ! dit le principal en se levant.

Faisant volte-face, Andrew aperçut son épouse et lança aussitôt :

— Lucy n'était pas en cours avec Mlle Hudson !

— Je sais ! Elle était avec moi ! Quand j'ai reçu ton message, je l'ai laissée à ma mère et je suis venue ici.

— Vous connaissez bien Mlle Hudson ? demanda Culver.

— Tout le monde connaît Mary, c'est une institution ! s'exclama Annie. Je crois que c'est la plus ancienne des enseignantes.

— Pourriez-vous me la décrire ? demanda le chef de la police au principal.

— La cinquantaine, célibataire, très calme, très consciencieuse et très respectée.

— Et très aimée ! ajouta Annie.

— Comment réagirait-elle sous la pression ?

— On ne peut jamais dire, répondit Alan Shepherd, mais je suis certain qu'elle n'hésiterait pas à donner sa vie pour ces enfants.

— C'est bien ce que je craignais, dit Culver. Mon boulot est de veiller à ce qu'elle n'y soit pas contrainte. J'ai une centaine d'hommes qui encerclent les lieux, et un tireur d'élite sur le toit du bâtiment voisin. Il a dit que, de temps à autre, il apercevait Bates.

— Vous avez tenté de négocier ? demanda Andrew.

— Oui, bien sûr, il y a un téléphone dans la salle, et nous appelons toutes les cinq minutes, mais il refuse de répondre. Même chose quand nous lançons des messages par haut-parleur.

C'est à ce moment que le téléphone du principal sonna. Décrochant, le chef de la police aboya :

— Qui est-ce ?

— La secrétaire du sénateur Davenport. J'espérais que...

— Oui, Sally, dit Andrew en prenant le combiné. Que se passe-t-il ?

— La télévision déclare que l'homme s'appelle Billy Bates. Ce nom m'a paru familier et, en fouillant dans nos archives, je me suis rendu compte que nous avions un dossier sur lui : il est venu vous voir deux fois.

— Est-ce que mes notes contiennent quelque chose d'utile?

— Il était venu vous parler du contrôle des armes à feu : restrictions sur les achats, présentation de documents d'identité, interdiction de la vente aux mineurs...

— Ah! oui. Je me souviens de lui, maintenant! Un homme intelligent, plein d'idées... Bien joué, Sally!

— Il ne vous a pas paru un peu dérangé? demanda Culver.

— Loin de là! C'était quelqu'un de réservé, assez timide, qui se plaignait surtout que personne ne l'écoute jamais. Mais le départ de sa femme, qui a emmené leurs enfants, l'a sans doute perturbé. C'est un homme comme j'en vois souvent : un solitaire qui cherche à attirer l'attention.

— Il a réussi, cette fois! lança le chef de la police.

— C'est sans doute la raison pour laquelle il a eu recours à des moyens aussi désespérés. Pourquoi ne pas me laisser aller le voir?

Culver ôta le cigare éteint qu'il avait à la bouche – signe infaillible qu'il était en train de réfléchir.

— D'accord, mais je veux simplement que vous lui disiez de décrocher le téléphone ; ensuite, je mènerai les négociations, c'est mon métier.

Andrew acquiesça de la tête. Le policier se tourna vers son adjoint :

— Dale, dis-leur que le sénateur et moi allons sortir. Allons-y! ajouta-t-il en s'emparant d'un mégaphone.

Comme ils s'avançaient dans le couloir, le chef de la police dit d'un ton ferme :

— Allez devant la salle, mais restez dehors, et souvenez-vous : j'ai simplement besoin qu'il décroche le téléphone.

Ils sortirent ; Andrew fit quelques pas et lança dans le mégaphone :

— Billy, ici le sénateur Davenport! Vous êtes venu me voir une ou deux fois. Nous voulons vous parler.

Pourriez-vous simplement décrocher le téléphone placé sur le bureau de Mlle Hudson?

— Répétez cela jusqu'à ce qu'il se décide! s'écria Culver.

Un jeune policier survint en courant:

— Chef, il a décroché, mais il ne veut parler qu'au sénateur.

— C'est moi qui décide! aboya le chef de la police, qui repartit en toute hâte vers le bureau du principal.

— Ici Culver. Écoutez, Bates, si vous croyez que...

La communication fut coupée aussitôt.

— Il m'a raccroché au nez! s'exclama le policier comme Andrew venait les rejoindre. Il va falloir recommencer!

— Il a dit qu'il ne voulait parler qu'à moi. Laissez-moi accéder à sa demande.

De nouveau, Culver ôta le cigare qu'il avait aux lèvres.

— O.K. Mais dès que vous avez réussi à le calmer, vous me le passez.

Ils repartirent dans la cour, et Andrew, de nouveau, leva le mégaphone:

— Billy, pourriez-vous décrocher? Cette fois, c'est moi que vous aurez au bout du fil!

Quand les deux hommes revinrent dans le bureau du principal, Bates était déjà en ligne. Sa voix était diffusée dans la pièce à l'aide d'un haut-parleur.

— Billy, c'est moi, Andrew Davenport.

— Sénateur, pourriez-vous demander au chef de la police de retirer ses hommes armés. Sinon, il aura des morts sur la conscience.

Culver hocha la tête en silence.

— C'est d'accord, dit Andrew.

— Rappelez-moi quand ils seront partis.

— Tout le monde se retire, cria le policier, sauf le tireur d'élite installé sur la tour nord. Jamais Bates ne le remarquera.

La secrétaire de Nathan entra dans son bureau sans frapper. Ce devait être urgent: jamais Linda n'avait interrompu une réunion du conseil d'administration. Elle paraissait terrifiée.

— Un homme est entré à l'école primaire de Hartford et il a pris la classe de Mlle Hudson en otage.

Nathan se figea :

— Est-ce que Luke...

— Oui. Le vendredi, il a toujours cours avec elle.

Se levant d'un bond, il se dirigea vers la porte. Personne ne dit mot.

— Mme Cartwright est déjà en route, ajouta Linda. Elle vous retrouvera là-bas.

— Restez près du téléphone ! lança-t-il avant de se diriger vers le parking souterrain, d'où il démarra en trombe.

Billy Bates décrocha le téléphone.

— C'est vous, sénateur ? demanda-t-il.

— Oui, Billy.

— Dites au chef de la police de permettre aux journalistes et aux équipes de télévision d'entrer. Je me sentirai plus en sécurité, comme ça !

— Pas question ! s'exclama Culver.

— Monsieur Davenport, dites aux policiers que, s'ils refusent, il leur faudra expliquer à la presse qu'un enfant est mort parce qu'ils ont refusé de les laisser accéder aux lieux !

— Laissez entrer les journalistes ! hurla le chef de la police à l'un de ses adjoints.

— Merci, monsieur Davenport, dit Bates.

— Qu'est-ce que voulez ? aboya Culver.

— De vous, rien ! Je ne veux traiter qu'avec le sénateur ! Monsieur Davenport, il faut que vous veniez me voir, c'est ma seule chance de me faire entendre !

— Je ne peux pas vous laisser faire ! lança le policier.

— Laissez le sénateur décider par lui-même, et rappelez-moi !

La communication fut coupée.

— Je suis prêt à y aller, dit Andrew. Je ne crois pas que nous ayons le choix.

285

— Je ne peux pas vous en empêcher, répondit Culver, mais je ne suis pas sûr que votre épouse y soit très favorable.

— Je ne veux pas ! s'exclama Annie. Tu en as déjà assez fait !

— Que dirais-tu si Lucy était parmi les enfants pris au piège ?

Il prit le téléphone et appela Bates :

— C'est d'accord, j'arrive.

— Écoutez-moi bien, dit le chef de la police. Je peux vous couvrir tant que vous êtes dans la cour, mais vous serez seul une fois entré dans la classe. Je téléphonerai toutes les cinq minutes pour vous dire ce qu'il se passe de notre côté. Chaque fois que je pose une question, répondez simplement par oui ou par non. Ne lui donnez pas d'indices lui permettant de savoir ce que j'essaie d'apprendre.

Comme ils arrivaient à la porte, Culver ôta son cigare de sa bouche :

— Donnez-moi votre veste. Il ne faut pas que Bates croie que vous dissimulez une arme. Je n'ai pas voté pour vous la dernière fois, sénateur, mais je crois bien que j'ai eu tort.

Andrew sortit dans la cour et s'avança lentement sur le chemin menant au bâtiment abritant la classe de Mlle Hudson. Il n'apercevait plus d'hommes en armes, mais sentait qu'ils ne devaient pas être loin. Il avait une centaine de mètres à faire ; pourtant il eut l'impression de marcher sur une corde raide, longue d'un bon kilomètre.

Une fois qu'il eut traversé la cour, il monta lentement les quatre marches menant à l'entrée, puis pénétra dans un couloir très sombre et attendit quelques instants que ses yeux se fassent à la pénombre. Avançant sans hâte, il atteignit une porte sur laquelle on lisait « Mlle Hudson » écrit en dix couleurs différentes. Il frappa doucement ; elle s'entrouvrit aussitôt. Dès qu'il eut pénétré dans la classe, la porte se referma brusquement derrière lui. Il entendit d'abord des sanglots étouffés, puis distingua les enfants, blottis par terre dans un coin de la salle.

— Asseyez-vous ici, dit Bates, qui paraissait aussi nerveux que lui.

Andrew s'assit tant bien que mal au premier rang, derrière un pupitre fait pour un gamin de neuf ans. Échevelé, vêtu d'un jean sale et déchiré, Bates devait avoir la quarantaine. Andrew le vit traverser la salle et se placer derrière Mlle Hudson, qui était restée assise derrière son bureau.

— Qu'est-ce qui se passe ? Qu'est-ce qu'ils veulent ?

— Le chef de la police veut avoir régulièrement de mes nouvelles, dit Andrew, d'une voix aussi calme qu'il put. Il téléphonera toutes les cinq minutes. Il s'inquiète pour les enfants. Vous avez réussi à convaincre tout le monde que vous étiez un tueur.

— C'est faux et vous le savez.

— Moi, oui ; mais les policiers le croiraient plus facilement si vous libériez les petits.

— Si je fais ça, je n'aurai plus de quoi marchander.

— Je serai là, Billy. Tuez un enfant et les gens s'en souviendront toute leur vie. Tuez un sénateur, ils auront oublié dès demain.

— Quoi que je fasse, je suis un homme mort.

— Non, si nous faisons face ensemble aux caméras.

— Pour leur dire quoi ?

— Que vous êtes venu me voir deux fois, pour m'exposer des idées très judicieuses sur le contrôle des armes, mais que personne n'y a pris garde. Et ils écouteront, car vous aurez l'occasion de discuter avec Sandra Mitchell lors du journal télévisé.

— Elle est là ?

— Oui, et elle cherche désespérément à vous interviewer.

— Elle s'intéresse à moi à ce point ?

— Elle n'aurait pas fait tout ce chemin, sinon.

— Vous resterez avec moi ?

— En effet, Billy. Vous savez quelle est ma position sur le contrôle des armes. Quand nous nous étions vus, vous m'aviez dit que vous aviez lu tous mes discours là-dessus.

— Et ça a servi à quoi ?

Bates s'avança lentement vers Andrew, son arme pointée droit vers lui.

— La vérité est que vous répétez ce que le chef de la police vous a enjoint de dire.

Andrew agrippa les rebords du bureau, sans jamais quitter Billy des yeux. S'il devait risquer quelque chose, il faudrait l'attirer aussi près que possible.

Le téléphone se mit à sonner alors que Bates était à moins d'un mètre. Il tourna la tête, ce qui permit à Andrew de projeter en l'air le couvercle du pupitre, qui heurta la main droite du preneur d'otages ; il perdit un instant l'équilibre et laissa tomber son arme, qui glissa sur le sol pour s'arrêter tout près de Mlle Hudson. Elle se leva, s'en empara et la pointa vers Bates, tandis que les enfants se mettaient à hurler.

L'homme s'avança lentement vers elle :

— Vous n'allez pas me tirer dessus, n'est-ce pas, Mlle Hudson ?

À chaque pas qu'il faisait, l'institutrice tremblait de plus en plus violemment. Il était à moins de cinquante centimètres quand, fermant les yeux, elle appuya sur la détente. Il n'y eut qu'un cliquetis. Billy sourit :

— Il n'est pas chargé ! Je n'ai jamais voulu tuer qui que ce soit. Je voulais simplement qu'on m'entende.

Se levant en toute hâte de derrière le pupitre, Andrew courut jusqu'à la porte et l'ouvrit toute grande. « Dehors, dehors ! » hurla-t-il avec un grand geste à l'adresse des enfants terrifiés. Une fillette assez grande, avec des couettes, fut la première à se précipiter dans le couloir, puis les autres la suivirent en quelques instants. Seul, un petit garçon, se levant, prit Mlle Hudson par la main et quitta la pièce avec elle, sans jamais regarder Billy. Avant de sortir, il se tourna vers Andrew et dit simplement :

— Merci, sénateur !

Il y eut des acclamations quand la fillette aux couettes sortit dans la cour ; aveuglée par les projecteurs, elle s'arrêta, incapable d'aller plus loin. Sa mère courut vers elle et la prit dans ses bras. Deux petits garçons la suivirent. Parmi la foule, Nathan serra Su Ling contre lui, cherchant désespérément Luke des yeux. Un nouveau groupe d'enfants fit son apparition, mais leur fils n'était pas du nombre.

— Il y en a encore un ! s'exclama un journaliste à côté d'elle. Il est avec Mlle Hudson !

Les yeux de Su Ling ne quittèrent pas la porte pendant ce qui lui parut une éternité.

Il y eut des cris de joie quand Mlle Hudson apparut, tenant fermement la main de Luke.

— Je ne sais vraiment pas ce que vous avez, vous autres, les Cartwright ! lança Su Ling à son époux. Il faut toujours que vous jouiez aux héros !

Andrew resta à l'entrée jusqu'à ce que Mlle Hudson ait disparu. Il referma la porte et se dirigea vers le bureau pour répondre au téléphone, qui sonnait toujours.

— C'est vous, sénateur ? demanda Culver.

— Oui.

— Tout va bien ? Nous avons entendu des bruits...

— Non, ça va. Tous les enfants sont en sécurité ?

— Oui, tous.

— Y compris le dernier ?

— Oui, il est avec ses parents.

— Et Mlle Hudson ?

— Elle parle avec Sandra Mitchell, de *Eyewitness News*, et lui explique que vous êtes un héros.

— Elle exagère beaucoup.

— Qu'est-ce que vous faites avec Bates ?

— Donnez-moi encore quelques minutes. Pour l'instant, j'ai seulement proposé à Bates de discuter avec Sandra Mitchell.

— Et l'arme ?

— C'est moi qui l'ai. Elle n'était même pas chargée ! Puis il raccrocha.

— Ils vont me tuer, n'est-ce pas, sénateur ?

— Personne ne vous tuera, Billy, du moins tant que je serai avec vous.

— J'ai votre parole?

— Oui, Billy. Sortons de là ensemble.

Les deux hommes traversèrent le couloir sans échanger un mot. Quand ils arrivèrent devant la porte donnant sur la cour, Andrew l'ouvrit prudemment, et s'avança sous la lumière aveuglante des projecteurs, tandis que montaient de nouvelles acclamations.

— Tout ira bien, Billy, dit-il en se tournant vers Bates, qui hésita un instant puis vint le rejoindre.

Tous deux s'engagèrent sur le chemin. Andrew vit que Bates souriait.

— Tout ira bien! répéta-t-il.

C'est à cet instant précis qu'une balle vint frapper Billy en pleine poitrine. Andrew se jeta à genoux et se pencha vers lui : il était mort sur le coup.

— Non, non, non! hurla Andrew. J'avais donné ma parole!

38

— Quelqu'un achète nos actions, dit Nathan.

— Je l'espère bien! répondit Tom.

— Monsieur le président, insista Nathan, je voulais dire que quelqu'un fait preuve de la plus grande agressivité en achetant nos actions.

— Dans quel but? demanda Julia.

— Sans doute pour prendre le contrôle de la banque.

Les membres du conseil d'administration se mirent à parler tous en même temps, si bien que Tom dut frapper du poing sur la table :

— Écoutons Nathan!

— Depuis plusieurs années, notre politique consiste à racheter des banques en difficulté et à les ajouter à notre portefeuille ; dans l'ensemble, cette politique s'est révélée productive. Vous savez tous que mon intention, à long terme, est de faire de Russell la plus grosse banque de tout l'État. Mais je n'avais pas prévu que notre succès attirerait un concurrent encore plus gros.

— Tu penses que quelqu'un tente de nous racheter?

— En effet, Julia, et c'est en partie de ta faute! Cedar Wood est un tel succès que nos bénéfices ont presque doublé l'année dernière.

— Si, comme je le pense, Nathan a raison, intervint Tom, la question est : faut-il laisser faire, ou bien nous battre?

— Je ne parle qu'en mon nom, répondit Nathan, mais je n'ai pas encore quarante ans, et je n'ai certainement pas prévu de prendre ma retraite dans quelques mois. Je dis qu'il faut nous battre.

— Je suis d'accord, dit Julia. De toute façon, nos actionnaires seraient choqués de nous voir accepter passivement.

— Je crois qu'il est inutile de voter à ce sujet ! s'exclama Tom. Nathan, comment ça se présente ?

Il ouvrit l'un des trois dossiers posés devant lui.

— En de telles circonstances, la loi est parfaitement claire. Lorsqu'une société ou un individu détient 6 % des parts d'une autre compagnie et a l'intention de prendre le contrôle du reste des actions, elle ou il doit déclarer sa position à la SEC, le gendarme de la Bourse, à Washington aussi bien que dans l'État, dans un délai de vingt-huit jours ; et annoncer quel prix elle ou il compte proposer.

— Si quelqu'un essaie de nous racheter, dit Tom, ils n'attendront pas : une fois les 6 % atteints, ils feront une enchère le même jour.

— Mais, d'ici là, rien ne nous empêche de racheter nos propres actions. Ce n'est pourtant pas vraiment le moment, leur cours est un peu élevé ces temps-ci.

— Mais est-ce que ça ne va pas faire comprendre à nos adversaires que nous savons à quoi ils jouent ? demanda Julia.

— C'est bien possible, et c'est pourquoi nous devrons enjoindre à nos courtiers d'acheter modérément, pour voir s'il y a véritablement un gros acheteur sur le marché.

— Quelle part détenons-nous ?

— Tom et moi, 10 % chacun ; et toi, un peu plus de 3 %.

— Combien d'argent liquide ai-je en dépôt ?

— Un peu plus de huit millions de dollars, sans parler de tes actions Trump, que tu liquides chaque fois que la demande est forte.

— Alors, j'ai de quoi faire racheter des actions !

— Surtout si tu traites avec Joe Stein, à New York, dit Tom. Tu pourrais aussi lui demander d'identifier celui ou ceux qui achètent massivement.

— Ensuite, poursuivit Nathan, il nous faut choisir le meilleur avocat possible, spécialiste des prises de contrôle. J'en ai parlé à Jimmy Gates, qui nous a représenté dans des circonstances similaires. Mais il pense que, cette fois, c'est un peu trop gros pour lui, et il m'a recommandé un type de New York appelé Logan Fitzgerald. J'irai le voir avant le week-end.

— C'est bien, dit Tom. Qu'est-ce qu'on peut faire en attendant ?

— Garder les yeux et les oreilles ouverts. Je veux savoir à qui nous avons affaire.

— Je suis navré de l'apprendre, dit Andrew.

— Ça devait arriver, répondit Jimmy. Ça allait mal depuis un certain temps ; alors, quand l'université de Californie a proposé à Joanna de diriger leur département d'Histoire, ça n'a fait qu'accélérer un peu les choses.

— Comment les enfants prennent-ils ça ?

— Elizabeth, à peu près bien ; Harry Junior est à Hotchkiss, il semble pouvoir gérer la situation. En fait, il est ravi à l'idée de passer ses vacances en Californie.

— Je suis vraiment navré.

— C'est la norme, aujourd'hui, soupira Jimmy. Annie et toi êtes des exceptions ! Le principal de Hotchkiss m'a dit que près de 30 % des élèves ont des parents divorcés. L'avantage de cette situation, c'est que si les enfants sont en Californie pendant l'été, j'aurai plus de temps à consacrer à ta campagne de réélection. Qui sera ton adversaire ?

— Je n'en sais rien. Il se dit que Barbara Hunter veut se présenter de nouveau, mais que les Républicains n'en ont guère envie et cherchent quelqu'un d'autre.

— Une rumeur veut que Ralph Elliot ait l'intention d'être candidat. Mais, franchement, après l'affaire Billy Bates, je ne crois pas que l'archange Gabriel lui-même ait des chances de te vaincre.

— Sa mort me hante encore, soupira Andrew. Il serait toujours vivant si j'avais été plus ferme avec Culver.

— Ce n'est pas l'opinion du grand public : ta réélection l'a prouvé. Les électeurs se sont simplement souvenus que tu avais risqué ta vie pour sauver trente et un enfants et leur professeur. Papa dit que si tu t'étais présenté à la présidence cette semaine-là, tu serais à la Maison-Blanche à l'heure qu'il est.

— Comment va-t-il? Ça fait bien longtemps que je ne suis pas passé le voir.

— Il va bien ; il se berce de l'illusion que c'est toujours lui qui tire les ficelles et prépare ton avenir.

— En quelle année a-t-il prévu que je devienne président des États-Unis?

— Il faudrait d'abord savoir si tu veux faire campagne pour devenir gouverneur. D'ici là, tu auras accompli quatre mandats de sénateur, et Jim Leswain **aura** à peu près terminé le sien.

— Je n'ai peut-être pas envie de devenir gouverneur...

— ... et le pape n'est peut-être pas catholique !

— Bonjour, dit Logan à l'adresse des membres du conseil d'administration. J'ai la réponse à votre question : c'est la banque Fairchild.

— Évidemment ! s'exclama Nathan. J'aurais dû m'en douter ! C'est la plus grande banque de l'État ! Soixante et onze agences, et pas de rivaux sérieux.

— Quelqu'un de chez eux considère manifestement que nous sommes des adversaires à la hauteur, intervint Tom.

— Et ils ont donc décidé de vous éliminer avant que vous puissiez faire de même, dit Logan.

— On ne peut pas leur en vouloir, soupira Nathan. C'est très exactement ce que je ferais si j'étais à leur place.

— Je peux aussi vous dire que l'idée ne vient pas de chez eux, poursuivit Logan. La note officielle à la SEC était signée au nom de Fairchild par Belman, Wayland & Elliot. Et devinez qui avait signé, parmi les trois associés?

— Ce qui veut dire qu'une sacrée bagarre nous attend ! lança Tom.

— À mon avis, la première chose à faire, c'est de contre-attaquer, dit Logan. Combien d'actions avez-vous pu racheter ces jours-ci, Tom?

— Moins de 1 % ; quelqu'un ne cesse de faire monter les prix. Hier soir, quand j'en ai parlé à mon courtier, il m'a dit qu'à la fermeture, l'action était montée à cinq dollars et vingt cents.

— C'est très au-dessus de sa valeur réelle, dit Nathan, mais il nous est désormais impossible de faire machine arrière. J'ai demandé à Logan de se joindre à nous, ce matin, pour qu'il puisse nous dire quelles sont nos chances de survie, et nous expliquer ce qui va arriver au cours des semaines qui viennent.

— Pour éviter d'être rachetée, expliqua Logan, la banque Russell doit avoir le contrôle de 50,1 % de ses propres actions. Pour le moment, vous n'en détenez que 24 %, et Fairchild 6 %. Ça semble rassurant ; mais comme Fairchild les rachète à cinq dollars et dix cents, il est de mon devoir de vous signaler que, si vous vendiez les vôtres, cela vous rapporterait dans les vingt millions de dollars.

— Nous avons déjà pris notre décision à ce sujet, répondit Tom.

— Alors, il ne vous reste que deux possibilités. Vous pouvez proposer un prix de rachat supérieur à celui de la banque Russell, ou bien contacter vos actionnaires, et leur demander de vous promettre leurs actions.

— On contacte les actionnaires, dit Nathan d'un ton ferme.

— Je m'en doutais. J'en ai étudié la liste avec soin. Ils sont vingt-sept mille quatre cent douze en tout. Parmi eux, quelques-uns ont jusqu'à mille actions, mais la grande majorité n'en possèdent que quelques-unes. Sachez aussi que 5 % de vos actions sont aux mains de trois personnes : deux veuves installées en Californie, qui possèdent 2 % chacune, et le sénateur Harry Gates, qui détient 1 %.

— Comment est-ce possible ? s'exclama Tom. Il a vécu toute sa vie de son salaire de sénateur.

— Apparemment, c'est grâce à son grand-père, qui était l'ami du fondateur de la banque – lequel, en 1892, lui a vendu cent actions à cent dollars pièce. Depuis, elles ne sont pas sorties de la famille.

— Combien valent-elles à présent ? demanda Tom.

— Avec les dividendes, pas loin de 500 000 dollars, dit Nathan après avoir manipulé sa calculatrice.

— Son fils, Jimmy Gates, est un vieil ami, reprit Logan. C'est même à lui que je dois le poste que j'occupe ! Je peux vous garantir que, dès qu'il saura que Ralph Elliot est derrière tout ça, les actions de la famille Gates nous seront immédiatement promises. Si vous pouvez de surcroît vous assurer celles des deux vieilles dames de Floride, vous contrôlerez près de 30 % du capital. Mais il vous faudra encore 20,1 % de plus pour être tranquilles.

— D'après mon expérience, objecta Nathan, il y a toujours des actionnaires qui restent en dehors et ne s'engagent auprès de personne. Ils représentent en général 5 % du capital.

— Je sais, répondit Logan, mais je ne serai rassuré que lorsque vous en contrôlerez plus de la moitié.

— Alors, demanda Tom, comment nous emparer de ces 20,1 % supplémentaires ?

— Ça va demander un sacré boulot ! Pour commencer, il va vous falloir envoyer une lettre personnelle à tous vos actionnaires, dit Logan en donnant une copie du document à tous les membres du conseil. J'ai souligné les points forts de la banque, sa longue histoire, son taux de croissance sans précédent. Mais j'ai besoin de votre opinion, car chacune de ces lettres devra être signée personnellement par le président ou le directeur général.

— Mais ça fait plus de vingt-sept mille signatures !

— Il faudra vous partager le travail ! Je ne vous recommanderais pas une tâche aussi herculéenne si je n'étais pas certain que Fairchild va envoyer une circulaire analogue, mais avec une simple signature imprimée. La touche personnelle, voilà ce qui peut faire la différence entre la survie et la disparition.

— Je peux faire quelque chose ? demanda Julia.

— Très certainement, madame Russell ! J'ai rédigé une autre lettre, que vous signerez, et qui sera adressée à toutes nos actionnaires féminines. Pour l'essentiel, elles sont veuves ou divorcées. J'y fais remarquer que vous avez dirigé votre propre société, et que vous êtes membre du conseil d'administration de la banque Russell depuis sept ans.

— Et sinon?

— Je veux que vous alliez voir les deux veuves de Floride.

— Je peux m'y rendre dès le début de la semaine prochaine, répondit Julia après avoir consulté son agenda.

— Ce sera peut-être trop tard. Téléphonez-leur ce matin même, et prenez l'avion dès demain. Vous pouvez être sûre que Ralph Elliot les a déjà contactées.

Julia acquiesça de la tête et, afin de se renseigner sur Mmes Bloom et Hargaten, examina le dossier que lui avait remis Logan.

— Et pour finir, Nathan, reprit ce dernier, il va falloir vous impliquer dans une campagne médiatique très agressive.

— C'est-à-dire?

— L'enfant du pays qui a réussi, le héros du Viêtnam, l'ancien de Harvard revenu chez lui pour se mettre au service de la banque avec son meilleur ami... Ancien champion de cross-country, ça plaira à ceux qui font du jogging. Il faudra également répondre à toutes les demandes d'interview.

— À qui aurai-je affaire? demanda Nathan. Le président de Fairchild?

— Je ne crois pas. Murray Goldblatz est un banquier remarquable, mais ils ne se risqueront jamais à le faire passer à la télévision.

— Pourquoi donc? dit Tom. Il préside Fairchild depuis plus de vingt ans, c'est l'un des financiers les plus respectés de la profession.

— En effet! Mais il a eu une crise cardiaque, voilà deux ans; et il est bègue! Et c'est tout ce que retiendront les téléspectateurs. C'est injuste, mais vous pouvez être sûrs que les autres y ont pensé.

297

— Alors, ce sera Wesley Jackson, mon homologue ? demanda Nathan. J'ai rarement vu quelqu'un d'aussi doué : je lui ai même proposé d'entrer au conseil.

— Ce qui aurait été une autre bonne idée. Mais il est noir.

— Arrêtez, Logan ! s'exclama Nathan, choqué. On est en 1988, quand même !

— Oui, mais plus de 90 % des actionnaires sont blancs ! Soyez certain qu'ils ont pris ça en compte aussi.

— Alors, qui vont-ils mettre en avant, d'après vous ?

— Je suis certain que ce sera Ralph Elliott.

— Alors, les Républicains ont finalement décidé de soutenir Barbara Hunter, dit Andrew.

— Oui, répondit Jimmy, mais uniquement parce que personne d'autre ne voulait se présenter contre toi : tu as neuf points d'avance dans les sondages.

— J'ai entendu dire qu'ils avaient sollicité Ralph Elliot, mais qu'il a répondu qu'il était trop occupé par la prise de contrôle de la banque Russell.

— Un bon prétexte ! Il ne tentera rien tant qu'il ne sera pas sûr d'avoir ses chances. Tu l'as vu à la télé, hier soir ?

— Oui, malheureusement, soupira Andrew. Si je ne le connaissais pas aussi bien, j'aurais pu être sensible à son baratin. J'espère que ton père n'a pas été séduit !

— Non, il a promis ses actions à Tom Russell, et dit à tout le monde de faire de même. Il a été choqué quand je lui ai dit combien elles valaient !

— La presse financière dit que les deux camps contrôlent désormais 40 % des actions chacun, et qu'il ne reste plus qu'une semaine !

— Oui, ce sera serré. J'espère simplement que Tom Russell ne se fera pas avoir par Elliot.

Les membres du conseil prenaient connaissance de la lettre envoyée aux actionnaires par Fairchild.

— Ils ont envoyé ça quand ?

— C'est daté d'hier, répondit Logan, ce qui veut dire que nous avons trois jours pour répliquer. Mais je crains que le mal ne soit déjà fait.

— Je n'aurais pas cru qu'Elliot tombe aussi bas, dit Tom en lisant le document signé par Murray Goldblatz :

« Ce que vous ignorez de Nathan Cartwright, directeur général de la banque Russell.

M. Cartwright n'est pas né à Hartford et n'y a pas grandi.

Il a été rejeté par Yale après avoir triché à l'examen d'entrée.

Il a quitté l'université du Connecticut sans diplôme, après avoir perdu les élections à la présidence du conseil étudiant.

Il est marié à une Coréenne dont la famille a combattu les troupes américaines pendant la guerre.

Il a été renvoyé de chez Morgan après avoir fait perdre 500 000 dollars à la banque.

Il n'a retrouvé du travail que grâce à un vieil ami, qui se trouve être président de la banque Russell.

Vendez vos actions à Fairchild pour être sûrs de votre avenir. »

— Voici la réponse que je vous propose d'envoyer aujourd'hui même, dit Logan. Fairchild n'aura pas le temps d'y répondre !

« Ce qu'il vous faut savoir de Nathan Cartwright, directeur général de la banque Russell.

Nathan est né au Connecticut et y a grandi.

Son héroïsme au Viêt-nam lui a valu la Médaille d'honneur.

Il a achevé ses études à Harvard avec mention Très bien avant d'entrer à la Harvard Business School.

Il a démissionné de chez Morgan après avoir fait faire à la banque un profit de plus d'un million de dollars.

Depuis son arrivée chez Russell, il a quadruplé les bénéfices de la banque.

Son épouse est professeur de statistiques à l'université du Connecticut ; son père a été sergent dans les Marines.

**Restez au côté de la banque Russell,
qui sait prendre soin de vous et
de votre argent. »**

— Puis-je faire envoyer ça sans délai ? demanda Logan.
Nathan s'empara du projet de lettre et le déchira :
— Non ! Cette fois, je vais tuer Ralph Elliot, une bonne fois pour toutes. Écoutez-moi bien.
Son exposé dura vingt minutes, puis Tom dit :
— C'est prendre un sacré risque.
— Et pourquoi donc ? Si notre stratégie échoue, nous finirons multimillionnaires. Si elle réussit, nous prendrons le contrôle de la plus grosse banque de l'État.

— Papa est furieux contre toi, dit Jimmy.
— Mais pourquoi ? demanda Andrew. J'ai gagné, non ?
— C'est bien ça le problème ! Avec une majorité de plus de douze mille voix ! Lui-même n'a atteint qu'une fois les onze mille d'écart, et c'était en 1964, quand Goldwater s'est présenté à la présidence.
— Merci de m'avoir prévenu. Je vais peut-être manquer les prochains repas dominicaux.
— Impossible ! C'est à ton tour d'entendre comment il est devenu millionnaire en une nuit !
— Annie m'a dit qu'il avait vendu ses actions de chez Russell. Mais je croyais qu'il avait promis de ne jamais les céder à Fairchild.
— Oui, et il aurait tenu parole, mais il a reçu un coup de fil de Tom Russell, la veille du jour où l'offre de rachat devait prendre fin. Tom lui a conseillé de vendre, et même de contacter directement Ralph Elliot, pour que ça aille plus vite.
— Ça cache quelque chose ! s'exclama Andrew. Jamais Tom Russell n'aurait dit ça à ton père, sinon ! Fairchild s'est assuré plus de 50 %, avec ses actions ?

— J'ai posé la question à Logan, mais il m'a répondu qu'il devait respecter la confidentialité, et ne pourrait rien me dire avant lundi, quand la SEC donnera les chiffres officiels.

— Qui est pour ? demanda Tom.

Toutes les mains se levèrent, bien que Julia ait paru hésiter.

— Alors, la décision est prise à l'unanimité. Nathan, peut-être devrais-tu nous expliquer ce qui va se passer ensuite.

— Certainement, monsieur le président. Ce matin, à 10 heures, la SEC annoncera que Fairchild n'a pas réussi à prendre le contrôle de la banque Russell. Samedi, à minuit, ils détenaient 47,89 % des actions. Ils peuvent en avoir acquis quelques-unes de plus dimanche, mais j'en doute.

— À quel prix ?

— Sept dollars et trente-deux cents vendredi, à la clôture, intervint Logan. Toutefois, après l'annonce officielle de ce matin, tous les engagements pris seront automatiquement annulés, et Fairchild ne pourra tenter de nouvelles enchères pendant vingt-huit jours.

— Tandis que je vais mettre sur le marché un million d'actions de la banque Russell, dit Nathan.

— Mais pourquoi ? objecta Julia. Leur valeur va plonger d'un coup !

— Et celles de Fairchild aussi, puisqu'ils détiennent près de la moitié des nôtres. Comme ils ne pourront rien faire pendant vingt-huit jours...

— Rien ? s'étonna Julia.

— Rien ! intervint Logan.

— Et si nous utilisons nos rentrées d'argent pour acheter les actions de Fairchild quand leur prix commencera à baisser...

— Il faudra avertir la SEC dès que vous en détiendrez 6 %, dit Logan, tout en la prévenant de votre intention de prendre le contrôle de Fairchild.

— C'est bien ! dit Nathan en prenant le téléphone.

Les membres du conseil restèrent silencieux pendant qu'il composait un numéro.

— Joe ? Bonjour, c'est Nathan. On fait comme on a dit. À 10 h 01, je veux que tu places sur le marché un million d'actions de la banque.

— Tu es bien conscient que leur prix va chuter net ? Tout le monde va vouloir vendre !

— Espérons que tu aies raison, Joe ! Parce que c'est à ce moment que tu vas pouvoir ramasser celles de Fairchild, quand tu seras sûr qu'elles ont atteint leur valeur plancher. Et n'arrête pas tant que tu n'en as pas 5,9 % !

— D'accord !

— Au fait, veille bien à disposer d'une ligne de téléphone jour et nuit ! Tu ne vas pas beaucoup dormir au cours des quatre semaines qui viennent ! lança Nathan avant de raccrocher.

— On est sûr que ce n'est pas contraire à la loi ? demanda Julia.

— C'est parfaitement légal, répondit Logan. Mais, si on réussit, je crois que le Congrès devra revoir la législation !

Julia ne paraissait pas convaincue :

— Est-ce que c'est moral ?

— Pas vraiment, dit Nathan, et ça ne me serait pas venu à l'esprit si nous n'avions pas eu affaire à Ralph Elliot. Je vous avais prévenu que j'allais le tuer, non ?

39

— Vous avez le président de Fairchild sur la ligne 1, Joe Stein ligne 2, et votre épouse ligne 3.

— Je vais prendre le président, répondit Nathan. Demandez à Joe de patienter, et expliquez à ma femme que je la rappellerai.

— Elle a dit que c'était urgent.

— J'en ai pour quelques minutes.

— Je vous passe M. Goldblatz.

— Bonjour, monsieur Cartwright.

— Bonjour, monsieur Goldblatz. Que puis-je pour vous ?

— Je me-me demandais si nous ne pourrions pas nous-nous rencontrer.

Nathan ne sut trop que répondre. Le président de Fairchild poursuivit :

— Je crois qu'il serait judicieux que ça reste entre nous... rien qu-qu-que nous-nous deux.

— Oui, ce serait bien, mais encore faut-il trouver un endroit où nous passerons inaperçus.

— La cathédrale Saint-Joseph ? suggéra Goldblatz. Je ne crois pas qu'on m'y reconnaîtra !

Nathan éclata de rire :

— Oui, bien sûr. Quand ?

— Le plus tôt serait le mieux. Disons 15 heures ? Il ne doit pas y avoir grand monde à l'église un lun-lundi après-midi.

— Saint-Joseph, 15 heures. Je vous retrouve là-bas.

Nathan avait à peine posé le téléphone qu'il se remit à sonner. C'était Joe Stein :

— Je viens juste de racheter cent mille actions de Fairchild, si bien que vous en êtes à 29 %. Elles sont actuellement à deux dollars quatre-vingt-dix cents, soit moins de la moitié de leur maximum. Mais si, vendredi, tu n'as pas 50,1 %, tu auras exactement le même problème que Fairchild avant vous. J'espère que tu sais ce que tu fais.

— J'y verrai plus clair après une réunion que j'ai cet après-midi à 15 heures. Mais je ne peux rien dire pour le moment, parce que je ne sais pas ce qu'elle va donner.

— Bizarre, bizarre ! J'attends avec impatience d'en apprendre davantage. D'ici là, qu'est-ce que je fais ?

— Tu continues à acheter toutes les actions Fairchild disponibles jusqu'à la clôture. Ensuite, on en discute juste avant la réouverture du marché, demain matin.

— D'accord. Je retourne aux fourneaux !

Nathan raccrocha, soupira profondément et reprit le téléphone :

— Linda, trouvez-moi Logan Fitzgerald.

— Votre femme a rappelé pour dire que c'était extrêmement urgent.

— Bon, je vais l'appeler pendant que vous cherchez Logan.

Il composa le numéro de son domicile, tout en se demandant toujours ce que Goldblatz pouvait bien vouloir. La voix de Su Ling interrompit ses pensées :

— Luke s'est enfui de l'école. Personne ne l'a vu depuis hier soir.

— Le président du comité national démocrate est sur la ligne 1, M. Gates ligne 2, et votre épouse ligne 3.

— Je prendrai le président du parti d'abord. Dites à Jimmy de patienter, et prévenez ma femme que je la rappellerai.

— Elle a dit que c'était urgent.

— J'en ai pour quelques minutes !

Andrew n'avait rencontré Alan Brubaker qu'à deux reprises, et très rapidement : son interlocuteur avait peu de chances de s'en souvenir.

— Bonjour, Andrew, ici Al Brubaker.

— Bonjour, monsieur le président. Que puis-je pour vous ?

— J'ai besoin de discuter avec vous en privé, et je me suis demandé si votre femme et vous ne pourriez pas venir un de ces soirs à Washington, dîner avec Jenny et moi.

— Nous en serions ravis ! Quelle date vous conviendrait ?

— Le dix-huit, ça vous irait ? C'est vendredi prochain.

Andrew parcourut en hâte son agenda. Il avait un *caucus* à midi, qu'il ne pouvait manquer, mais rien pour la soirée.

— Le dix-huit, c'est parfait. À quelle heure ?

— 20 heures ?

— Parfait !

— Notre adresse est 3038 N Street, à Georgetown. Je serai ravi de vous voir. Mais attention, ne parlez de ce dîner à personne !

Andrew raccrocha. Le téléphone se remit à sonner aussitôt.

— Monsieur Gates, dit Sally.

— Qu'est-ce que je peux pour toi, Jimmy ?

— Pas grand-chose, j'en ai peur. Papa vient de faire une nouvelle crise cardiaque, on l'a transporté d'urgence à Saint-Patrick. J'allais m'y rendre, et j'ai pensé que mieux valait te prévenir.

— Comment ça se présente ?

— C'est difficile à dire tant que les médecins ne nous auront pas donné leur avis. Maman n'était pas très cohérente quand elle m'a appris la nouvelle, je n'en saurai plus qu'une fois à l'hôpital.

— Annie et moi passerons dès que possible, répondit Andrew.

Il composa le numéro de son domicile. Annie répondit aussitôt :

— Tu es au courant ?

— Oui, Jimmy vient de me prévenir. Je vais me rendre à Saint-Patrick, nous nous retrouverons là-bas.

— Non, je n'appelais pas seulement à cause de papa. Lucy a fait une chute de cheval ce matin et s'est brisé une jambe. On l'a mise à l'infirmerie. Je ne sais plus quoi faire.

— C'est de ma faute, dit Nathan tandis qu'ils roulaient sur l'autoroute. À cause de la bataille avec Fairchild, je l'ai à peine vu ce trimestre.

— Moi aussi. Nous devions assister la semaine prochaine à la pièce dans laquelle il joue.

— Je sais. Et puisqu'il incarne Roméo, tu crois que le problème s'appelle Juliette?

— Ce ne serait pas impossible. Après tout, tu es bien tombé amoureux dans les mêmes circonstances, autrefois!

— Et ça s'est mal terminé.

— J'ai été très occupée par mes étudiants, ces dernières semaines. J'aurais peut-être dû chercher à savoir pourquoi Luke était si distant et silencieux pendant les congés.

— Il a toujours été très solitaire. Combien de temps nous faudra-t-il pour arriver là-bas?

— À cette heure-ci... nous devrions arriver vers 15 heures.

— Oh non! s'exclama Nathan. Juste au moment où je dois rencontrer Murray Goldblatz. Il faut que je le prévienne!

— Le président de Fairchild?

— Lui-même. Il m'a demandé de le rencontrer discrètement, répondit Nathan en décrochant le téléphone de la voiture.

— Pour parler de quoi?

— Sans doute de la prise de contrôle, mais il ne l'a pas dit clairement.

Il composa le numéro.

— Bureau de M. Goldblatz, dit une voix féminine.

— Bonjour. J'ai un rendez-vous à 15 heures avec M. Goldblatz, mais...

— Je vous le passe.

— Monsieur Cartwright!

— Monsieur Goldblatz, je suis désolé, mais un problème familial m'oblige à annuler notre rendez-vous cet après-midi. Mon fils s'est enfui de Taft et je suis en route pour rencontrer le principal.

— Je suis na-na-navré de l'apprendre, répondit le président. Autrefois, j'ai fait comme lui ! Une fois mon argent de poche dé-dé-dépensé, je me suis dit que mieux valait ren-rentrer.

— Merci de votre compréhension !

— Non, non, ce n'est rien. Contactez-moi dès que vous aurez résolu votre problème et dites-moi quand nous pourrons nous rencontrer.

— Merci, monsieur Goldblatz. Je me permettrai de vous demander une faveur.

— Faites !

— Je préférerais que notre conversation ne soit pas rapportée à Ralph Elliot.

— Vous avez ma parole, monsieur Cartwright, d'autant plus qu'il ignore que nous de-devons nous rencontrer.

Nathan raccrocha. Su Ling s'interrogea :

— Est-ce que ça n'est pas prendre un risque ?

— Je ne crois pas. Je pense que Goldblatz et moi nous sommes trouvé un point commun.

Su Ling gara la voiture devant la demeure du principal de Taft. Avant même qu'elle ait coupé le moteur, Nathan aperçut Mme Henderson qui descendait les marches. Elle souriait :

— On l'a retrouvé ! Il était chez sa grand-mère et l'aidait à trier le linge.

— Passons à l'hôpital voir ton père. Ensuite, nous déciderons lequel d'entre nous ira à Lakeville retrouver Lucy.

— Elle serait très triste si elle savait, répondit Annie. Elle a toujours adoré son grand-père.

— Mieux vaut ne rien lui dire pour l'instant. De toute façon, elle ne pourra pas lui rendre visite.

— C'est vrai. D'ailleurs, il est allé la voir la semaine dernière.

— Je ne savais pas ça, dit Andrew.

— Ils préparent quelque chose, tous les deux, mais ils ne m'ont pas mise dans la confidence.

Ils entrèrent dans le parking de l'hôpital, se garèrent, empruntèrent l'ascenseur et se dirigèrent sans perdre de temps vers la chambre de Harry. Martha se leva en les voyant ; elle était livide. Annie la prit dans ses bras, et Andrew s'approcha de Jimmy. Harry paraissait très amaigri ; un masque couvrait son nez et sa bouche. Seuls les bips du moniteur, à côté du lit, montraient qu'il vivait encore.

Tous quatre s'assirent autour du malade en silence, Martha tenant la main de son mari.

— Ne croyez-vous pas qu'un de vous deux devrait aller voir Lucy ? demanda-t-elle. Vous ne pouvez pas faire grand-chose, ici.

— Je reste, répondit Annie.

Andrew se leva et embrassa sa belle-mère sur la joue.

— Je reviens dès que je serai sûr que Lucy va bien, dit-il.

Par la suite, il n'eut pas l'occasion de se rappeler quoi que ce soit du trajet jusqu'à Lakeville, son esprit errant sans arrêt de Harry à sa fille ; il songea aussi à Al Brubaker, mais ce que le président du parti voulait lui dire ne le préoccupait plus guère.

Quand il arriva à Hotchkiss, Andrew se souvint de sa première rencontre avec Harry Gates, lors du match de football américain contre Taft. Il se gara devant l'infirmerie et, accompagné d'une aide-soignante, se dirigea jusqu'au chevet de sa fille. Il aperçut de loin une jambe plâtrée, suspendue en l'air.

— Je savais que c'était une arnaque ! lança-t-il en voyant le grand sourire de sa fille, les bouteilles de boissons gazeuses et les paquets de cookies dispersés autour d'elle.

— Non, c'est pour de vrai, papa ! Cela dit, ça m'a permis d'échapper à un examen de maths ! Mais il faut que je sois de retour sur le campus dès lundi, si je veux être élue présidente de ma classe.

— C'est pour ça que grand-père est venu te voir ! s'exclama Andrew en embrassant sa fille.

C'est à ce moment qu'apparut un jeune homme qui avait l'air un peu nerveux.

— Voici George, déclara Lucy. Il est amoureux de moi.

— Heureux de te rencontrer, George.

— Moi aussi, sénateur, répondit le nouveau venu en tendant la main.

— C'est lui qui dirige ma campagne, expliqua la jeune fille, comme grand-père dirigeait la tienne autre-fois. George pense que m'être cassé la jambe me vaudra des voix supplémentaires.

— Je ne sais pas pourquoi j'ai pris la peine de venir te voir, dit Andrew. Manifestement, tu te débrouilles très bien sans moi !

— Pas tout à fait, papa. Est-ce que je pourrais avoir une avance sur mon argent de poche ?

Andrew sourit et sortit son portefeuille :

— Combien ton grand-père t'a-t-il donné ?

— Cinq dollars.

Il lui en donna cinq autres.

— Merci, papa. Au fait, pourquoi est-ce que maman n'est pas là ?

Nathan accepta de ramener Luke à Taft le lendemain matin. Le jeune garçon était resté presque muet la veille, comme s'il ne voulait rien dire tant que son père et sa mère seraient ensemble dans la même pièce.

— Peut-être parlera-t-il sur le chemin de l'école, quand vous serez tous les deux, avait suggéré Su Ling.

Père et fils partirent pour Taft après le petit-déjeuner, mais Luke ne dit pas grand-chose et ne répondit que par monosyllabes aux questions de Nathan. Ce n'est que lorsqu'ils furent presque arrivés qu'il demanda :

— Papa, quand es-tu tombé amoureux pour la pre-mière fois ?

— La première fille à laquelle je me sois réellement intéressé s'appelait Rebecca. Elle jouait Olivia, et moi Sébastien, dans *La Nuit des rois*. Tu as un problème avec Juliette ?

— Non ! Elle est bête. Jolie, mais bête. Et jusqu'où es-tu allé avec Rebecca ?

— Si je me souviens bien, nous nous sommes embrassés, et il y a eu un peu de ce qu'à l'époque on appelait le pelotage.

— Tu voulais caresser ses seins?

— Oui, mais elle ne me laissait pas faire, et il m'a fallu attendre que nous soyons en première année de fac.

— Tu l'aimais vraiment?

— Je l'ai cru, mais ça ne m'est réellement arrivé que lorsque j'ai rencontré ta mère.

— C'est avec maman que tu as fait l'amour pour la première fois?

— Non. Il y en a eu d'autres avant elle, dont une au Viêt-nam, et une autre en fac.

— Tu les as mises enceintes?

— Ça t'est arrivé?

— Je ne sais pas, et Kathy non plus, mais quand on était derrière le gymnase à s'embrasser, j'ai vraiment salopé sa jupe.

Andrew passa une heure en compagnie de sa fille avant de rentrer à Hartford. Son George était vraiment un garçon charmant. Selon Lucy, c'était l'élève le plus brillant de sa classe :

— C'est pour ça que j'en ai fait mon directeur de campagne, expliqua-t-elle.

Quand il entra dans la chambre d'hôpital de Harry, rien ni personne ne semblait avoir bougé depuis son départ. S'asseyant à côté d'Annie, il prit sa main :

— Comment ça se passe?

— Rien de nouveau. Il n'a pas bougé depuis ton départ. Comment va Lucy?

— En pleine forme! Elle sera dans le plâtre pendant six semaines, mais ça n'a pas l'air de la déranger. Elle semble même convaincue que ça renforcera ses chances de devenir présidente de sa classe.

— Tu lui as dit, pour son grand-père?

— Non, et j'ai même bluffé un peu quand elle m'a demandé où tu étais. J'ai dit que tu prenais part à une réunion du comité scolaire. Tu savais qu'elle avait un copain?

310

— George?

— Tu l'as rencontré?

— Oui. Il m'a un peu fait l'effet d'un esclave dévoué. Ça t'inquiète?

— Bien sûr que non. Il fallait bien que Lucy ait un copain tôt ou tard.

— Ce n'est pas ce que je veux dire, et tu le sais.

— Annie, elle n'a que seize ans.

— J'étais plus jeune encore quand je t'ai rencontré. Aurais-tu oublié qu'en fac, nous avons manifesté pour les droits civiques? Je suis fier que nous ayons transmis nos convictions en ce domaine à notre fille.

40

Nathan laissa son fils à Taft et revint à Hartford, en se sentant un peu coupable vis-à-vis de ses propres parents : il n'avait pas eu le temps de leur rendre visite. Mais il devait rencontrer Murray Goldblatz au plus vite. Il promit à Luke que Su Ling et lui reviendraient vendredi soir pour le voir jouer dans sa pièce de théâtre. Il songeait à son fils quand le téléphone de la voiture sonna.

— Tu devais me contacter avant l'ouverture du marché, le réprimanda Joe. Et me donner quelques nouvelles !

— Désolé de ne pas avoir appelé ; il y a eu une sorte de crise domestique, et je t'ai oublié. J'en saurai plus dans vingt-quatre heures.

— Bon, j'attendrai ! En attendant, quelles sont tes instructions ?

— Les mêmes : tu achètes toutes les actions de Fairchild disponibles jusqu'à la clôture.

— J'espère que tu sais ce que tu fais, Nathan ! Les factures vont arriver dès la semaine prochaine. Tout le monde sait que Fairchild peut survivre à ce genre de tempête, mais toi ?

— Je ne peux pas me permettre d'échouer, alors continue à acheter !

— À vos ordres, patron ! J'espère simplement que tu as un parachute ; parce que si lundi matin, à 10 heures, tu n'as pas mis la main sur la moitié des actions Fairchild, l'atterrissage risque d'être difficile !

Roulant vers Hartford, Nathan se dit que Joe avait raison. La semaine prochaine, il pourrait très bien se retrouver sans travail, en ayant permis le rachat de la banque Russell par son plus grand rival. Et Goldblatz, bien entendu, le savait parfaitement.

Une fois arrivé en ville, il décida de ne pas repasser à son bureau, mais de s'arrêter près de Saint-Joseph, de manger un morceau et de réfléchir à ce que Goldblatz pourrait avoir à lui proposer. Il commanda un sandwich au bacon, puis griffonna sur un bout de papier une liste d'options envisageables.

À 14 h 50, il sortit et se dirigea lentement vers la cathédrale, croisant plusieurs personnes qui le saluèrent aimablement. Il entra dans l'édifice peu avant que les cloches ne sonnent 15 heures.

Il lui fallut quelques instants pour s'habituer à la pénombre que seuls quelques cierges éclairaient. L'endroit était à peu près désert, comme Goldblatz l'avait prédit, à l'exception de vieilles femmes vêtues de noir qui, tête basse, marmonnaient des prières.

C'est à ce moment qu'il entendit une voix dire :

— Voulez-vous vous confesser, m-m-mon fils ?

Pivotant sur la gauche, Nathan distingua un confessionnal. Il y entra et tira le rideau.

— Tu as l'air en pleine forme, lança Ken Stratton, le chef du groupe démocrate, tandis qu'Andrew venait s'asseoir à côté de lui.

— Il se pourrait que je sois contraint de partir vers 14 heures.

Ken jeta un coup d'œil au programme de travail :

— Je n'y vois pas d'inconvénient ; hormis le projet de loi sur l'éducation, il y a peu de choses qui te concernent, sinon le choix des candidats pour les prochaines élections. Nous avons tous pensé que tu te représenterais, sauf si, bien sûr, Harry voulait faire son grand retour. À propos, comment va-t-il ?

— Un peu mieux. Il est agité, irascible et plein d'opinions tranchées.

— Comme d'habitude, quoi !

À midi, Ken lui demanda de présenter son projet de loi. Andrew passa la demi-heure suivante à détailler ses propositions, notamment celles que les Républicains chercheraient à contrer. S'il voulait les faire passer au Sénat, il lui faudrait mettre en œuvre tous ses talents d'orateur et de légiste. Comme il fallait s'y attendre, la dernière question fut posée par Jack Swales, le plus ancien membre du Sénat ; c'était le signe qu'on pouvait passer au sujet suivant.

— Combien est-ce que tout cela va coûter au contribuable ?

Beaucoup sourirent quand Andrew répondit, comme toujours :

— Jack, tout ça est dans le budget, et ça faisait partie de notre programme lors des dernières élections.

— Et maintenant, intervint Ken, venons-en aux candidats pour les prochaines !

Puis il ajouta, à la surprise générale :

— Je dois vous prévenir que, à mon grand regret, je ne me représenterai pas.

Il y eut des murmures et des questions qu'il fit taire en levant la main :

— Il ne me paraît pas utile de vous donner mes raisons.

La décision de Ken, comprit Andrew, aurait une conséquence immédiate : lui-même aurait toutes les chances de lui succéder à la tête du groupe démocrate au Sénat. Il fit une brève intervention pour confirmer qu'il serait candidat, puis sortit discrètement alors que Jack Swales entamait un long discours pour expliquer pourquoi il estimait de son devoir de se représenter, à quatre-vingt-deux ans.

Andrew se rendit à l'hôpital et entra dans la chambre de Harry alors que celui-ci donnait un véritable cours de philosophie politique à Martha et Annie.

— Il y a du neuf ? lança-t-il à son gendre.

— Ken Stratton ne se représente pas.

— Rien d'étonnant. Ellie n'est pas bien depuis un moment, et il l'aime plus encore qu'il n'aime le parti. Mais ça veut dire que, si nous conservons la majorité au Sénat, tu pourrais bien devenir chef de groupe.

— Et Jack Swales ? Ne va-t-il pas penser que c'est son droit ?

— En politique, rien ne vous revient jamais de droit. En tout cas, mon opinion est que les autres ne le soutiendront pas. Bon, ne perds pas de temps, je sais que tu dois aller à Washington pour rencontrer Al Brubaker. Dis-moi simplement quand tu reviendras.

— Dès demain matin ! Nous ne resterons qu'une nuit là-bas.

— Alors, passe me voir en revenant de l'aéroport ; je veux savoir pourquoi il tenait à te rencontrer. N'oublie pas de lui présenter mes amitiés ; c'est le meilleur président que le parti ait eu depuis des années. Demande-lui aussi s'il a reçu ma lettre.

— Ton père a l'air beaucoup mieux ! dit Andrew à Annie, comme ils se rendaient à l'aéroport.

— En effet. Les médecins ont annoncé à maman qu'ils pourraient même le laisser partir la semaine prochaine, à condition qu'il promette d'y aller doucement.

— Promettre, il sait faire ! Heureusement que les prochaines élections ne sont pas pour tout de suite !

Arrivés à Washington, ils s'installèrent au Willard Hotel, et Andrew veilla à commander un taxi à l'avance. Annie prit une douche et enfila une robe de soirée, tandis qu'il marchait de long en large dans la chambre en regardant sa montre. Ils parvinrent à Georgetown avec deux minutes de retard.

— Heureux de vous revoir, Andrew, dit Brubaker en ouvrant la porte. Vous êtes Annie, n'est-ce pas ? Je ne crois pas que nous nous soyons jamais rencontrés, mais je sais quel travail vous accomplissez pour le parti.

— Comment cela ?

— Vous êtes bien au comité scolaire de Hartford, tout comme à celui de l'hôpital ?

— Oui, mais c'est un travail que j'accomplis pour la communauté !

— Ah, vous êtes bien comme votre père ! À propos, comment va-t-il ?

— Nous venons juste de le quitter, dit Andrew. Il vous adresse toutes ses amitiés, et m'a chargé de vous demander si vous aviez reçu sa lettre.

— Oui, en effet. Il ne renoncera décidément jamais ! Allons donc dans la bibliothèque, je vais vous servir un verre. Jenny va descendre sous peu.

— Comment va votre fils ?

— Très bien. Finalement, son absence était provoquée par une affaire de cœur.

— Quel âge a-t-il ?

— Seize ans.

— C'est le bon âge pour tomber a-a-amoureux. Avez-vous quelque chose à confesser, mon fils ?

— Oui, mon père. La semaine prochaine, je serai président de la plus grosse banque de l'État.

— La semaine prochaine, vous ne serez même plus directeur de la plus petite banque de l'État.

— Qu'est-ce qui vous le fait croire ?

— Ce qui a été un coup extrêmement brillant pourrait bien avoir fait l-long-long feu, monsieur Cartwright. Vos courtiers ont dû vous dire que vous n'aviez aucune chance de réunir 50 % des actions Fairchild d'ici lundi.

— Ce sera serré, convint Nathan, mais je crois toujours que nous pouvons y arriver.

— Monsieur Cartwright, aucun de nous deux n'est catholique, heureusement ; sinon, vous seriez en train de rougir, et je vous donnerais trois « Je vous salue, Marie » en guise de pénitence. Mais je vois la rédemption p-p-pour nous deux. C'est bien pourquoi j'ai demandé à vous-vous voir. La bataille nous a porté tort à l'un et à l'autre. Si elle ne se termine pas avant dimanche, elle sera préjudiciable aux institutions que nous servons.

— Et quelle forme prendrait cette rédemption ?

— Je crois avoir trouvé une solution qui pourrait nous laver de nos péchés, et même nous valoir quelques bé-bénéfices.

— J'attends vos instructions, mon père.

— Mon fils, c'est avec le plus grand intérêt que j'ai suivi votre carrière. Vous êtes très intelligent, très actif et farouchement déterminé, mais ce que j'admire le plus en vous, c'est que vous êtes honnête – bien que mes conseillers ch-cherchent à me persuader du contraire.

— Je suis flatté, mon père, merci.

— Je suis réaliste, et je pense que si cette fois-ci vous échouez, vous pourriez bien recommencer, dans deux ou trois ans, et continuer jusqu'à ce que ça marche. Ai-je raison de le croire?

— Cela n'aurait rien d'impossible, mon père.

— Mon fils, vous me répondez avec fr-franchise, je ferai donc de même. Dans dix-huit mois, j'aurai soixante-cinq ans, et je compte alors ne plus me consacrer qu'au golf. J'aimerais pouvoir confier à mon successeur la di-direction d'une société en pleine santé. Je crois que vous pourriez être la solution à mon problème.

— Mais je pensais que j'en étais la cause!

— Raison de plus pour oser une manœuvre à la fois imaginative et hardie.

— C'est que j'essayais de faire, non?

— D'une certaine façon, mon fils. Mais pour des raisons po-po-politiques, il faut que l'idée ait l'air de venir de vous, si bien qu'il va falloir me faire confiance.

— Mon père, il vous a fallu quarante ans pour vous bâtir une réputation. J'ai du mal à croire que vous vouliez la risquer quelques mois avant de prendre votre retraite.

— Vous me flattez, jeune homme. Pourrais-je donc suggérer que c'est vous qui m'avez demandé c-cette entrevue, pour me proposer, plutôt q-q-que de nous combattre, de travailler ensemble?

— Un partenariat?

— Appelez ça comme vous voulez, monsieur Cartwright. Si nos deux banques fusionnent, personne n'aura perdu, et nos actionnaires en bénéficieront, ce qui est plus important encore.

— Selon quels termes?

— La banque s'appellera Fairchild & Russell, j'en resterai président pour les dix-huit mois à venir, tandis que vous deviendrez mon adjoint.

— Mais... que deviennent Tom et Julia Russell?

— Ils se verront proposer deux sièges au conseil d'administraîion, bien sûr. Si, d'ici dix-huit mois, vous devenez président, il vous reviendra de nommer votre adjoint. Je pense qu'il serait jud-judicieux de confier cette tâche à Wesley Jackson. Vous l'avez invité à rejoindre votre banque voilà quelques années, vous savez quelles sont ses capacités.

— Cela ne résout pas le problème de la répartition du capital.

— Votre président et vous détenez chacun 10 % de Russell. Son épouse – qui ferait merveille dans la gestion de notre portefeuille immobilier, soit dit en passant – en possède plus de 4 %; ou en possédait, car je suppose que ce sont ses actions que vous avez lancées sur le m-mar-marché?

— Vous n'avez pas tout à fait tort, mon père.

— Fairchild est environ cinq fois plus grosse que Russell. Je vous suggérerai donc, lorsque vous ferez votre pro-proposition, de réclamer 4 % avec M. Russell, et de vous mettre d'accord sur trois. Pour Mme Russell, 1 % me paraît convenable. Bien entendu, vous conserverez tous les trois vos salaires et vos bénéfices actuels.

— Et mon personnel?

— Nous maintiendrons le statu quo pendant dix-huit mois. Ensuite, ce sera à vous de décider.

— Vous voulez donc que je vous contacte et vous fasse cette proposition?

— Oui, mon fils.

— Puis-je vous demander pourquoi vous ne l'avez pas faite vous-même à mon conseil d'administration?

— Parce que nos conseillers juridiques s'y seraient opposés. Il semble que, dans cette histoire, M. Elliot n'ait qu'un objectif: vous détruire. Le mien est de protéger la banque que j'ai servie de-de-depuis plus de trente ans.

— Pourquoi ne pas le flanquer à la porte?

— J'aurais bien voulu, dès que j'ai lu la lettre qu'il avait envoyée en mon nom, mais je ne pouvais reconnaître publiquement que nous avions des désaccords internes alors que nous affrontions une tentative de prise de contrôle. Vous imaginez sans peine ce que la presse en aurait pensé, sans p-p-parler de nos actionnaires !

— Mais dès qu'Elliot saura que la proposition vient de moi, il s'y opposera.

— En effet. C'est bien pourquoi je l'ai envoyé à Washington hier, pour qu'il me fasse un ra-ra-rapport lundi, dès que la SEC aura annoncé le résultat de votre tentative de rachat.

— Il va se douter de quelque chose ! Il lui aurait suffi d'aller là-bas dimanche soir, et de vous informer lundi matin.

— Ma secrétaire a re-remarqué que les Républicains se réunissaient dans la capitale à l'occasion des prochaines élections, après quoi ils dîneront à la Mai-maison-Blanche. J'ai veillé à ce qu'Elliot soit invité à cette auguste réception ; il sera donc très occupé. Je sais qu'il a des ambitions politiques, précisément parce qu'il le nie.

— Et pourquoi l'avez-vous embauché ?

— Belman & Wayland ont toujours été nos avocats, monsieur Cartwright. Et, jusqu'à cette histoire, je n'avais jamais eu affaire directement à M. Elliot. Je n'ai pas votre a-a-avantage : vous, au moins, vous avez perdu deux fois contre lui.

— Touché ! Alors, que se passe-t-il ensuite ?

— Il m'a été très agréable de vous rencontrer, mon fils. Je présenterai donc votre proposition à mon conseil avant la fin de l'après-midi. J'aimerais q-q-que l'accord soit signé dès vendredi.

Goldblatz fit une pause puis ajouta :

— Maintenant, j'ai une faveur à vous demander.

— Tout ce que vous voudrez, mon père.

— Le prêtre qui m'a accordé l'usage de ce confessionnal m'a demandé de faire une donation de deux cents dollars pour ses œuvres. Comme nous allons être partenaires, je pense que vous devriez en payer la moitié. Cela a-a-amusera beaucoup mon conseil, et me permettra de défendre ma réputation de férocité.

— Je ferai tout pour que vous la conserviez, mon père.

Se levant, Nathan se dirigea vers l'entrée sud de la cathédrale, où un prêtre attendait. Sortant deux billets de cinquante dollars de son portefeuille, il les lui tendit.

— Que Dieu vous bénisse, mon fils ! dit l'ecclésiastique. J'aurais pu vous réclamer le double, mais je ne sais pas dans laquelle des deux banques notre église devrait investir.

Quand on servit le café, Al Brubaker n'avait toujours pas expliqué à Andrew pourquoi il voulait le voir.

— Jenny, pourquoi ne pas emmener Annie au salon ? J'ai à discuter avec son mari, nous vous rejoindrons dans quelques minutes.

Les deux femmes parties, Al se tourna vers son invité :

— Cognac ? Cigare ?

— Non, merci ! J'en resterai au vin.

— Vous avez choisi un bon week-end pour venir à Washington. Les Républicains sont en ville pour préparer les élections de mi-mandat, le Président les reçoit à la Maison-Blanche ce soir... Bref, nous autres, Démocrates, allons devoir rester dans la clandestinité quelques jours encore. Comment ça se présente dans le Connecticut ?

— Le *caucus* s'est réuni aujourd'hui pour désigner des candidats et parler financement.

— Vous vous représentez ?

— Oui.

— On me dit que vous pourriez être le nouveau dirigeant du groupe démocrate ?

— À moins que Jack Swales ne veuille l'être ; après tout, il est notre doyen d'âge.

— Jack ? Il vit encore ? J'aurais juré avoir assisté à ses funérailles. Je ne peux croire que le parti le soutienne, à moins...

— À moins ?

— À moins que vous ne fassiez campagne pour être élu gouverneur.

Andrew posa son verre sur la table pour que Brubaker ne puisse voir que sa main tremblait.

— Vous avez dû y penser, quand même ! insista Al.

— Oui, mais je croyais que le parti soutiendrait Larry Connick.

— Notre estimé gouverneur adjoint ! Non. Larry est très sympathique, mais il a conscience de ses limites, chose rare chez un politicien. J'ai discuté avec lui la semaine dernière, lors de la conférence des gouverneurs à Pittsburgh. Il m'a dit qu'il ne se présenterait que si c'était vraiment utile au parti. Non, Andrew, c'est à vous que nous avons pensé, et si vous acceptez de faire acte de candidature, je vous donne ma parole que les Démocrates vous soutiendront. Abstenons-nous des querelles internes, concentrons-nous sur la bagarre avec les Républicains, car leur candidat tentera de tirer profit de la popularité du président Bush, et il faut nous attendre à une bataille vraiment difficile.

— Savez-vous qui ils présenteront comme candidat ?

— Je pensais que vous me le diriez !

— Apparemment, il y a deux prétendants sérieux. D'abord Barbara Hunter, qui siège au Congrès, mais son passé plaide contre elle.

— Comment ça ? demanda Brubaker.

— Elle n'a cessé de perdre lors de ses candidatures au Sénat. Toutefois, elle s'est bâti de solides appuis au sein du parti républicain. Et, comme Nixon l'a montré en Californie au début de sa carrière, il ne faut jamais croire qu'un échec est définitif.

— Quel est l'autre prétendant ?

— Est-ce que Ralph Elliot est un nom qui vous dit quelque chose ?

— Non, hormis le fait qu'il est membre de la délégation républicaine du Connecticut, et qu'il est donc l'invité du Président ce soir.

— S'il devient candidat républicain, la campagne risque d'être franchement sordide. C'est un boxeur qui frappe toujours en dessous de la ceinture.

— Mais ça peut se retourner contre lui.

— En tout cas, je peux vous affirmer que c'est un sacré battant et qu'il n'aime pas perdre.

— C'est très exactement ce qu'on dit de vous ! D'autres candidats ?

— Quelques noms, mais rien de sérieux. Il est vrai que personne n'avait entendu parler de Jimmy Carter avant les primaires du New Hampshire.

— Et lui ? demanda Brubaker en lui tendant *Banker's Weekly*, en couverture duquel on lisait : « Le nouveau gouverneur du Connecticut ? »

— J'ai jeté un coup d'œil à l'article dans l'avion, répondit Andrew. Mais il est très occupé à devenir le prochain président de la banque Fairchild ; si, bien entendu, elle peut s'entendre avec la sienne.

— Manifestement, vous n'êtes pas allé jusqu'au dernier paragraphe, dit Al, qui lut à voix haute : « Quand Murray Goldblatz prendra sa retraite, il est prévu que Nathan Cartwright lui succède. Mais son vieil ami Tom Russell pourrait devenir président du conseil d'administration si Cartwright acceptait d'être le candidat républicain lors de l'élection du prochain gouverneur. »

Lorsqu'Annie et lui eurent regagné leur hôtel, Andrew ne put fermer l'œil. Al attendait sa réponse pour la fin du mois : il voulait être sûr que le parti démocrate et ses militants soutiendraient leur candidat.

Annie s'éveilla à 7 heures :

— J'ai dormi comme un loir ! Et toi ?

— À peine !

— Tu ne sais pas si tu veux être ou non candidat au poste de gouverneur ?

— Il me faut d'abord discuter avec Harry ; une chose est sûre, il a déjà beaucoup réfléchi à la question.

Andrew sortit du lit :

— Est-ce que ça t'ennuierait si on sautait le petit-déjeuner pour prendre un vol en milieu de matinée ? Il faut que je parle avec ton père avant de me rendre au Sénat.

Andrew passa l'essentiel de leur voyage de retour à lire et à relire l'article de *Banker's Weekly* et, une fois de plus, fut frappé par tout ce que Nathan Cartwright et lui avaient en commun.

— Qu'est-ce que tu vas demander à papa ? s'enquit Annie, peu après qu'ils aient atterri.

— Si je ne suis pas trop jeune !

— Mais non ! Al a fait remarquer qu'il y avait déjà un gouverneur plus jeune que toi, et deux du même âge.

— Ensuite, quelles sont mes chances ?

— Papa ne te répondra pas tant qu'il ne saura pas qui est ton adversaire.

— Troisièmement : suis-je à la hauteur ?

— Je sais ce qu'il te dira ; j'en ai déjà discuté avec lui.

— Je m'en doutais ! répondit Andrew en s'engageant sur l'autoroute.

Ils arrivèrent en ville par une belle matinée d'automne. Andrew longea les bâtiments du Congrès avant de se diriger vers l'hôpital Saint-Patrick.

Comme ils parvenaient au sommet de la colline, Annie jeta un coup d'œil par la vitre et éclata en sanglots. Andrew donna un violent coup de freins et prit sa femme dans ses bras.

Le drapeau américain qui flottait d'ordinaire au-dessus du Sénat était à mi-hauteur de la hampe, en signe de deuil.

41

M. Goldblatz se leva et jeta un coup d'œil à la déclaration qu'il avait préparée. Nathan Cartwright était à sa droite, Tom Russell à sa gauche, les autres membres du conseil d'administration derrière eux.

— Mesdames et messieurs, dit-il aux journalistes, j'ai le plaisir de vous annoncer que Fairchild et Russell fusionnent, donnant naissance à la banque Fairchild & Russell. J'en demeurerai le p-p-président ; Nathan Cartwright sera mon adjoint, Tom et Julia Russell entreront au conseil d'administration et M. Wesley Jackson restera directeur général. Je vous confirme donc que la banque Russell a retiré son offre de rachat. À présent, M. Cartwright et moi-même seront ravis de répondre à vos q-q-questions.

Des mains se levèrent dans toute la pièce. Goldblatz désigna une femme assise au second rang, à qui il avait prévu de répondre dès le début.

— Comptez-vous toujours démissionner dans un prochain avenir ?

— Oui, et vous savez, je pense, qui me succédera.

— Quelle est l'opinion de M. Russell sur tout cela ? hurla un autre journaliste.

Goldblatz sourit : tout le monde s'attendait à cette question.

— Je c-c-crois qu'il vaudrait mieux que lui-même vous réponde.

— Je suis ravi de la fusion des deux banques les plus importantes de l'État, répondit Tom en souriant, et honoré qu'on m'ait demandé de faire partie du conseil d'administration de Fairchild & Russell.

Nathan se leva pour prononcer une déclaration tout aussi soigneusement pesée que celle de Goldblatz.

— Oui ? demanda celui-ci en se tournant vers un autre journaliste.

— Cette fusion entraînera-t-elle des licenciements ?

— Non. Tous les salariés de la banque Russell conserveront leur emploi, mais l'une des responsabilités de M. Cartwright, au cours de l'année à venir, sera de préparer une restructuration complète de la nouvelle société. Mme Julia Russell, quant à elle, a été nommée responsable de notre division immobilière.

— Puis-je vous demander pourquoi Ralph Elliot, votre conseiller juridique, n'est pas présent aujourd'hui ? demanda quelqu'un au fond de la salle.

— M. Elliot est à Washington, il a dîné hier à la Maison-Blanche ; sinon, il serait ici avec nous.

— J'ai discuté avec lui, hier, poursuivit le même journaliste, et j'aimerais savoir si vous accepteriez de commenter le communiqué qu'il vient tout juste de publier.

Nathan se figea et Goldblatz redressa la tête :

— J'en serais ravi, pour peu que vous m'appreniez ce qu'il contient.

L'homme lut le texte :

« Je suis heureux que M. Goldblatz ait jugé bon de suivre mes conseils et de procéder à une fusion des deux banques concernées, plutôt que de poursuivre une bataille qui aurait été préjudiciable à l'une et à l'autre. Trois membres du nouveau conseil d'administration seront à l'avenir en mesure de succéder à M. Goldblatz. Mais, comme je considère que l'un d'eux est indigne d'occuper une position qui exige une totale probité financière, je n'ai pas d'autre choix que de démissionner du conseil, et de mettre un terme à mes fonctions de conseiller juridique de la banque. Cette réserve exceptée, je souhaite à celle-ci tout le succès qu'elle mérite. »

Le sourire de Goldblatz se figea, et il se contint à grand-peine :

— Je n'ai pas de c-c-commentaire à faire p-p-pour l'instant. Nous en resterons là.

Se levant, il sortit, Nathan sur ses talons.

— Ce salopard n'a pas r-respecté notre a-accord ! s'écria-t-il, furieux, tandis qu'ils se dirigeaient vers la salle de réunion.

— Qu'étiez-vous convenus ?

— J'avais accepté de déclarer qu'il avait joué un grand rôle dans la négociation s'il c-c-consentait à se retirer et ne faisait pas de commentaires.

— Il s'y était engagé par écrit ?

— Non. Nous en avons discuté au téléphone, il devait confirmer aujourd'hui.

— Il s'en sort donc en tenant le beau rôle.

Goldblatz s'arrêta pour faire face à Nathan :

— Cette fois, il a eu t-t-tort de me doubler !

Les funérailles de Harry Gates eurent lieu à la cathédrale Saint-Joseph, et l'assistance fut telle que Don Culver, le chef de la police, décida d'interdire les environs à la circulation, pour que ceux qui n'avaient pu entrer dans l'édifice puissent au moins suivre du dehors le service retransmis par haut-parleurs.

Une garde d'honneur portant le cercueil monta les marches de la cathédrale. Martha Gates était accompagnée de son fils ; sa fille et son gendre les suivaient. La foule s'écarta pour les laisser passer, tandis qu'à l'intérieur tous se levaient à leur arrivée.

L'évêque dit une prière choisie par Martha, Jimmy et Andrew lurent des extraits de la Bible, puis Al Brubaker, en tant que président du parti démocrate, monta en chaire pour rendre un dernier hommage au défunt :

— Peu d'hommes politiques inspirent l'affection et le respect, mais Harry était du nombre. Voilà un homme qui, comme on le pressait de se présenter au poste de gouverneur, répondit simplement : « Je n'ai pas achevé ma tâche de sénateur. » Mes fonctions m'ont conduit à assister, en compagnie des puissants, aux funérailles de présidents, de gouverneurs, de sénateurs ou de membres du Congrès ; mais aujourd'hui, en voyant tous ces gens venus là pour le remercier, je sais qu'il a accompli son devoir d'élu. Harry Gates était bavard, irascible, plein d'opinions tranchées, au point parfois d'en être exaspérant. Il croyait aussi passionnément aux causes qu'il défendait. Fidèle à ses amis, juste envers ses ennemis, c'était quelqu'un dont on recherchait la compagnie, parce qu'elle enrichissait votre vie.

À Martha, je dirai : merci d'avoir accompagné Harry et ses rêves, dont beaucoup sont devenus réalité. À Jimmy et à Annie, ses enfants dont il était l'orgueil, à Andrew, le gendre qu'il aimait tant, et qui se voit chargé du peu enviable fardeau de lui succéder, à Lucy, sa petite-fille, élue présidente de sa classe quelques jours après sa mort, je dirai : l'Amérique vient de perdre un homme qui a servi son pays dans la guerre comme dans la paix, ici même et sur les champs de bataille. Hartford vient de perdre un homme qui a passé sa vie à la mettre au service du peuple.

Il y a quelques semaines, il m'avait écrit pour me demander de l'argent pour son hôpital bien-aimé. Quand je suis arrivé à Hartford, ce matin, j'ai longé le centre du troisième âge et la bibliothèque publique qu'il a aidés à construire. Il a passé sa vie à donner. Maintenant, il nous faut faire en sorte que son dernier rêve se réalise, et édifier à sa mémoire cet établissement de soins dont il aurait été si fier. C'était un homme qu'il ne sera pas facile de remplacer.

Après la cérémonie, Martha et Andrew remercièrent Brubaker de son bref discours :

— Si j'en avais dit moins, répondit-il, il serait apparu au pied de la chaire pour réclamer un nouveau décompte !

Puis il serra la main d'Andrew :

— Je n'ai pas voulu lire sa dernière lettre en public, mais je crois que vous aimerez prendre connaissance de son ultime paragraphe, dit-il en sortant la missive de sa poche pour la lui donner.

Andrew lut le document et, regardant bien en face le président du parti démocrate, hocha lentement la tête.

Tom et Nathan sortirent de la cathédrale et se mêlèrent à la foule qui se dispersait déjà.

— Je regrette de ne pas l'avoir mieux connu, dit Nathan. Quand il a quitté le Sénat, je lui ai demandé de faire partie du conseil d'administration, et il m'a répondu qu'il était trop occupé par son projet d'hôpital.

— Je ne l'ai rencontré qu'une fois ou deux. Il m'a fait l'impression d'être un peu fou. Mais il faut l'être, quand on passe sa vie à pousser des rochers en haut d'une colline. Ne le dis à personne, mais c'est le seul Démocrate pour lequel j'aie jamais voté.

Nathan éclata de rire :

— Ah bon ? Toi aussi ?

— Que dirais-tu si je suggérais au conseil de faire un don de 50 000 dollars à sa fondation hospitalière ? demanda Tom.

— Je m'y opposerais ! Quand il a vendu ses actions, il lui a aussitôt versé 100 000 dollars ! Le moins que nous puissions faire, c'est d'en donner autant !

Tom acquiesça de la tête puis, jetant un coup d'œil en haut des marches, soupira :

— Regarde qui présente ses condoléances à la veuve !

Nathan vit Ralph Elliot serrer la main de Martha Gates.

— Ça te surprend ? Je l'entends d'ici lui expliquer qu'il est heureux qu'Harry ait suivi ses conseils et gagné beaucoup d'argent en vendant ses actions de la banque Russell.

— Tu commences à penser comme lui ! protesta Tom.

— Il le faut, si je veux survivre au cours des mois qui viennent.

— La question ne se pose plus ; tout le monde est d'accord pour que tu sois le prochain président de la banque.

— Ce n'est pas de ça dont je parle. Si jamais Ralph Elliot veut être le candidat républicain au poste de gouverneur, je me présenterai contre lui. Et, cette fois, je le battrai.

42

— Mesdames et messieurs, voici Andrew Davenport, le prochain gouverneur du Connecticut.

Andrew sourit, amusé ; il se souvenait trop bien de Walter Mondale, constamment présenté comme le futur président des États-Unis, et qui avait fini ambassadeur à Tokyo tandis que Ronald Reagan entrait à la Maison-Blanche.

Une fois qu'il eut téléphoné à Al Brubaker pour confirmer sa candidature, la machine du parti démocrate se mit aussitôt à son service. Sa seule adversaire était une congressiste qui n'avait jamais rien fait de suffisamment mémorable pour qu'on se souvienne d'elle. Il la vainquit sans peine lors des primaires de septembre. Mais la véritable bataille, il le savait, ne commencerait que lorsque les Républicains auraient choisi leur propre candidat.

Si Barbara Hunter était plus active et déterminée que jamais, personne ne croyait vraiment qu'elle l'emporterait. Ralph Elliot s'était déjà acquis le soutien de plusieurs responsables du parti et, chaque fois qu'il prenait la parole en public, ne manquait jamais de rappeler qu'il était l'ami, voire le vieil ami, de ce cher Ronald. Toutefois, selon certaines rumeurs, de nombreux Républicains auraient préféré quelqu'un d'autre, et menaçaient de s'abstenir, voire de voter pour le candidat démocrate. Andrew s'agaçait à l'idée de devoir attendre pour savoir qui serait son adversaire. À la fin du mois d'août, il n'était toujours pas fixé.

Il contemplait la foule venue l'écouter. C'était son quatrième discours de la journée, et il n'était même pas midi! Il ne différait guère des trois précédents, prononcés devant les travailleurs de diverses entreprises, à qui il avait rappelé que, sans eux, l'économie ne pourrait pas être florissante. Ensuite, il devait déjeuner avec les Filles de la révolution américaine, puis prononcer trois discours supplémentaires, avant de présider un de ces dîners destinés à collecter des fonds de campagne, et qui ne rapporterait guère plus qu'une dizaine de milliers de dollars.

Vers minuit, il se coucherait, enlacerait son épouse endormie, qui parfois aurait un petit soupir. On racontait qu'au cours d'une campagne, on avait surpris Ronald Reagan à cajoler un réverbère. À l'époque, cela avait fait beaucoup rire Andrew. Il riait beaucoup moins, à présent.

— Roméo? Roméo? Où es-tu, Roméo?

Nathan dut bien admettre que son fils avait raison : Juliette était belle, mais pas du genre à lui inspirer de vifs sentiments. Il y avait dans la pièce cinq autres personnages féminins; quelle pouvait bien être l'heureuse élue? Quand vint l'entracte, Nathan se sentit rempli d'orgueil en entendant les applaudissements : Luke donnait de son personnage une interprétation vraiment émouvante.

Il ne cessait pourtant de penser à ce coup de fil reçu le matin même. Sa secrétaire lui avait annoncé que le président des États-Unis était en ligne, tout en paraissant persuadée que c'était une farce de Tom.

Mais c'était bel et bien George Bush Senior.

Il appelait officiellement pour féliciter Nathan : Fairchild & Russell avait été élue « banque de l'année ». Ensuite, toutefois, il avait ajouté :

— Nathan, beaucoup de gens, au sein de notre parti, espèrent que vous vous présenterez au poste de gouverneur. Vous avez beaucoup d'amis et de supporters dans le Connecticut! J'espère que nous aurons bientôt l'occasion de nous rencontrer!

Nathan ne parla du coup de fil présidentiel qu'à Su Ling et à Tom, qui n'eurent pas l'air surpris. En moins d'une heure, cependant, tout Hartford était au courant : les standardistes ont leur réseau, et c'était là une nouvelle trop mirifique pour qu'elles n'en fassent pas bénéficier leurs amies. Dans la rue, beaucoup de gens arrêtaient Nathan, lui disant : « J'espère que vous serez candidat au poste de gouverneur, monsieur Cartwright ! »

Quand la pièce prit fin, Su Ling lui souffla à l'oreille :

— As-tu remarqué comme les gens nous regardent ?

Puis elle fit une pause et reprit :

— Ça sera tout le temps comme ça si notre fils devient une star.

Toujours aussi prompte à me ramener sur terre ! songea Nathan. *Mais quelle femme de gouverneur elle ferait !*

Les acteurs et leurs parents devaient dîner en compagnie du principal : Su Ling et Nathan se dirigèrent donc vers sa demeure.

— C'est la nourrice, dit-elle.

— Oui, elle jouait très bien, répondit Nathan.

— Mais non, pauvre niais ! C'est d'elle que Luke est amoureux !

— Comment le sais-tu ?

— Quand la troupe est venue saluer, ils se tenaient la main.

— On va voir si tu as raison, dit Nathan comme ils entraient chez le principal.

Luke était dans le couloir, à boire un Coca.

— Bonsoir ! dit-il à ses parents. Voici Kathy Marshall, qui jouait le rôle de la nourrice. N'était-elle pas fantastique ? Elle veut faire des études de théâtre en fac.

— Tu n'étais pas mal non plus ! répondit Nathan. Nous sommes très fiers de toi.

— Tu dois être le premier Roméo a être tombé amoureux de la nourrice ! intervint Su Ling.

Kathy eut un grand sourire :

— C'est son complexe d'Œdipe ! J'aurais bien aimé jouer Juliette, mais je ne suis pas assez belle.

— Mais si ! protesta Luke.

— Tu n'es pas très objectif sur ce coup-là ! dit-elle en lui prenant la main. Et puis, tu portes des lunettes depuis que tu as quatre ans !

Nathan sourit : son fils avait bien de la chance.

— Kathy, demanda-t-il, n'aimerais-tu pas venir passer quelques jours chez nous, pendant les grandes vacances ?

— Avec plaisir, monsieur Cartwright ; à condition que cela ne vous dérange pas.

— Comment cela ?

— Luke m'a dit que vous vouliez être élu gouverneur.

« UN BANQUIER DE HARTFORD CANDIDAT AU POSTE DE GOUVERNEUR », annonçait le *Hartford Courant* en première page. À l'intérieur, un long article traçait un portrait du brillant jeune financier qui, vingt-cinq ans plus tôt, s'était vu décerner la Médaille d'honneur, et qui avait joué un rôle décisif dans la fusion entre les banques Fairchild et Russell. Nathan sourit en se souvenant du confessionnal de la cathédrale Saint-Joseph ; Murray Goldblatz laissait toujours entendre que l'idée lui en revenait.

Le quotidien notait que la décision de Nathan de se présenter contre Ralph Elliot pour obtenir l'investiture républicaine relançait la compétition : tous deux étaient des candidats remarquables, d'excellents exemples de réussite professionnelle. Il ne prenait pas parti et se bornait à promettre de rendre compte, de manière impartiale, du duel entre les deux hommes, dont on savait qu'ils ne s'aimaient guère. Il concluait en ajoutant négligemment : « Mme Hunter sera également sur les rangs. » Ce qui en disait long sur ce que le journal pensait de ses chances de réussite.

Nathan fut satisfait de la couverture médiatique de son annonce, et plus encore de la réaction très favorable des gens qui l'accostaient dans la rue. Tom avait pris un congé de deux mois pour diriger sa campagne, et Murray Goldblatz lui avait fait parvenir un chèque conséquent.

La première réunion eut lieu un soir, chez Tom, qui expliqua à toute l'équipe ce qui les attendrait au cours des six semaines suivantes. En gros, il leur faudrait se lever avant l'aube et se coucher bien après minuit. Nathan fut surpris de constater que Luke s'intéressait passionnément à la compétition : il suivit son père partout, souvent accompagné de Kathy, pour qui Nathan éprouvait toujours plus de sympathie.

Il devint vite évident qu'Elliot s'était lancé depuis plusieurs semaines, en espérant que cela lui donnerait un avantage décisif. Nathan comprit ainsi que le premier *caucus* d'Ipswitch, s'il ne mettait en jeu que dix-sept voix, aurait une importance capitale. Il rendit donc visite aux dix-sept personnes intéressées, que son rival avait évidemment déjà rencontrées ; mais, s'il était déjà assuré du soutien de quelques-unes, d'autres demeuraient indécises, ou ne lui faisaient pas confiance.

Nathan comprit également, au fil des jours, qu'il lui fallait toujours être à deux endroits en même temps : la primaire de Chelsea avait lieu deux jours après le *caucus* d'Ipswitch. Celui-ci lui donna finalement sept voix, contre dix à Elliot. L'équipe de ce dernier, si elle cria victoire, ne put dissimuler sa déception.

À la grande surprise de Nathan, la presse locale accorda peu d'importance au résultat : il y avait à Chelsea onze mille électeurs, dont le choix permettrait de se faire une idée beaucoup plus fiable de ce que le grand public pensait des deux candidats. Après tout, un *caucus* n'intéresse jamais qu'une poignée d'apparatchiks.

Au bout d'une quinzaine de jours, Nathan avoua à Tom, alors qu'ils s'apprêtaient à tenir leur énième meeting électoral, qu'il était très satisfait de la réaction des électeurs : nombre d'entre eux lui avaient dit qu'ils voteraient pour lui. Mais Ralph Elliot ne provoquait-il pas la même réaction ?

— Je n'en sais rien, répondit Tom, mais je peux te dire que nous serons bientôt à court d'argent. Si demain nous sommes largement distancés, il nous faudra peut-être nous retirer, à l'issue de la campagne électorale la plus brève de toute l'Histoire ! Nous pourrions faire savoir que le président Bush te soutient ; cela nous vaudrait à coup sûr des voix supplémentaires.

— Pas question ! C'était un appel privé, non un soutien officiel.

— Mais Elliot ne cesse d'évoquer son invitation à la Maison-Blanche, comme si Bush et lui avaient dîné en tête à tête.

— Et, d'après toi, qu'en pensent les électeurs ?

— C'est peut-être un peu trop subtil pour l'électeur moyen.

— Méfie-toi. Il ne faut jamais le sous-estimer.

Nathan ne garda guère de souvenirs de la journée des primaires de Chelsea, sinon qu'il s'était déplacé sans arrêt. Peu après minuit, quand on apprit qu'Elliot l'avait emporté par six mille cent neuf voix contre cinq mille trois cent deux, sa seule question fut :

— Sommes-nous en mesure de continuer ?

— Le patient respire encore, mais tout juste, répondit Tom. Si Elliot gagne à Hartford, nous n'aurons plus qu'à plier bagages. Estime-toi heureux d'avoir un boulot auquel tu pourras retourner !

Barbara Hunter, largement distancée, annonça son retrait de la compétition, ajoutant qu'elle annoncerait bientôt quel candidat elle soutenait.

Tom savait qu'il leur faudrait concentrer tous leurs efforts sur Hartford : non seulement c'était leur dernière chance, mais la capitale de l'État comptait le plus grand nombre de votants au collège électoral : dix-neuf en tout. Une règle préhistorique voulait que le vainqueur de la primaire bénéficie de toutes leurs voix, ce qui permettrait à Nathan de repasser en tête. S'il perdait, en revanche, il ne lui resterait plus qu'à rentrer chez lui.

Trois jours avant la primaire, un sondage du *Hartford Courant* montra qu'Elliot avait deux points de retard sur Nathan, que Barbara Hunter déclara soutenir officiellement. Le lendemain matin, alors que Nathan rencontrait les électeurs au centre commercial Robinson, il reçut un coup de fil de Murray Goldblatz qui voulait le voir de toute urgence. Il assura les membres de son équipe qu'il reviendrait sous peu, mais ils ne le revirent pas de la journée.

Arrivant à la banque, Nathan fut accueilli par Gold-blatz, Tom et Julia. D'après leurs visages, les choses se présentaient mal. Murray ne tourna pas autour du pot :

— J'ai cru comprendre que ce soir doit se tenir un meeting au cours du-duquel Elliot et vous prendrez la parole.

— C'est exact. C'est le dernier grand événement de la campagne avant le scrutin.

— J'ai une espionne dans le camp d'Elliot, poursuivit Goldblatz, et elle me dit qu'ils ont prévu une question qui pourrait ruiner votre campagne. Mais elle ne sait pas laquelle, et n'a pas voulu se montrer trop curieuse, pour ne pas attirer l'attention. Vous avez une idée de ce que ça pourrait être ?

— Non.

— Peut-être ont-ils découvert la vérité sur Julia, dit Tom d'un ton très calme.

— Julia ? demanda Murray, qui semblait ne pas comprendre.

— Pas ma femme ; la première Mme Kirkbridge.

— Je ne savais pas qu'il y en avait eu une autre, répondit Goldblatz.

— Et vous n'aviez aucune raison pour ça. Mais j'ai toujours redouté que la vérité ne finisse par être révélée.

Tom raconta donc à Murray comment la femme qui se faisait passer pour Julia avait signé un chèque avant de disparaître avec l'argent transféré sur son compte.

— Où est ce chèque ? demanda Murray.

— Sans doute quelque part dans les archives de la mairie.

— Il nous faut donc supposer qu'Elliot a mis la main dessus. Est-ce que, techniquement, vous avez violé la loi ?

— Absolument pas. Mais nous n'avons pas respecté l'accord conclu avec le conseil municipal, dit Tom.

— Ce qui n'a pas empêché le projet Cedar Wood d'être un énorme succès, qui a rapporté gros aux investisseurs, ajouta Nathan.

— Très bien, dit Goldblatz. L'alternative est simple : soit vous préparez une déclaration pour cet après-midi, soit vous attendez que la bombe explose ce soir en espérant que vous saurez répondre à chacune des questions qui vous seront posées.

— Que me conseillez-vous ?

— Personnellement, j'attendrais de voir. Pour commencer, mon informatrice peut se tromper ; par ailleurs, il se pourrait que les rumeurs sur le projet Cedar Wood n'aient pas de retentissement véritable, si bien que vous auriez ouvert la boîte de Pandore pour rien.

— Qu'est-ce qu'il pourrait y avoir d'autre ? demanda Nathan.

— Rebecca ! lança Tom. Tu l'as mise enceinte et tu l'as contrainte à avorter.

Nathan éclata de rire :

— Jamais Elliot ne soulèvera cette question : il pourrait bien avoir été le père, et ça ne serait pas bon pour son image de chevalier blanc.

— Avez-vous songé à attaquer vous-même ? demanda Murray. Elliot n'a-t-il pas démissionné d'Alexander, Dupont & Bell le même jour que son oncle, parce que 500 000 dollars avaient disparu du compte d'un client ?

— Non, répondit Nathan. Je ne veux pas tomber aussi bas que lui. D'ailleurs, on n'a jamais rien prouvé.

— Oh ! que si, s'exclama Goldblatz. Le client en question était un ami personnel, et il m'a téléphoné pour me mettre en garde dès qu'il a appris qu'Elliot allait nous représenter.

— C'est toujours non, soupira Nathan.

— Très bien. Dans ce cas, il va nous falloir passer le reste de l'après-midi à préparer vos réponses à toutes les questions qui pourraient vous être posées.

À 18 heures, Nathan quitta la banque, fourbu. Il téléphona à Su Ling pour la prévenir de ce qui s'annonçait.

— Tu veux que je vienne ce soir ? demanda-t-elle.

— Non, petite fleur. En revanche, j'aimerais que tu t'occupes de Luke. Si ça doit mal se passer, je préférerais qu'il ne soit pas là. Tu sais à quel point il est sensible, tout le touche profondément.

— Je l'emmènerai à l'Arcadia voir ce film français dont Kathy et lui me parlent sans arrêt depuis une semaine.

Le soir, en arrivant à la salle de réunion, Nathan tenta d'avoir l'air détendu. L'endroit était rempli d'hommes d'affaires locaux, qui bavardaient entre eux. Mais qui pouvaient-ils soutenir ? Sans doute, certains n'avaient pas encore fait leur choix : les sondages montraient qu'il restait plus de 10 % d'indécis.

Il fut conduit jusqu'à la table d'honneur. Manny Friedman, le responsable local du parti républicain, discutait avec Ralph Elliot qui, voyant arriver son adversaire, lui serra la main d'un air théâtral. Nathan s'assit et se mit à griffonner au dos d'un menu.

Friedman présenta les deux hommes au public, puis invita Elliot à prendre la parole. Jamais Nathan ne l'avait entendu s'exprimer aussi platement. Cependant, quand lui-même se rassit après avoir répondu à son adversaire, il dut bien convenir qu'il n'avait pas fait mieux. Le premier round se solda par un match nul.

Quand Manny invita le public à poser des questions, Nathan attendit, en se demandant d'où et quand viendrait le missile qui ferait tout exploser ; il parcourut des yeux la salle tout entière.

— Que pensent les candidats du projet de loi sur l'éducation, actuellement en discussion ?

Nathan se concentra sur les aspects qui lui paraissaient devoir être amendés, tandis qu'Elliot se contenta, pour l'essentiel, de rappeler qu'il avait fait des études à l'université du Connecticut.

La deuxième question était relative à l'impôt sur le revenu, qui avait fait récemment l'objet d'une nouvelle loi. Les deux candidats s'engageaient-ils à ne pas en augmenter le taux ? L'un et l'autre promirent.

La troisième portait sur la délinquance, en particulier celle des jeunes. Elliot déclara que les enfermer était le seul moyen de leur donner une bonne leçon. Nathan, pour sa part, n'était pas convaincu que la prison était la réponse à tous les problèmes ; peut-être conviendrait-il de s'intéresser à la récente réforme du système pénal de l'Utah, qui comportait des innovations intéressantes.

Il venait de se rasseoir quand se leva quelqu'un qui prit soin de ne pas le regarder en face. Nathan comprit que c'était le compère d'Elliot, qui prenait ostensiblement des notes à ce moment et paraissait très absorbé.

— Allez-y, dit Manny Friedman.

— Puis-je demander si l'un ou l'autre des candidats a déjà enfreint la loi ?

Elliot se leva d'un bond :

— Plusieurs fois ! J'ai eu trois contraventions la semaine dernière. C'est pourquoi, une fois élu, je lèverai les restrictions au stationnement dans les centres-ville.

Une réponse vraiment parfaite ! songea Nathan, tandis qu'une vague d'applaudissements saluait les paroles de son adversaire.

Puis il se leva lentement et se tourna vers son adversaire :

— Je ne changerai pas la loi pour faire plaisir à M. Elliot, car je crois qu'il devrait y avoir moins de véhicules dans nos cités. Ce sera peut-être impopulaire, mais il faut bien que les électeurs prennent conscience qu'on ne peut indéfiniment construire des voitures de plus en plus puissantes et de plus en plus polluantes. Il faut léguer à nos enfants un monde où leur avenir ne sera pas compromis.

Il se rassit sous de vifs applaudissements, et espéra un instant que Friedman allait donner la parole à quelqu'un d'autre. Mais l'homme resta debout :

— Monsieur Cartwright, vous n'avez pas répondu à ma question. Avez-vous ou non enfreint la loi ?

— Pas que je sache.

— Mais n'est-il pas vrai qu'en tant que dirigeant de la banque Russell, vous ayez honoré un chèque de trois millions six cent mille dollars, alors que vous saviez que les fonds avaient disparu, et que la signature sur le chèque était frauduleuse ?

Il y eut aussitôt des exclamations dans l'assistance, et Nathan dut attendre que le calme revienne pour répondre :

— C'est exact. La banque a été spoliée de cette somme à l'issue d'une escroquerie remarquablement conçue. Comme l'argent était dû au conseil municipal, j'ai pensé que nous n'avions pas d'autre choix que d'honorer le chèque.

— À l'époque, avez-vous prévenu la police du vol de cet argent? Après tout, c'était celui de vos clients, et non le vôtre!

— Non. Tout indiquait qu'il avait déjà été transféré à l'étranger, et nous savions qu'il serait impossible de le retrouver.

— Monsieur Cartwright, si vous deveniez gouverneur, traiteriez-vous aussi cavalièrement l'argent du contribuable? demanda quelqu'un d'autre.

Elliot se leva aussitôt:

— C'est là une question indécente! Passons à autre chose!

Il se rassit sous les applaudissements, et Nathan fut bien contraint d'admirer le sang-froid dont il faisait preuve. Provoquer une question, puis feindre de voler au secours de son adversaire : quelle magnifique manœuvre! Il attendit que le silence revienne.

— L'incident dont vous parlez s'est produit il y a dix ans. C'était de ma part une erreur que je regrette, bien qu'en définitive le projet Cedar Wood ait été un énorme succès financier, qui a bénéficié à tous les citoyens d'Hartford, comme à l'économie locale.

L'homme ne se découragea pas:

— Monsieur Elliot s'est montré très clair, mais j'aimerais lui demander s'il aurait prévenu la police, à votre place.

Elliot se leva:

— Je préfère ne pas faire de commentaires sur cette affaire, dont je ne connais pas les détails. Je me contenterai de croire M. Cartwright sur parole quand il affirme n'avoir pas enfreint la loi et regrette vivement de ne pas avoir signalé l'affaire aux autorités responsables. Toutefois, si je suis élu gouverneur, je puis vous assurer que, si je commets une erreur, je la reconnaîtrai sur-le-champ, et non dix ans plus tard.

L'homme d'Elliot se rassit ; sa tâche était terminée.

Le président de séance eut beaucoup de mal à rétablir l'ordre ; il y eut d'autres questions, mais que l'assistance n'écouta guère, très occupée à discuter des révélations de Nathan.

Quand la réunion prit fin, Elliot quitta les lieux sans attendre, tandis que Nathan restait à sa place. Nombre de gens vinrent le trouver pour lui serrer la main : le projet Cedar Wood avait en effet été très profitable à la ville.

— Au moins, ils ne t'ont pas lynché ! s'exclama Tom comme tous deux se dirigeaient vers la sortie.

— Non, en effet, mais il a réussi à semer le doute dans les esprits quant à mes capacités d'occuper le poste de gouverneur.

43

« LE SCANDALE CEDAR WOOD », titrait le *Hartford Courant* le lendemain matin. Une reproduction du chèque et de la véritable signature de Julia avaient été placées côte à côte, en première page. Fort heureusement pour Nathan, la moitié des électeurs avaient voté avant que le journal ne soit distribué. Il avait évidemment préparé, en cas de défaite, une brève déclaration dans laquelle il félicitait son adversaire, et se trouvait dans son bureau lorsque Tom arriva en trombe :

— Tu as gagné ! Onze mille sept cent quatre-vingt-douze voix contre onze mille six cent soixante-treize ! Cent dix-neuf voix d'écart, pas plus, mais désormais tu es en tête au collège électoral, par vingt-neuf voix contre vingt-sept !

Le lendemain, un éditorial du *Hartford Courant* fit remarquer que personne n'avait perdu d'argent en investissant dans le projet Cedar Wood. L'incident avait fait long feu et sombra vite dans l'oubli ; mais Nathan devait encore affronter trois *caucus* et deux primaires. Il remporta la première quatre jours plus tard, ce qui lui valut d'accroître son avance dans le collège électoral – cent seize voix contre quatre-vingt-onze –, tandis que les sondages lui accordaient plusieurs points d'avance. À mesure que les jours passaient, il se sentit de plus en plus certain de l'emporter. Le *Hartford Courant* alla jusqu'à suggérer que la vraie bataille ne commencerait que lorsque Nathan devrait affronter le sénateur Andrew Davenport. Tom tenait cependant à ce qu'il prépare sérieusement le débat télévisé qui l'opposerait à Elliot la veille du scrutin :

— Pas question de nous planter au dernier moment ! Tu l'emportes, et tu seras sûr d'être candidat. Mais je veux que tu passes ton dimanche à préparer les questions, en prenant garde à tout ce qui pourrait te tomber dessus pendant le débat.

Nathan regrettait d'avoir donné son accord, quelques semaines plus tôt, pour cette rencontre sur une chaîne de télévision locale. David Anscott la présenterait. C'était un journaliste soucieux de sa popularité, et Tom n'avait pas fait d'objection : le débat serait l'occasion de se préparer à celui, autrement plus important, qui opposerait Nathan à Andrew Davenport.

Tom savait par ailleurs que bien des partisans de Ralph Elliot l'abandonnaient, parfois pour rejoindre leur équipe ; si bien que lorsque Nathan et lui arrivèrent au studio de télévision, ils se sentaient en confiance. Su Ling était là ; Luke avait préféré rester à la maison pour suivre l'affrontement devant son poste de télévision, afin de pouvoir dire à son père quelle impression il avait faite.

— En compagnie de Kathy, sans doute ! commenta Nathan en souriant.

— Non, dit Su Ling, elle est repartie chez elle cet après-midi pour l'anniversaire de sa sœur. Luke aurait d'ailleurs dû l'accompagner, mais il prend très au sérieux son rôle de conseiller.

Tom vint montrer à Nathan les derniers sondages d'opinion : ils accordaient six points d'avance à Nathan.

— Je crois que, désormais, seul Andrew Davenport peut t'empêcher d'être élu gouverneur !

— Je ne serai convaincue que lorsque les résultats du vote seront connus, dit Su ling. Souvenez-vous de la manière dont Elliot avait bourré les urnes, autrefois !

— Il a déjà tout essayé sans que ça marche, cette fois-ci ! objecta Tom.

— J'aimerais en être sûr ! soupira Nathan.

Les deux candidats montèrent sur l'estrade, sous les applaudissements d'un public choisi, et s'assirent après s'être serré la main, les yeux fixés sur la caméra.

— Le débat sera retransmis en direct, expliqua David Anscott à l'assistance, et nous serons à l'antenne d'ici cinq minutes. Je poserai quelques questions, puis ce sera votre tour. Si vous voulez interroger les candidats, veillez à être brefs : surtout, pas de longs discours !

Nathan aperçut alors, au deuxième rang, l'homme qui, lors de la réunion du parti républicain, l'avait interrogé sur le projet Cedar Wood. Cette fois, Nathan était bien préparé et se sentait sûr de pouvoir faire face.

L'émission commença. David Anscott, souriant, présenta les deux candidats, qui firent une brève déclaration – une minute, pas plus. Le présentateur posa ensuite quelques questions qu'on lui avait préparées et qu'il lisait sur son prompteur, passant à la suivante lorsque Elliot et Nathan avaient répondu, sans jamais chercher à lancer un véritable débat. Puis il donna la parole à l'assistance.

La première question porta sur l'avortement. Nathan savait que son adversaire serait mal à l'aise, ne voulant offenser ni ses partisans chrétiens ni les femmes. Lui-même fit savoir qu'il était partisan de respecter le choix de celles-ci, et Elliot répondit à côté.

Suivant l'émission à la télévision, Andrew prenait des notes. De toute évidence, Nathan Cartwright voyait bien quels étaient les enjeux du projet de loi sur l'éducation et, plus important encore, jugeait raisonnables les changements que lui-même proposait.

— Il est vraiment très intelligent, dit Annie.

— Et très mignon ! lança Lucy.

— Y a-t-il quelqu'un qui soit de mon côté, ici ? soupira Andrew.

— Moi ! intervint Jimmy. Il n'est pas si mignon que ça ! Mais il a manifestement beaucoup réfléchi à ta proposition de loi, et considère que ce sera un enjeu électoral.

— Andrew, reprit Annie, as-tu remarqué comme il te ressemble ?

— Oh ! non, s'exclama Lucy. Il est beaucoup plus beau que papa !

La troisième question porta sur le contrôle des armes à feu. Ralph Elliot déclara soutenir le droit de chaque Américain à en détenir librement ; Nathan expliqua qu'il préférait que leur possession soit réglementée, ce qui préviendrait des incidents comme celui durant lequel, à l'école primaire, son fils avait été pris en otage.

Annie et Lucy applaudirent en même temps que le public réuni dans le studio.

— Quelqu'un pourrait lui rappeler qui a permis la libération des otages, ce jour-là ? bougonna Jimmy.

— Il s'en souvient parfaitement ! répondit Andrew.

— Une autre question, dit David Anscott. Il faudra qu'elle soit brève, nous n'avons plus beaucoup de temps !

L'homme au deuxième rang se leva :

— Quel est le point de vue des candidats sur l'immigration illégale ?

Ralph Elliot prit la parole :

— Je suis certain que M. Cartwright conviendra avec moi que l'Amérique doit toujours accueillir quiconque est victime de l'oppression ou de la misère, comme elle l'a fait tout au long de son histoire. Toutefois, ceux qui veulent entrer dans notre pays doivent respecter les procédures légales en vigueur.

— Est-ce aussi votre opinion, monsieur Cartwright ? demanda David Anscott à Nathan, qui paraissait un peu perplexe.

— David, j'avouerai ne pas avoir longuement réfléchi au problème, qui n'est pas de première urgence dans le Connecticut.

L'homme insista :

— Vous avez pourtant dû y penser ! Après tout, votre femme n'est-elle pas une immigrante illégale ?

Anscott entendit le réalisateur s'exclamer, dans son oreillette :

— Laisse-le répondre ! Si on s'arrête là, on va avoir des milliers de coups de téléphone de protestation ! Gros plan sur Cartwright !

Elliot avait pris un air surpris qui ne trompa pas Andrew :

— Quel salaud ! Il savait qu'on allait poser la question ! La caméra revint sur Nathan, qui resta muet.

— Dois-je en conclure, poursuivit l'homme, que votre femme est bien entrée illégalement dans notre pays ?

— Elle est professeur de statistiques à l'université du Connecticut, répondit Nathan en s'efforçant de contrôler le tremblement de sa voix.

Celle du réalisateur se fit entendre dans l'oreillette d'Anscott :

— Ne dis rien ! Si jamais ça devient trop ennuyeux, je lancerai le générique.

— Peut-être, monsieur Cartwright, répliqua l'homme. Mais sa mère, Su Kai Peng, n'est-elle pas entrée aux États-Unis avec de faux papiers, affirmant avoir été mariée à un soldat américain, qui en fait avait été tué plusieurs mois avant la date officielle du mariage ?

Nathan ne répondit pas.

— Monsieur Cartwright, vous ne semblez pas vouloir répondre à ma question, mais peut-être pourrez-vous confirmer que, sur l'acte de mariage, votre belle-mère se déclarait couturière. Pourtant, il est avéré qu'avant de venir en Amérique, c'était une prostituée exerçant ses talents dans les rues de Séoul.

— Générique ! annonça le réalisateur dans l'oreillette. On ne peut pas empiéter sur le feuilleton, mais laissez tourner les caméras, ça pourrait nous donner des plans supplémentaires pour le journal de ce soir.

Une fois le générique lancé, le complice d'Elliot se hâta de quitter les lieux. Nathan jeta un coup d'œil à Su Ling, très pâle.

Elliot se tourna vers David Anscott :

— C'est une honte ! Vous auriez dû l'interrompre !

Puis il se tourna vers Nathan :

— Croyez-moi, je ne me doutais pas que...

— Menteur ! lança Nathan.

— Les quatre caméras sur lui, ordonna le réalisateur. Je veux ça sous tous les angles !

345

— Que voulez-vous dire ? répliqua Elliot.

— Que c'est un coup monté que vous avez organisé ! Et sans grande subtilité : c'était la même personne qui m'avait interrogé sur le projet Cedar Wood, voilà deux semaines ! Mais je vous liquiderai quand même !

Nathan se leva et se dirigea vers Su Ling, qui l'attendait à la sortie :

— Viens, petite fleur, je vais te ramener à la maison.

Tom vint les rejoindre :

— Nathan, je suis navré de devoir te le demander, mais est-ce que tout ça est vrai ?

— Oui. Et je le savais depuis notre mariage.

— Ramène Su Ling chez vous, et surtout, garde-toi de répondre à la presse.

— Ne t'en fais pas ! Fais une déclaration en mon nom annonçant que je me retire de la compétition. Il n'est pas question que ma famille soit davantage traînée dans la boue.

— Ne va pas prendre de décision sous le coup de l'émotion ! On parlera de tout ça demain matin.

Nathan et sa femme montèrent en voiture et partirent sans répondre aux acclamations de leurs supporters.

— Je t'aime, dit Nathan à Su Ling, et je t'aimerai toujours. Rien ni personne n'y changera jamais rien.

— Comment Elliot a-t-il su ?

— Sans doute avait-il lancé des détectives privés à mes trousses.

— Et comme ils ne trouvaient rien, ils se sont intéressé à ma mère et à moi.

Su Ling se tut un instant puis reprit :

— Je ne veux pas que tu te retires. Il faut que tu continues ! C'est le seul moyen de venir à bout de ce salaud ! Je suis simplement navrée pour Luke, il doit beaucoup souffrir. Si seulement Kathy était restée un jour de plus !

— Je m'occuperai de lui. Mieux vaut que tu passes chez ta mère et la ramène chez nous pour la nuit.

— Je l'appellerai dès que nous serons rentrés. Peut-être n'a-t-elle pas regardé l'émission.

— Ça m'étonnerait ! Elle ne manque aucun de mes passages à la télé !

Toutes les lumières de la maison étaient éteintes, sauf dans la chambre de Luke. Pendant que Su Ling s'emparait du téléphone, Nathan monta lentement les marches menant à l'étage, en tentant de réfléchir : son fils tiendrait à ce qu'il réponde sincèrement à toutes ses questions.

Il frappa à la porte de la chambre, sans résultat.

— Luke, je peux entrer ?

Toujours pas de réponse. Nathan ouvrit et jeta un coup d'œil à l'intérieur. Luke n'était pas au lit, et ses vêtements n'étaient pas posés sur une chaise. Sa première idée fut qu'il s'était rendu à la blanchisserie pour être avec sa grand-mère. Il allait redescendre quand il remarqua que la lumière était restée allumée dans la salle de bains.

Y entrant, il se figea en contemplant le corps de son fils. Puis il tomba à genoux, incapable d'en voir davantage, bien qu'il sût qu'il lui faudrait dépendre le cadavre lui-même pour que ce ne soit pas la dernière vision que Su Ling ait de leur fils unique.

— C'est Charlie, du *Courant*, dit Annie à son mari.

— Vous avez suivi le débat à la télévision ? demanda le journaliste à Andrew. Accepteriez-vous de faire des commentaires sur les accusations portées contre la femme et surtout la belle-mère de Nathan Cartwright, accusée d'être une prostituée ?

— David Anscott aurait dû interrompre celui qui posait les questions ! De toute évidence, c'était un coup monté.

— Je peux vous citer ?

Jimmy, qui suivait la conversation, fit non de la tête.

— N'hésitez pas ! répondit Andrew. En comparaison, le Watergate ressemble au *Muppets Show* !

— Sénateur, vous serez sans doute ravi d'apprendre que c'est aussi l'avis du grand public. La chaîne a été submergée d'appels de sympathie pour Cartwright et son épouse, et je suis prêt à parier qu'Elliot connaîtra demain une défaite sans appel.

— Ce qui ne me facilitera pas la tâche, observa Andrew. Mais tout cela aura au moins eu un avantage.

— Lequel, sénateur ?

— De montrer à tout le monde que Ralph Elliot est un salaud !

— Je me demande si c'était bien judicieux, commenta Jimmy une fois qu'Andrew eut raccroché.

— Peut-être pas ! Mais c'est ce que ton père aurait dit !

Quand l'ambulance arriva, Nathan décida d'accompagner son fils à l'hôpital, tandis que sa propre mère, au désespoir, tentait de réconforter Su Ling.

Il expliqua aux deux infirmiers, qui se tenaient en silence à côté du corps, qu'il les suivrait dans sa voiture. Ils hochèrent la tête sans mot dire.

Le personnel de l'hôpital se montra aussi prévenant que possible, mais il y avait des formulaires à remplir, des procédures à respecter... Cela fait, on laissa Nathan seul avec Luke. Il l'embrassa sur le front, n'osant poser les yeux sur les marques rouges et noires qu'il avait sur le cou, bien conscient que leur souvenir l'accompagnerait jusqu'à la fin de ses jours.

Il devait maintenant rentrer chez lui pour retrouver Su Ling, mais il avait auparavant une autre visite à rendre.

Nathan quitta l'hôpital sans réfléchir, sa fureur ne faisant que croître. Il savait où aller. Quand il s'arrêta sur le chemin d'accès, Nathan vit des lumières au rez-de-chaussée. Comme il s'approchait, il entendit des éclats de voix : un homme et une femme discutaient violemment. La dispute cessa dès qu'il eut frappé. La porte s'ouvrit presque aussitôt, et Nathan se trouva face à l'homme qu'il tenait pour responsable de la mort de son fils.

Ralph Elliot parut d'abord abasourdi. Pourtant, il se ressaisit et voulut refermer. En vain. Le premier coup de poing de Nathan l'atteignit au visage. Projeté en arrière, il faillit trébucher, mais il retrouva l'équilibre et s'enfuit dans le couloir. Nathan se précipita à sa suite dans son bureau où il le vit fouiller dans un tiroir et en sortir une arme, qu'il pointa sur lui.

— Sors de chez moi ou je te tue ! hurla Elliot.

Du sang lui coulait du nez. Nathan s'avança vers lui :

— Ça m'étonnerait. Après ton petit coup monté de ce soir, personne ne te croira plus jamais.

— J'ai un témoin ! Rebecca t'a entendu entrer chez nous de force, me menacer et me frapper !

Nathan s'avança d'un pas, prêt à cogner de nouveau. Elliot recula et trébucha, appuyant du même coup sur la détente. Nathan se jeta sur lui et le fit tomber à terre, non sans lui décocher un coup de genou dans l'aine si violent qu'Elliot se plia en deux, laissant tomber son revolver. Nathan s'en empara et en pointa le canon sur le front de son adversaire, dont le visage était déformé par la peur.

— C'est toi qui a installé ce salaud dans le public du studio, n'est-ce pas ?

— Oui ! Oui ! Mais je ne savais pas qu'il irait aussi loin ! Tu ne vas pas me tuer parce que...

— ... parce qu'il est responsable de la mort de mon fils ?

Elliot devint blanc comme un linge.

— J'en suis bien tenté, ajouta Nathan en contemplant son vieil ennemi, étendu sur le sol et criant grâce. Mais je ne te tuerai pas, ce serait trop doux pour un lâche comme toi. Je vais faire bien pire. Tu découvriras dès demain ce que les gens d'Hartford pensent vraiment de toi. Ensuite, tu n'auras plus qu'à me regarder entrer dans la demeure du gouverneur.

Se relevant, Nathan déposa l'arme sur le bureau, fit demi-tour et sortit de la pièce. Rebecca était dans le couloir, tremblante ; elle se précipita dans le cabinet de travail dès qu'il fut passé à sa hauteur.

Nathan monta dans sa voiture et démarra. Il quittait le chemin d'accès quand il entendit un coup de feu.

Le téléphone d'Andrew ne cessait de sonner. Annie répondait à chaque fois que son mari n'avait pas de commentaires supplémentaires à faire, et qu'il avait adressé ses condoléances à M. et Mme Cartwright.

Peu après minuit, elle partit se coucher. À sa grande surprise, Andrew n'était pas dans leur chambre. Annie redescendit le chercher dans le bureau, en vain. Remontant, elle aperçut un rai de lumière sous la porte de Lucy et entra sans bruit. L'adolescente s'était endormie en oubliant d'éteindre sa lampe. Andrew était assis sur son lit et la regardait, tandis que des larmes lui coulaient sur les joues :

— Rien ne justifie ça ! Rien ! s'écria-t-il à l'adresse de sa femme.

Quand Nathan revint, Su Ling était toujours sur le sofa, l'air anéantie : elle avait vieilli de dix ans en quelques heures.

— Je vais vous laisser, dit la mère de Nathan. Je reviendrai demain matin.

Nathan l'embrassa, puis s'assit près de son épouse, qu'il tint serrée contre lui sans parler.

Il ignorait combien de temps ils étaient restés ainsi quand il entendit une sirène de police. Il crut d'abord qu'elle allait se perdre dans le lointain, mais elle se fit de plus en plus proche jusqu'à ce que, finalement, une voiture s'arrête, dans un grand crissement de pneus, juste devant chez eux. Il y eut le bruit d'une portière qu'on claque, des pas lourds, et quelqu'un frappa à la porte.

Nathan alla ouvrir à pas lents. Culver, le chef de la police, était là, accompagné d'un de ses adjoints.

— Que se passe-t-il ?

— Après tout ce que vous avez déjà subi, dit Culver, je suis navré de vous imposer cela, mais je suis contraint de vous mettre en état d'arrestation.

— Mais pourquoi ? demanda Nathan, interloqué.

— Pour le meurtre de Ralph Elliot.

V
LES JUGES

44

Ce n'était pas la première fois dans l'histoire des États-Unis qu'on voterait pour un mort, ou pour un candidat en état d'arrestation. Mais les deux en même temps... Les meilleurs historiens n'auraient pu trouver de précédent.

Le chef de la police ne permit qu'un appel téléphonique à Nathan, qui contacta Tom — lequel était encore debout à 3 heures du matin :

— Je vais tirer Jimmy Gates du lit et nous viendrons te retrouver au commissariat dès que possible.

Les deux hommes arrivèrent alors qu'on venait juste de prendre les empreintes de Nathan.

— Tu te souviens de Jimmy, il nous a conseillés pendant l'affrontement avec Fairchild.

— J'ai parlé à Culver, enchaîna le fils du sénateur Gates, et il ne voit pas d'inconvénient à ce que vous rentriez chez vous. Mais vous devrez comparaître au tribunal à 10 heures demain matin, afin d'être officiellement inculpé. Je réclamerai votre mise en liberté sous caution, et elle a toutes les chances de vous être accordée.

— Merci, répondit Nathan d'une voix morne. Jimmy, vous vous souvenez que lorsque nous avons eu affaire à la banque Fairchild, je vous avais demandé de me trouver le meilleur avocat pour ce genre de situation ?

— En effet. Je vous avais recommandé Logan Fitzgerald, et vous avez toujours dit qu'il avait fait un boulot de première classe.

— Eh bien, cette fois-ci, il va falloir me dénicher le Fitzgerald du droit criminel.

— J'aurai sans doute deux ou trois noms à vous proposer quand nous nous retrouverons, tout à l'heure. Il y a un gars exceptionnel à Chicago, mais il est très occupé...

Don Culver s'approcha :

— Monsieur Cartwright, voulez-vous qu'un de mes gars vous ramène chez vous ?

— C'est gentil de votre part, chef, intervint Tom, mais je m'en chargerai.

Sur le chemin du retour, Nathan lui raconta tout ce qu'il s'était passé chez Elliot.

— En définitive, conclut Tom, c'est ta parole contre celle de Rebecca.

— Oui, et j'ai peur que mon histoire ne paraisse moins convaincante que la sienne.

— On discutera de ça tout à l'heure. Pour le moment, essaie de dormir un peu.

Su Ling attendait à l'entrée :

— Ils n'ont quand même pas cru que...

Nathan expliqua comment les choses s'étaient passées au commissariat.

— C'est dommage, dit-elle simplement.

— Quoi donc ?

— Que ce ne soit pas toi qui l'aies tué.

Montant à l'étage, il se rendit à la salle de bains, ôta ses vêtements et les fourra dans un sac, qu'il jetterait plus tard, afin que rien ne lui rappelle jamais cette horrible journée. Puis il prit une douche glacée, se changea et alla rejoindre sa femme dans la cuisine.

Tom fit son apparition à 9 heures et, comme si de rien n'était, lui apprit que les électeurs s'étaient déplacés en masse :

— Un sondage effectué juste après l'émission d'hier indique que tu mènes par soixante-trois à trente-sept.

— Mais c'était avant que je sois arrêté pour avoir tué mon adversaire.

— Je crois que ça pourrait te faire grimper à soixante-treize.

Personne ne rit. Tom fit de son mieux pour ne parler que de la campagne et leur faire oublier Luke, mais en vain.

— Il est temps d'y aller, finit-il par dire.

Nathan prit Su Ling dans ses bras.

— Non, je viens avec toi ! s'écria-t-elle. Je l'aurais tué, moi, si j'en avais eu l'occasion !

— Moi aussi, intervint Tom, mais soyez prévenus : quand nous arriverons au tribunal, ce sera un vrai cirque médiatique. Prenez un air neutre, ne dites rien, sinon ça se retrouvera aussitôt en première page des journaux.

À peine étaient-ils sortis de la maison qu'ils furent assaillis par une dizaine de journalistes et trois équipes de télévision, qui les filmèrent alors qu'ils montaient en voiture. Et quand, un quart d'heure plus tard, ils parvinrent au tribunal, Nathan se retrouva face à une foule comme jamais il n'en avait vue de toute la campagne.

Culver avait anticipé le problème et chargé vingt policiers en uniforme de leur frayer un chemin. Ce qui n'empêcha pas la presse de tendre ses micros et de hurler des questions :

— Avez-vous tué Ralph Elliot ?

— Allez-vous vous retirer de la compétition ?

— Monsieur Cartwright, votre belle-mère était-elle une prostituée ?

— Nathan, croyez-vous avoir encore des chances de l'emporter ?

— Rebecca Elliot était-elle votre maîtresse ?

— Monsieur Cartwright, quelles ont été les dernières paroles de Ralph Elliot ?

Une fois entrés, ils virent Jimmy Gates qui les attendait. Prenant Nathan par l'épaule, il alla s'asseoir avec lui sur un banc.

— Tout ça ne durera que quelques minutes. Vous donnerez votre nom, vous serez officiellement inculpé, puis on vous demandera ce que vous comptez plaider. Quand vous aurez répondu « non coupable », je réclamerai votre libération sous caution. Je me suis déjà entendu avec l'accusation à ce sujet : elle sera fixée à cinquante mille dollars. Dès que vous aurez signé les papiers nécessaires, vous serez libéré et n'aurez plus à comparaître en justice avant le procès.

— Ce qui demandera combien de temps ?

— En règle générale, six mois, mais j'ai réclamé une accélération de la procédure en raison de l'élection.

Jimmy jeta un coup d'œil à sa montre :

— Il est temps d'y aller. Pas question de faire attendre le juge !

Nathan entra en compagnie de Tom dans une salle de tribunal bondée. Il fut surpris de voir beaucoup de gens lui tendre la main, voire lui souhaiter bonne chance, comme si tout cela était une réunion électorale et non une inculpation criminelle.

Jimmy lui fit franchir la petite porte de bois séparant le public des membres du tribunal, puis l'invita à s'asseoir avec lui à la table de la défense. Pendant qu'ils attendaient l'arrivée du juge, Nathan jeta un coup d'œil au procureur : Richard Ebden, un homme qu'il avait toujours admiré, et qui serait un adversaire redoutable. Qui Jimmy comptait-il lui opposer ?

— Levez-vous ! Voici le juge Deakins !

Tout se passa exactement comme Jimmy Gates l'avait annoncé : ils se retrouvèrent dehors cinq minutes plus tard et ils durent affronter les mêmes journalistes posant les mêmes questions. Mais il y avait aussi beaucoup de gens soucieux de témoigner leur sympathie à Nathan, et Tom lui fit ralentir le pas, sachant que la scène serait diffusée au journal télévisé de midi. Le candidat échangea quelques mots avec ses supporters, mais ne sut que répondre quand l'un d'eux lança :

— Je suis ravi que vous ayez tué ce salopard !

— Tu veux rentrer directement ? demanda Tom en faisant lentement avancer sa voiture au milieu de la cohue.

— Non. Allons à la banque, nous discuterons dans la salle du conseil.

Ils s'arrêtèrent en chemin pour acheter le *Hartford Courant*. Tom parut ne s'intéresser qu'au sondage qui, en deuxième page, accordait plus de vingt points d'avance à Nathan.

— Selon un autre sondage, 72 % des personnes interrogées pensent que tu ne devrais pas te retirer.

Et 7 % disent qu'elles auraient volontiers tué Elliot elles-mêmes, si tu le leur avais demandé !

D'autres membres de la presse les attendaient devant la banque et eurent droit au même silence glacial. Dans le couloir, la secrétaire de Tom vint les accueillir pour leur apprendre que la participation électorale était très élevée, les Républicains voulant manifestement faire connaître leur opinion.

Une fois dans la salle de réunion, Nathan soupira :

— Quel que soit le résultat, le parti voudra que je me retire et, vu les circonstances, j'ai l'impression que c'est ce que je pourrais faire de mieux.

— Pourquoi ne pas laisser les électeurs en décider ? dit Su Ling. S'ils te soutiennent massivement, continue à te battre ! Cela aidera à convaincre le jury de ton innocence.

— J'en suis d'accord, lança Tom. Quelle est l'alternative, d'ailleurs ? Barbara Hunter ? Épargnons ça aux sympathisants républicains.

— Jimmy, quelle est votre opinion ?

— Je ne peux me montrer impartial à ce sujet ! Comme vous le savez, le candidat démocrate est mon beau-frère. Mais si j'avais à le conseiller dans des circonstances analogues, et que je sache qu'il est innocent, je lui dirais de se battre pied à pied.

— Il est toujours possible que les votants élisent un mort, et alors Dieu sait ce qu'il se passera !

— Son nom restera sur le bulletin de vote, intervint Tom. S'il remporte l'élection, le parti pourra choisir qui il voudra comme candidat.

— Tu parles sérieusement ? lança Nathan.

— Tout à fait. Il est fréquent que, dans ce genre de situation, on choisisse la veuve : Rebecca Elliot sera sans doute ravie de prendre sa place.

— Et, si vous êtes condamné, ce sera tout bénéfice pour elle, dit Jimmy.

— M'avez-vous trouvé un avocat qui puisse me défendre ?

— J'en ai même trouvé quatre ! Deux de New York, recommandés par Logan Fitzgerald, un de Chicago, qui a pris part à l'enquête sur le Watergate, et un de Dallas. Ce dernier n'a perdu qu'une fois en dix ans, et encore, parce que son client avait été filmé en train de commettre le meurtre... Je compte les appeler tous cet après-midi pour savoir s'ils sont disponibles. Vu le retentissement de l'affaire, ils devraient trouver le moyen de se libérer !

— N'y a-t-il personne au Connecticut qui soit à la hauteur ? demanda Tom. Ça ferait meilleur effet auprès du jury.

— J'en conviens, reconnut Jimmy, mais le seul qui soit du même calibre que les quatre autres est totalement indisponible.

— Et de qui s'agit-il ? demanda Nathan.

— Du candidat démocrate au poste de gouverneur.

— Alors, c'est lui qu'il me faut !

— Mais il est en pleine campagne électorale !

— Au cas où vous ne l'auriez pas remarqué, moi aussi ! De toute façon, le scrutin n'aura lieu que dans neuf mois ! Et, si je suis son adversaire, au moins il saura à qui il a affaire !

— Mais...

— Dites à M. Andrew Davenport que, si je suis désigné comme candidat républicain, c'est lui que je veux ! Et ne contactez personne tant qu'il n'aura pas refusé. Si tout ce que j'ai entendu dire de lui est vrai, je suis certain qu'il voudra me représenter !

— Monsieur Cartwright, si telles sont vos instructions...

— Telles sont mes instructions, monsieur Gates.

Vers 20 heures, alors que les bureaux de vote fermaient, Nathan s'endormit à l'arrière de la voiture de Tom, qui le ramenait chez lui. Quand il s'éveilla, il était allongé sur le lit, à côté de Su Ling, qui prit sa main et dit doucement :

— Non !

— Comment ça, non ?

— Je le vois dans tes yeux : tu te demandes s'il ne vaudrait pas mieux te retirer, pour que nous puissions pleurer Luke sereinement. La réponse est non.

— Mais il va y avoir l'enterrement, la préparation du procès, le procès lui-même !

— Et d'interminables heures pendant lesquelles tu seras insupportable. Mais la réponse est toujours non.

— Le jury a toutes les chances de croire une veuve en larmes, qui affirme de surcroît avoir assisté au meurtre de son époux.

— Un témoin oculaire de premier plan, en effet : c'est elle qui l'a tué !

Le téléphone à côté du lit se mit à sonner. Su Ling décrocha, écouta attentivement et nota deux chiffres sur un bloc-notes.

— Merci. Je le lui dirai.

Elle se tourna vers Nathan et lui tendit le bout de papier :

— C'était Tom. Il voulait te communiquer les résultats du vote.

Nathan lut simplement : 69/31.

— Mais qui a obtenu soixante-neuf ? demanda-t-il.

— Le prochain gouverneur du Connecticut, répondit-elle.

À la demande du principal, les funérailles de Luke eurent lieu dans la chapelle de Taft. Nathan et Su Ling eurent ainsi l'occasion de constater à quel point leur fils était populaire. Dans son éloge funèbre, M. Henderson le décrivit comme un jeune homme un peu timide, dépourvu de prétention, aimé et admiré de tous.

Le cercueil fut porté par les garçons et les filles avec qui Luke avait joué *Roméo et Juliette*, puis il y eut dans les appartements du principal une réunion au cours de laquelle on servit le thé. Elle était bondée, bien qu'officiellement réservée aux meilleurs amis du jeune homme. M. Henderson expliqua au couple que tous se considéraient comme tels.

Un des élèves offrit à Su Ling un livret de photos et de textes écrits par les camarades de Luke. Par la suite, chaque fois que Nathan se sentirait déprimé, il en tournerait les pages, contemplerait les clichés et lirait un passage – notamment celui-ci :

« Luke était le seul à n'avoir jamais fait allusion à mon turban ou à la couleur de ma peau. Il ne les voyait pas. J'espérais qu'il serait mon ami pour le restant de mes jours.

Malik Singh, 16 ans. »

Comme Nathan et Su Ling quittaient l'établissement, ils aperçurent Kathy, assise dans le jardin, tête basse. Su Ling se dirigea vers elle, s'assit à ses côtés, l'enlaça et tenta de la réconforter.

— Il t'aimait beaucoup, dit-elle.

La jeune fille était en larmes :

— Et moi, jamais je ne lui ai dit que je l'aimais.

45

— Je ne peux pas, dit Andrew.

— Et pourquoi pas ? demanda Annie.

— Défendre celui que je veux vaincre ? Et comment veux-tu qu'en même temps, je m'occupe de l'élection ?

— Dans un cas comme dans l'autre, tu gagnes. S'il est reconnu coupable, il ne pourra pas être désigné comme candidat républicain. S'il est innocenté, tu seras celui qui l'aura tiré d'affaire.

— Pourquoi es-tu de son côté ?

— Ce n'est pas le cas. Je suis, pour citer le professeur Abrahams, du côté de la justice.

— Je me demande ce qu'il aurait fait dans une telle situation.

— Tu le sais parfaitement. Pourquoi ne pas rencontrer Cartwright ? Peut-être alors serais-tu convaincu.

Jimmy était réticent, les Démocrates locaux furieux, mais les deux hommes convinrent de se voir le dimanche suivant, à la banque Fairchild & Russell.

Nathan et Tom y arrivèrent peu avant 10 heures, suivis quelques minutes plus tard par Andrew et Jimmy. Tom emmena tout le monde jusqu'à la salle de réunion du conseil d'administration. Tous s'installèrent, puis Andrew sortit de son attaché-case un bloc-notes qu'il posa sur la table, tout en prenant un stylo.

— Je dirai d'abord à quel point je suis touché que vous ayez accepté de me voir, commença Nathan. Vous vous êtes sans doute heurté à bien des oppositions, et cela n'a pas dû être facile.

— Il vous faudra remercier ma femme ! Mais c'est moi qu'il vous faut convaincre.

— Alors, transmettez mes remerciements à Mme Davenport, et soyez certain que je répondrai à toutes vos questions.

— J'en ai une, qu'un avocat ne pose jamais, parce que cela ne peut que compromettre sa position, éthiquement parlant. Mais, cette fois, j'ai besoin d'en connaître la réponse. Avez-vous tué Ralph Elliot ?

— Non, répondit Nathan d'un ton résolu.

La première page du bloc-notes était vierge. Andrew la tourna, pour en révéler une autre, couverte de son écriture.

— Alors, dit-il, j'ai préparé quelques questions...

Le procès était prévu trois mois plus tard, lors de la deuxième semaine de juillet. Les sondages montraient déjà qu'Andrew avait une douzaine de points d'avance sur son adversaire, mais cela pourrait changer s'il prouvait que Nathan était innocent. L'accusé fut surpris du peu de temps qu'il lui fallut passer avec son défenseur, une fois que tous deux eurent examiné en détail, et sous tous les angles, le récit qu'il faisait des événements. Andrew ne cessait de relire les déclarations de Rebecca Elliot à la police, le rapport de Don Culver et les notes de l'inspecteur Petrovski, chargé de l'enquête. Il mit Nathan en garde :

— Le procureur se sera chargé de coacher Rebecca Elliot, si bien qu'elle aura eu le temps de réfléchir à toutes les questions imaginables. Quand elle se présentera à la barre, elle aura autant répété qu'une actrice le soir de la première. Mais elle a toujours un problème.

— Et lequel ?

— Si elle a tué son mari, elle a forcément menti à la police, et il y aura toujours dans son témoignage des incohérences ou des contradictions qu'ils n'ont pas décelées. Ce sera à nous de les faire apparaître.

La course au gouvernorat n'intéressait pas que les citoyens du Connecticut : nombre de quotidiens nationaux consacrèrent des articles aux deux hommes, si bien que lorsque le procès s'ouvrit, tous les hôtels affichaient complet dans un rayon de trente kilomètres autour de Hartford. Les grandes chaînes de télévision étaient toutes là, interviewant quiconque avait le moindre lien, si lointain fût-il, avec l'affaire

Andrew et Nathan tentèrent de faire campagne comme si de rien n'était, mais découvrirent vite que ce serait impossible : partout où ils allaient, les salles étaient pleines, à tel point que lorsque tous deux assistèrent à une soirée de charité destinée à collecter des fonds pour le Harry Gates Memorial Hospital, les tickets pour y assister se revendirent cinq cents dollars pièce au marché noir.

Aucun des deux ne dormit beaucoup la veille de l'ouverture du procès. Don Culver ne prit même pas la peine de se mettre au lit : une centaine de policiers seraient de service aux alentours du tribunal.

Andrew fut le premier à faire son apparition sur les marches de l'édifice, et fit bien comprendre à la presse qu'il ne ferait aucune déclaration et ne répondrait à aucune question avant la fin des débats. Nathan arriva quelques minutes plus tard en compagnie de Tom et de Su Ling, et sans doute n'auraient-ils jamais pu entrer dans le bâtiment sans la protection d'un cordon de police.

Parvenu à l'intérieur, Nathan se dirigea tout droit vers la salle n° 7, se bornant à répondre d'un signe de tête aux remarques qu'on lui lançait, comme Andrew le lui avait recommandé. Une fois entré, il alla s'asseoir à la table de la défense en sa compagnie, sous les regards de plus de cinq cents personnes.

— Bonjour Nathan, lui dit Andrew. La première semaine sera très ennuyeuse : il va nous falloir choisir le jury.

— Quel est le profil du juré idéal ?

— C'est très difficile ! Je ne sais trop si je dois choisir quelqu'un qui, politiquement, vous soutient, ou me soutient !

— Ah bon ? Il y aurait à Hartford douze personnes qui vous soutiennent ?

— Je vois que vous n'avez pas perdu le sens de l'humour ! Une fois que le jury aura prêté serment, prenez soin de garder toujours l'air grave et préoccupé. Il faut que l'on voie que vous êtes victime d'une injustice.

Il avait raison : ce ne fut que le vendredi suivant que les douze jurés s'assirent à leurs places, à l'issue de longs palabres et d'objections soulevées par l'accusation comme par la défense. Sept hommes, cinq femmes, dont deux Noires, cinq membres de professions libérales, deux mères qui travaillaient, trois ouvriers, une secrétaire, un chômeur.

— Comment se situent-ils, politiquement ? demanda Nathan.

— Je dirais quatre Républicains, quatre Démocrates, et quatre dont je ne suis pas sûr.

— C'est un problème ?

— En plus de vous sortir de là, je vais devoir m'assurer les voix des quatre indécis.

Nathan se rendit compte que, chaque fois qu'il rentrait chez lui le soir, il oubliait aussitôt le procès, tant il ne cessait de songer à Luke. Su Ling, de son côté, ne cessait de se faire des reproches :

— Si j'avais partagé mon secret avec lui, se répétait-elle fréquemment, notre fils serait encore en vie.

46

Le lundi suivant, les jurés ayant prêté serment, le juge Kravats invita le procureur à s'exprimer.

Richard Ebden se leva avec lenteur. C'était un homme de grande taille, aux cheveux gris, d'allure élégante, qui avait la réputation d'ensorceler les jurés. Repoussant sa chaise, il s'avança pour faire face aux douze hommes et femmes qui décideraient de l'issue du procès :

— Mesdames et messieurs les jurés, j'ai rarement vu, de toute ma carrière, un cas d'homicide aussi parfaitement clair.

— Ne vous inquiétez pas, souffla Andrew à Nathan, il commence toujours ainsi. Ensuite, il va dire : « Pour autant... »

— Pour autant, j'aimerais d'abord vous rappeler les événements survenus dans la nuit du 12 au 13 février.

Ebden se tourna vers Nathan :

— M. Cartwright avait pris part à une émission télévisée en compagnie de Ralph Elliot. Ce dernier était un élément très populaire et très respecté de notre communauté et, chose plus importante sans doute, avait toutes les chances d'emporter la nomination républicaine, ce qui aurait bien pu faire de lui le gouverneur de notre État. C'était un homme au sommet de sa carrière, qui depuis des années s'était mis au service du bien public ; et cela lui a valu d'être assassiné par son plus proche rival.

Comment cette tragédie s'est-elle produite ? M. Cartwright s'est vu demander si, oui ou non, sa femme était une immigrante illégale. Question, ajouterai-je, à laquelle il n'a pas voulu répondre. Pourquoi ? Parce qu'il savait que c'était la vérité ; et cela faisait vingt ans qu'il se taisait. Ensuite, qu'a-t-il fait ? Il a tenté d'accuser Ralph Elliot et, dès la fin de l'émission, s'est mis à l'injurier, à prétendre qu'il s'agissait d'un coup monté. Il a même lancé : « Je vous liquiderai. »

Bien entendu, je ne vous demande pas de me croire sur parole : vous allez bientôt découvrir que tout cela n'est pas rumeur ou simple produit de mon imagination. Toute la conversation entre les deux hommes a en effet été enregistrée. Votre Honneur, je sais bien que cela est un peu inhabituel, mais j'aimerais montrer cet enregistrement aux jurés.

Ebden eut un signe de tête à l'adresse d'un de ses assistants, qui appuya sur un bouton.

Pendant douze minutes, Nathan dut donc contempler l'écran installé face au jury, et se vit douloureusement rappeler à quel point il était furieux ce soir-là. Une fois la projection terminée, le procureur enchaîna :

— Pour autant, il est encore de la responsabilité du ministère public d'expliquer ce qu'il s'est réellement produit après que l'accusé a quitté le studio. Il rentre chez lui et découvre que son fils unique s'est suicidé. Nous pouvons tous comprendre l'effet qu'une telle tragédie peut avoir sur un père. Et il ne fait aucun doute, mesdames et messieurs les jurés, que cette mort a déclenché une chaîne d'événements qui devait se terminer par le meurtre de sang-froid de Ralph Elliot. Cartwright dit à sa femme qu'il va revenir tout de suite de l'hôpital, mais il n'en a aucunement l'intention, car il a déjà prévu de faire un détour qui le conduira à la demeure de M. et Mme Elliot. Et quelle peut avoir été la raison de cette visite, à 2 heures du matin ? Elle ne peut avoir eu qu'un objectif : éliminer Ralph Elliot de la course électorale. Ce que, hélas, M. Cartwright a réussi.

Il se rend donc chez les Elliot. M. Elliot, qui rédigeait un de ses discours, vient lui ouvrir. Cartwright entre de force, le frappe si violemment que M. Elliot doit s'enfuir, poursuivi par son adversaire. Il se réfugie dans son bureau et sort une arme qu'il gardait dans un tiroir. Cartwright saute sur lui et s'en empare, lui interdisant ainsi toute chance de se défendre et, sans hésiter, lui loge une balle dans le cœur. Il tire ensuite une seconde cartouche dans le plafond, pour faire croire qu'il y a eu lutte. Puis il laisse tomber l'arme, s'enfuit et, montant dans sa voiture, rentre chez lui sans perdre de temps. Mais, sans qu'il le sache, il a laissé derrière lui un témoin de toute la scène : Mme Rebecca Elliot, l'épouse de la victime. Entendant le premier coup de feu, elle sort de sa chambre et, quelques instants après en avoir entendu un second, voit avec horreur Cartwright sortir de la maison. Elle vous décrira, avec la plus grande précision, ce qu'il s'est passé cette nuit-là.

Ebden se tourna vers Andrew :

— La défense va se lever et, avec tout le talent qu'on lui connaît, s'efforcera de vous faire sangloter à grand renfort d'explications ingénieuses. Mais elle ne pourra expliquer pourquoi un homme innocent a été assassiné de sang-froid par son rival politique. Elle ne pourra expliquer pourquoi son client a déclaré à la télévision : « Je vous liquiderai. » Elle ne pourra contredire le témoignage de Rebecca Elliot, la veuve de la victime.

Puis le procureur regarda Nathan bien en face :

— Mesdames et messieurs les jurés, je comprends parfaitement que vous puissiez ressentir de la sympathie pour cet homme. Mais, quand vous aurez pris connaissance des preuves et des témoignages, je crois que vous ne douterez plus de la culpabilité de M. Cartwright, et que votre sens du devoir vous conduira à rendre un verdict en ce sens.

Il revint à sa place tandis qu'un étrange silence se faisait dans la salle d'audience. Le juge Kravats prit quelques notes, puis se tourna vers la défense :

— Désirez-vous répondre, maître ? demanda-t-il à Andrew, d'une voix lourde d'ironie.

Andrew se leva :

— Non, Votre Honneur. Il n'entre pas dans mes intentions de faire une déclaration préalable.

Ces paroles provoquèrent aussitôt un grand brouhaha auquel le juge s'efforça de mettre en terme en frappant de son marteau à plusieurs reprises. Ebden, tête basse, discutait avec ses assistants.

— Dans ce cas, maître Ebden, dit le juge Kravats d'un ton neutre, peut-être voudriez-vous faire comparaître votre premier témoin ?

— Votre Honneur, répondit le procureur, j'entends réclamer une suspension de séance.

Andrew se leva aussitôt :

— Objection ! L'accusation a eu plusieurs mois pour préparer le dossier ! Nous faut-il en conclure qu'elle est incapable de produire un seul témoin ?

— Est-ce le cas, maître Ebden ? demanda le juge. Vous ne pouvez nous présenter votre premier témoin ?

— En effet, Votre Honneur. Il s'agit de M. Don Culver, le chef de la police, et nous ne voulions pas l'arracher à ses devoirs tant que ce ne serait pas nécessaire.

— Votre Honneur, s'exclama Andrew, c'est précisément tout à fait nécessaire ! Don Culver est chef de la police, et il s'agit d'une affaire de meurtre. Je demanderai donc l'abandon des poursuites au motif qu'aucun témoignage policier ne peut être présenté au tribunal.

— Jolie trouvaille, maître Davenport, répondit le juge Kravats, mais qui ne me convainc pas. Monsieur Ebden, je vous accorde la suspension que vous réclamez. La séance reprendra juste après le déjeuner. Si, à ce moment-là, le chef de la police n'est pas présent dans ce tribunal, je déclarerai son témoignage irrecevable.

Le procureur hocha la tête, sans pouvoir cacher son embarras.

— Je crois que nous avons remporté le premier round, dit Tom tandis que les collaborateurs d'Ebden sortaient en toute hâte.

— Peut-être, répondit Andrew. Mais, pour l'emporter définitivement, il nous faudra plus qu'une victoire à la Pyrrhus.

L'attente parut insupportable à Nathan ; il était de retour à sa place bien avant la fin de la pause déjeuner.

Richard Ebden était déjà là, lui aussi, et il ne commettrait pas deux fois la même erreur. Mais avait-il deviné pourquoi Davenport avait risqué une manœuvre aussi hardie ? Andrew avait expliqué à Nathan que leur seul espoir de réussite consisterait à saper le témoignage de Rebecca, et qu'il faudrait la maintenir constamment sous pression. Suite à la mise en garde du juge, le procureur veillerait donc à la faire attendre dans le couloir, peut-être des jours durant, jusqu'à ce qu'elle soit appelée à la barre.

Andrew arriva quelques instants avant la reprise des débats :

— Le chef attend en marchant de long en large, furieux, et Mme Elliot est dans un coin à se ronger les ongles. Je vais la faire mariner pendant des jours !

Le juge fit son apparition et se tourna vers Ebden :

— Avez-vous un témoin à nous faire entendre, cette fois ?

— En effet, Votre Honneur. Je vais demander à M. Don Culver de se présenter à la barre.

Le chef de la police vint s'asseoir et prêta serment. Nathan eut l'impression que quelque chose clochait, sans pouvoir deviner quoi. Puis il remarqua que l'index et le majeur du policier tressaillaient, et comprit que c'était la première fois qu'il le voyait sans son cigare.

— Monsieur Culver, pourriez-vous dire aux jurés quelles sont vos fonctions ?

— Je suis le chef de la police de la ville de Hartford.

— Depuis combien de temps ?

— Un peu plus de quatorze ans.

— Et depuis combien de temps êtes-vous dans la police ?

— Trente-six ans.

— On peut donc en conclure que vous avez une grande expérience des homicides ?

— Je crois que oui.

— Avez-vous déjà eu des contacts avec l'accusé ?

— Oui, à plusieurs reprises.

— Ebden me vole plusieurs de mes questions, chuchota Andrew à Nathan. Je n'arrive pas à comprendre dans quel but.

— Quelle est votre opinion à propos de cet homme ? poursuivit le procureur.

— Il m'a paru être quelqu'un d'honnête et de respectueux des lois, jusqu'à ce qu'il tue...

— Objection, Votre Honneur ! lança Andrew en se levant. Il revient au jury, et non au chef de la police, de dire qui a tué M. Elliot. Nous ne sommes pas encore un État policier !

— Accordée, dit le juge.

— Tout ce que je peux dire, reprit Culver, c'est que, jusqu'à ce que tout cela se produise, j'aurais volontiers voté pour lui.

— Dans ce cas, demanda Ebden, vous doutez peut-être qu'un citoyen aussi respecté que lui ait pu commettre un meurtre ?

— Non. Les meurtriers ne sont pas de simples criminels.

— Accepteriez-vous de préciser ce que vous entendez par là ?

— Très certainement, répondit le chef de la police. Le meurtre standard a généralement lieu dans un cadre domestique ; il est souvent le fait d'un membre de la famille, de quelqu'un qui n'a jamais commis de crime, et a peu de chances d'en commettre un autre.

— M. Cartwright vous paraît-il appartenir à cette catégorie ?

— Objection ! s'écria Andrew sans se lever. Comment diable le témoin connaîtrait-il la réponse à cette question ?

— Parce que j'ai affaire à des meurtriers depuis trente-six ans, répondit Culver.

— Supprimez cette remarque, dit le juge au greffier. L'expérience est une bonne chose mais, en définitive, le jury ne doit se préoccuper que des faits relatifs à la présente affaire.

— Alors, passons à une question précise, répondit le procureur. Comment avez-vous été impliqué dans cette affaire ?

— J'ai reçu chez moi un appel téléphonique de Mme Elliot, en pleine nuit.

— Chez vous ? C'est une de vos connaissances ?

— Non, mais tous les candidats aux élections doivent pouvoir me contacter directement, car ils font souvent l'objet de menaces, réelles ou imaginaires, et M. Elliot en avait reçu plusieurs depuis l'annonce de sa candidature.

— Vous souvenez-vous des paroles exactes de Mme Elliot ?

— Bien sûr ! Elle était complètement retournée et poussait des cris ; elle a réussi à réveiller ma femme.

Il y eut de petits rires dans la salle. Culver attendit qu'ils s'apaisent avant de reprendre ;

— J'ai noté ses déclarations sur un bloc-notes que je garde toujours près du téléphone.

Il ouvrit un carnet et lut :

— « Mon mari a été tué dans son bureau, venez aussi vite que possible ! »

— Qu'avez-vous répondu ?

— Je lui ai dit de ne toucher à rien, et que j'arrivais tout de suite.

— Quelle heure était-il ?

— 2 h 26, répondit le chef de la police après avoir de nouveau consulté son carnet.

— Quand êtes-vous arrivé chez les Elliot ?

— À 3 h 19. J'ai téléphoné au commissariat pour leur dire d'envoyer tous les inspecteurs dont ils disposaient chez les Elliot, puis je me suis habillé. Deux de mes hommes de patrouille m'avaient précédé sur les lieux.

— Décrivez exactement, à l'intention des jurés, ce que vous avez vu en arrivant.

— La porte d'entrée était ouverte, Mme Elliot assise par terre dans le couloir, les genoux sous le menton. Je l'ai saluée, puis ai accompagné l'inspecteur Petrovski dans le bureau de M. Elliot. Petrovski est l'un de mes meilleurs adjoints, il a beaucoup d'expérience et semblait avoir l'enquête bien en main. Alors, je l'ai laissé faire et suis allé retrouver Mme Elliot.

— L'avez-vous interrogée ?

— Oui.

— Mais l'inspecteur Petrovski ne s'en était-il pas déjà chargé ?

— Si, mais il est souvent utile de comparer deux déclarations, de façon à voir si elles diffèrent sur des points essentiels.

— Qu'avez-vous fait alors ? demanda Ebden.

— J'ai suggéré que nous nous rendions dans le séjour, pour que Mme Elliot se sente un peu plus à l'aise. Je lui ai demandé de me raconter ce qu'il s'était passé ce soir-là. Elle m'a dit qu'elle dormait lorsqu'elle avait entendu le premier coup de feu. Allumant la lumière, elle avait enfilé un peignoir et se dirigeait vers l'escalier quand une seconde détonation avait retenti. Elle avait vu alors M. Cartwright sortir en courant du bureau pour se diriger vers la porte. Il avait jeté un coup d'œil vers l'étage, mais sans la voir, puisqu'elle était dans la pénombre ; mais elle l'avait reconnu tout de suite. Après son départ, elle avait couru jusqu'au cabinet de travail où elle avait trouvé son mari gisant sur le sol dans une mare de sang. Elle m'avait appelé aussitôt.

— Vous avez poursuivi son interrogatoire ?

— Non, je l'ai laissée avec une inspectrice tandis que je lisais sa première déclaration. Après une discussion avec l'inspecteur Petrovski, je me suis rendu chez M. Cartwright accompagné de deux officiers de police, je l'ai arrêté et l'ai prévenu qu'il allait être inculpé du meurtre de Ralph Elliot.

— Il était couché ?

— Non, il portait les mêmes vêtements que lors de l'émission de télévision.

— Je n'ai plus de questions, Votre Honneur, dit le procureur.

— À vous, maître Davenport.

Andrew se leva :

— Bonjour, chef. Je ne vous retiendrai pas longtemps, je sais que vous êtes très occupé. Mais j'aimerais que vous répondiez à quelques questions. Pour commencer, j'aimerais savoir combien de temps s'est écoulé entre le moment où vous avez reçu l'appel de Mme Elliot et celui où vous avez arrêté M. Cartwright.

Culver réfléchit :

— Deux heures, deux heures et demie.

— Vous venez de nous dire qu'il était habillé comme lors du débat télévisé. Il n'était donc pas en pyjama, et ne semblait pas sortir du lit?

— Non, bien sûr, répondit le chef de la police, un peu perplexe.

— Ne croyez-vous pas qu'un homme qui venait de commettre un meurtre aurait au moins feint de dormir à l'arrivée de la police?

Culver fronça les sourcils :

— Il réconfortait sa femme.

— Je vois, dit Andrew d'un ton pensif. Le meurtrier réconfortait sa femme. Quand vous avez arrêté M. Cartwright, a-t-il fait une déclaration?

— Non, il m'a dit vouloir d'abord parler à son avocat.

— Mais n'a-t-il rien dit d'autre que vous auriez pu noter dans votre fidèle carnet?

Culver ouvrit celui-ci et chercha une page :

— Si. Il a dit : « Mais il était encore vivant quand je l'ai quitté. »

— « Encore vivant quand je l'ai quitté »? Ce ne sont pas là les paroles de quelqu'un qui veut cacher qu'il s'était rendu chez les Elliot. Il ne va pas au lit, il reconnaît implicitement qu'il se trouvait sur les lieux...

Le chef de la police resta silencieux.

— Quand il vous a accompagné au commissariat, vous avez pris ses empreintes?

— Bien sûr.

— Et à quels autres tests avez-vous procédé?

— Nous nous sommes livrés à un examen de ses mains et de ses ongles pour voir s'il avait récemment tiré avec une arme à feu.

— Et quels en ont été les résultats?

Culver hésita un instant :

— Nous n'avons trouvé aucune trace de poudre.

— Vous n'avez trouvé aucune trace de poudre.

— Mais il avait eu deux heures pour se laver les mains et se nettoyer les ongles.

— En effet, mais il avait eu aussi deux heures pour se mettre au lit, éteindre les lumières, et trouver un

373

argument plus convaincant que « il était encore vivant quand je l'ai quitté », objecta Andrew en regardant les jurés bien en face.

De nouveau, le chef de la police se tut.

— Ma dernière question, monsieur Culver, portera sur quelque chose qui me soucie depuis que j'ai décidé de m'occuper de cette affaire. Vous est-il venu à l'esprit que quelqu'un d'autre pourrait avoir commis le crime ?

— Rien n'indiquait que quelqu'un ait pu entrer dans la maison, M. Cartwright excepté.

— Mais il s'y trouvait déjà quelqu'un, non ?

— Il n'y avait absolument aucune preuve suggérant que Mme Elliot aurait pu être impliquée.

— Absolument aucune preuve ? Chef, j'espère que vous trouverez le temps d'entendre l'examen contradictoire auquel je compte soumettre Mme Elliot. Le jury pourra alors décider si, oui ou non, il n'y a pas de preuve de son implication dans ce crime.

Il y eut dans la salle des exclamations si bruyantes qu'Ebden, qui s'était levé aussitôt pour protester, ne put se faire entendre. Le juge frappa de son marteau pour ramener le calme, tandis qu'Andrew regagnait sa place.

— Je n'ai plus de questions à poser, Votre Honneur, conclut-il quand le calme fut à peu près revenu.

— Qu'est-ce que vous avez comme preuves ? lui chuchota Nathan.

— Pas grand-chose, mais une chose est certaine : si Mme Elliot a tué son mari, elle ne va pas beaucoup dormir en attendant de témoigner. Et Ebden va passer les prochains jours à se demander ce que nous avons pu trouver qui lui aurait échappé.

— Je crois que cela suffira pour aujourd'hui, messieurs, déclara le juge. Nous reprendrons l'audience demain matin, à 10 heures, lorsque M. Ebden nous présentera le témoin suivant.

47

— Maître Ebden, vous pouvez appeler le témoin suivant, lança le juge Kravats, le lendemain, en s'installant.

— Merci, Votre Honneur. Voici donc l'inspecteur Petrovski.

Andrew dévisagea attentivement le policier pendant qu'il prêtait serment. Si Petrovski était d'assez petite taille, il avait une carrure de lutteur, une mâchoire carrée et des lèvres un peu tombantes. La rumeur prétendait qu'il succéderait à Culver quand celui-ci prendrait sa retraite. Il avait aussi la réputation d'être très pointilleux sur le règlement mais de détester la paperasse, et d'arriver sur les lieux d'un crime avant tout le monde.

— Bonjour, capitaine, dit Ebden. Veuillez préciser au jury quelles sont vos fonctions.

— Je m'appelle Frank Petrovski et je suis inspecteur en chef de la police de Hartford.

— Depuis combien de temps êtes-vous inspecteur ?

— Quatorze ans.

— Et quand avez-vous été nommé inspecteur en chef ?

— Voilà trois ans.

— Venons-en à la nuit du meurtre. Les registres de la police montrent que vous êtes arrivé le premier sur les lieux.

— Oui. J'étais de garde cette nuit-là, ayant succédé au chef à 20 heures.

— Et où étiez-vous à 2 h 30, quand il a téléphoné ?

— Dans une voiture de police, à enquêter sur un cambriolage dans un entrepôt de Marsham Street. Le policier de garde m'a contacté pour me dire que le chef

Culver voulait que je me rende immédiatement chez Ralph Elliot, dans West Hartford, pour enquêter sur ce qui paraissait être un homicide. Comme je n'étais qu'à quelques minutes de là, j'ai chargé une autre équipe de s'occuper du cambriolage, et je suis parti.

— Et vous êtes allé tout droit chez Ralph Elliot?

— Oui. En cours de route, j'ai prévenu le commissariat qu'il me faudrait des médecins légistes et un photographe.

— Et qu'avez-vous vu en arrivant?

— J'ai été surpris de constater que la porte d'entrée était ouverte et que Mme Elliot était assise par terre dans le couloir. Elle m'a dit avoir trouvé le corps de son mari dans le bureau, et m'a expliqué que le chef lui avait dit de ne toucher à rien; c'est pour cela qu'elle n'avait pas refermé la porte. Après avoir constaté que M. Elliot était mort, je suis retourné auprès de son épouse, dont j'ai pris la déposition.

— Qu'avez-vous fait ensuite?

— Mme Elliot m'avait déclaré qu'elle dormait quand elle avait entendu un coup de feu, puis un autre, venus du rez-de-chaussée. Alors je suis retourné dans le bureau pour chercher les balles, en compagnie de trois autres officiers de police.

— Vous les avez trouvées?

— Oui. La première, c'était facile : après avoir traversé le cœur de M. Elliot, elle s'était logée dans le lambris situé derrière son bureau. La deuxième, il a fallu un peu plus de temps; elle était dans le plafond.

— Ces deux balles pourraient-elles avoir été tirées par la même personne?

— C'est possible, dit Petrovski. Le meurtrier peut avoir voulu donner l'impression qu'il y avait eu lutte, ou que la victime s'était donné la mort.

— Est-ce fréquent, dans les affaires d'homicide?

— Il arrive qu'un criminel tente de laisser derrière lui des preuves contradictoires.

— Mais les deux balles venaient de la même arme?

— Cela a été confirmé dès le lendemain par un examen balistique.

— Y avait-il des empreintes sur l'arme ?

— Oui, une paume sur la crosse, et un index sur la détente.

— Vous avez réussi à savoir à qui elles appartenaient ?

— Oui. À M. Cartwright.

Il y eut des rumeurs qu'Andrew s'efforça de ne pas entendre, occupé qu'il était à regarder les jurés. Il prit des notes tandis que le juge tentait de rétablir l'ordre pour qu'Ebden puisse reprendre son interrogatoire.

— D'après l'impact de la balle dans le torse, et des brûlures qu'il présentait, avez-vous pu estimer la distance à laquelle le coup de feu a été tiré ?

— Selon les médecins légistes, le tireur était à un peu plus d'un mètre cinquante de la victime. Vu l'angle de pénétration de la balle, ils estiment que les deux hommes étaient debout au moment du coup de feu.

— Objection, Votre Honneur, dit Andrew en se levant. Il reste encore à prouver que c'est un homme qui a tiré.

— Accordée.

— Une fois les preuves réunies, poursuivit Ebden comme si de rien n'était, est-ce vous qui avez décidé de placer M. Cartwright en état d'arrestation ?

— Non. M. Culver était arrivé, et je lui ai demandé de prendre une nouvelle déposition de Mme Elliot, pour être certain que son récit n'avait en rien été modifié.

— Et alors ?

— Il restait cohérent sur les points essentiels.

Andrew nota que Petrovski et Culver employaient tous deux cette formule. Coïncidence ?

— C'est alors que vous avez décidé d'arrêter l'inculpé ?

— Oui, sur ma recommandation ; mais c'est le chef qui a pris la décision.

— N'était-ce pas prendre un risque que d'arrêter un candidat au poste de gouverneur en pleine campagne ?

— J'en ai discuté avec M. Culver. Les vingt-quatre premières heures d'une enquête sont souvent décisives ;

nous avions un cadavre, deux balles et un témoin. J'ai pensé que ne pas procéder à une arrestation, simplement parce que l'assaillant avait des amis haut placés, serait contraire à notre devoir.

— Objection ! s'exclama Andrew. C'est là un commentaire tendancieux !

— Accordée, dit le juge. Greffier, supprimez cette phrase du compte rendu ! Inspecteur Petrovski, tenez-vous-en aux faits ; vos opinions ne nous intéressent pas.

L'inspecteur acquiesça de la tête.

— C'est une remarque qu'on dirait préparée dans le bureau du procureur, chuchota Andrew à Nathan. Il y a vraiment beaucoup trop de termes communs aux deux dépositions.

— Merci, capitaine, dit Ebden. Je n'ai plus de questions à poser, Votre Honneur.

— Maître Davenport ? demanda le juge, s'attendant à une nouvelle manœuvre.

— Très certainement, Votre Honneur. Inspecteur Petrovski, vous avez bien dit que l'arme portait les empreintes de mon client ?

— En effet.

— Et vous avez expliqué au tribunal que, selon votre expérience, les criminels tentaient souvent de laisser derrière eux des preuves contradictoires, afin d'égarer la police.

Petrovski hocha la tête sans répondre.

— Oui ou non, capitaine ?

— Oui.

— M. Cartwright vous a-t-il fait l'impression d'être un imbécile ?

Petrovski hésita, ne voyant pas où Andrew voulait en venir :

— Non. Je dirais que c'est un homme très intelligent.

— Laisser ses empreintes sur l'arme d'un crime vous paraît digne d'un homme intelligent ?

— Non, mais M. Cartwright n'a pas les réflexes d'un criminel de profession. Les amateurs paniquent souvent, et c'est à ce moment-là qu'ils commettent des erreurs.

— Comme d'abandonner une arme couverte d'empreintes, et s'enfuir en laissant ouverte la porte d'entrée?

— Cela ne me surprend pas, vu les circonstances.

— Vous avez passé plusieurs heures à interroger M. Cartwright, inspecteur. Vous a-t-il donné l'impression de paniquer facilement?

— Objection, Votre Honneur, lança Ebden en se levant. Comment l'inspecteur Petrovski pourrait-il connaître la réponse à cette question?

— Votre Honneur, rétorqua Andrew, le témoin n'a pas cessé de nous donner son opinion sur les habitudes des criminels, qu'ils soient amateurs ou professionnels, et je ne vois donc pas comment ma question pourrait l'embarrasser.

— Objection repoussée, dit le juge. Continuez, maître.

Andrew se dirigea vers la barre et s'arrêta devant le policier :

— Y avait-il d'autres empreintes sur l'arme?

— Oui, celles de M. Elliot, du moins en partie, mais cela n'a rien de surprenant : l'arme lui appartenait, et il l'avait sortie pour se défendre.

— Mais elles étaient bien dessus?

— Oui.

— Avez-vous veillé à regarder si, d'aventure, il avait des traces de poudre sous les ongles?

— Non.

— Et pourquoi?

— Parce qu'il faudrait avoir le bras vraiment très long pour se suicider avec une arme placée à un mètre cinquante.

Il y eut des rires dont Andrew attendit la fin avant de déclarer :

— Mais il aurait pu tirer la balle dans le plafond.

— Qui devait sans doute être la deuxième.

— Quand vous avez pris la déposition de Mme Elliot, comment était-elle vêtue?

— Elle était en peignoir. Elle m'a expliqué qu'elle dormait quand le premier coup de feu avait été tiré.

— Ah! oui, c'est vrai, dit Andrew.

Il revint à la table de la défense, saisit une feuille de papier et lut :

— « C'est lorsque Mme Elliot a entendu le second coup de feu qu'elle est sortie de sa chambre et a couru vers l'escalier. » C'est bien ce qu'elle vous a dit ?

— En effet.

— Et elle est restée là, à regarder M. Cartwright sortir en courant par la porte d'entrée. C'est bien cela ?

— Oui, répondit Petrovski, qui luttait pour garder son calme.

— Inspecteur, vous nous avez dit que, parmi les techniciens que vous aviez appelés, figurait un photographe de la police.

— Oui. C'est la méthode classique dans une affaire comme celle-ci. Toutes les photos prises cette nuit-là ont été présentées au tribunal.

— En effet, répondit Andrew.

Il vida sur la table de la défense une grande enveloppe remplie d'épreuves photo, en choisit une et revint vers le témoin.

— Celle-ci fait partie du lot ?

Petrovski l'étudia avec soin :

— Oui, tout à fait.

— Pourriez-vous la décrire aux jurés ?

— Il s'agit d'un cliché de la porte d'entrée, pris depuis le chemin d'accès.

— Pourquoi le considérez-vous comme un élément de preuve ?

— Parce qu'il montre que la porte était restée ouverte après que M. Cartwright se fut enfui. On voit également le long couloir menant au bureau de M. Elliot.

— Certes, certes ! J'aurais trouvé ça tout seul. Et la silhouette recroquevillée sur le sol est bien celle de Mme Elliot ?

— Oui. Elle paraissait à peu près calme, alors nous avons décidé de ne pas la déranger.

— C'est gentil de votre part. Pour finir, inspecteur, je voudrais vous demander une chose : vous avez déclaré que vous n'aviez appelé une ambulance qu'après avoir mené à bien vos investigations.

— Oui. Il arrive que des infirmiers soient présents sur la scène d'un crime avant la police, et ils sont connus pour endommager les preuves.

— Mais cela ne s'est pas produit, cette fois, puisque vous avez été le premier à arriver sur les lieux, suite à l'appel de Mme Elliot au chef de la police.

— En effet.

— Très bien. Combien vous a-t-il fallu de temps pour parvenir chez les Elliot ?

— Cinq ou six minutes.

— Si peu ? Vous avez dû enfreindre la limitation de vitesse !

— J'avais mis la sirène, mais il n'y a jamais beaucoup de circulation à 2 heures du matin.

— Je vous remercie de cette explication, dit Andrew, qui se tourna vers le juge : je n'ai plus de questions, Votre Honneur.

— À quoi jouez-vous ? lui demanda Nathan quand Andrew revint à sa place.

— Je suis heureux que vous n'ayez pas trouvé ! Il nous faut simplement espérer qu'Ebden non plus.

48

— Je demanderai à Rebecca Elliot de venir à la barre.

Quand la veuve entra, toutes les têtes se tournèrent vers elle, sauf celle de Nathan, qui regardait droit devant lui. La salle d'audience était bondée depuis l'ouverture des portes, à 8 heures du matin. Des policiers en uniforme interdisaient l'accès aux trois premiers rangs ; Culver et Petrovski étaient déjà venus s'y asseoir, juste derrière la table du procureur.

Un officier de police s'avança pour guider Rebecca jusqu'à la barre des témoins. Élégant tailleur noir, longue jupe tombant bien en dessous du genou, collier de perles... Andrew jeta un coup d'œil au poignet gauche de la veuve et griffonna sur son bloc-notes.

Rebecca se tourna vers le juge et eut un petit sourire timide, auquel il répondit par un signe de tête courtois. Elle prêta serment d'un ton hésitant, avant de s'asseoir face au jury. Ebden avait soigné la mise en scène : s'il avait demandé aux jurés de prononcer leur verdict avant qu'on ait posé la moindre question, nul doute qu'ils auraient gaiement condamné Nathan, et son défenseur, à la chaise électrique.

Le procureur se leva. Ce jour-là, il était vêtu d'un complet anthracite, d'une chemise blanche et d'une cravate bleue – tenue tout à fait adéquate pour interroger la Sainte Vierge.

— Madame Elliot, dit-il, tout le monde ici sait quelle épreuve vous avez subie, et que vous allez, hélas, devoir revivre. Soyez certaine que j'ai l'intention de vous interroger aussi discrètement que possible, afin que vous ne restiez pas à la barre plus longtemps qu'il n'est nécessaire.

— D'autant plus qu'ils ont eu tout le temps de répéter, depuis cinq mois ! chuchota Andrew à Nathan.

— Madame Elliot, dit Ebden, depuis combien de temps étiez-vous mariée avec Ralph Elliot ?

— Cela aurait fait dix-sept ans demain.

— Et comment comptiez-vous célébrer cet anniversaire ?

— Nous devions séjourner à la Salisbury Inn, où nous avions passé la première nuit de notre lune de miel. Ralph devait être en campagne et je savais qu'il ne pourrait nous consacrer plus de quelques heures.

— Madame Elliot, je dois hélas en revenir à la nuit pendant laquelle votre époux a connu une mort tragique. Vous n'avez pas assisté au débat télévisé auquel M. Elliot avait pris part dans la soirée. Pour quelle raison ?

— Ralph préférait que je reste chez nous lorsqu'il passait à la télévision, afin que je puisse prendre des notes dont nous discuterions ensuite. Il estimait que si j'étais venue au studio, j'aurais pu être influencée par ceux qui m'entouraient, surtout s'ils se rendaient compte que j'étais sa femme.

— Vous souvenez-vous d'un détail particulier, s'agissant de cette émission ?

— Oui. J'ai été révulsée d'entendre M. Cartwright menacer mon mari en lui disant : « Je vous liquiderai. »

Levant la tête, elle contempla les jurés, tandis qu'Andrew continuait à prendre des notes.

— Une fois le débat terminé, votre mari est revenu chez vous, à West Harford ?

— Oui. J'avais préparé un dîner léger que nous avons pris dans la cuisine, parce que parfois il oublie... il oubliait de manger, tant son emploi du temps était chargé.

— De quoi avez-vous parlé à cette occasion ?

— Nous avons compulsé mes notes. J'avais des opinions assez fermes sur certaines des questions soulevées pendant le débat. C'est à cette occasion que j'ai appris que M. Cartwright l'avait accusé d'avoir inspiré l'une d'elles.

— Quelle a été votre réaction ?

— J'ai été scandalisée qu'on puisse penser que Ralph avait recouru à ce genre de tactique méprisable. Mais j'étais convaincue que l'opinion publique ne croirait pas aux fausses accusations de M. Cartwright, ce qui ne pourrait qu'accroître les chances de mon mari de remporter l'élection du lendemain.

— Ensuite, vous êtes allés tous les deux vous coucher?

— Non. Ralph avait toujours du mal à s'endormir après être passé à la télévision. De plus, il voulait donner la dernière touche au discours par lequel il accepterait officiellement d'être le candidat républicain. Alors, je suis allée au lit pendant qu'il s'installait dans son bureau.

— Quelle heure était-il?

— Aux environs de minuit.

— Vous vous êtes endormie. De quoi vous souvenez-vous ensuite?

— J'ai été réveillée par un coup de feu. Mais je ne savais pas si c'était vrai ou s'il s'agissait d'un rêve. Alors j'ai allumé la lumière et regardé l'heure à la pendule de ma table de nuit. Il était 2 heures du matin. J'ai été surprise que Ralph ne soit pas encore venu me rejoindre. Il m'a semblé entendre des voix, alors je suis allée ouvrir la porte sans bruit. Quelqu'un hurlait, et j'ai été horrifiée quand j'ai compris que c'était Nathan Cartwright qui, une fois de plus, menaçait de mort mon mari. Je suis sortie en silence pour aller en haut des marches, et c'est là que j'ai entendu le second coup de feu. M. Cartwright est sorti en courant du bureau, a ouvert la porte et a disparu dans la nuit.

— Vous l'avez poursuivi?

— Non. J'étais terrifiée.

Andrew continua à griffonner sur son bloc-notes pendant que Rebecca reprenait:

— J'ai descendu l'escalier en courant, et je suis allée dans le bureau en redoutant le pire. Mon mari était effondré dans un coin de la pièce, du sang lui coulait de la bouche. Alors j'ai aussitôt décroché le téléphone pour appeler M. Culver chez lui. J'ai dû le réveiller...

Il m'a dit qu'il arrivait dès que possible, et m'a enjoint de ne toucher à rien.

— Qu'avez-vous fait ensuite ?

— J'ai soudain eu envie de vomir, et j'ai bien cru que j'allais m'évanouir. Je suis retournée dans le couloir, où je suis tombée à terre. La seule chose dont je me souvienne ensuite, c'est d'avoir entendu au loin une sirène de police, puis quelqu'un arriver en courant. Un policier s'est agenouillé près de moi et m'a dit qu'il était l'inspecteur Petrovski. Un de ses adjoints m'a préparé une tasse de café, puis l'inspecteur m'a demandé de décrire ce qu'il s'était passé. Je lui ai dit tout ce dont je me souvenais, mais j'ai peur de n'avoir pas été très cohérente.

— Et ensuite ?

— Quelques minutes plus tard, j'ai entendu une autre sirène, et M. Culver, le chef de la police, est entré. Il a passé beaucoup de temps avec l'inspecteur Petrovski dans le bureau de mon mari. Ensuite, il est revenu et m'a demandé de faire à nouveau le récit des événements. Il a encore discuté avec son adjoint, puis il est parti. Ce n'est qu'au matin que j'ai appris que M. Cartwright avait été arrêté et inculpé du meurtre de Ralph.

Rebecca éclata en sanglots. Le procureur lui tendit aussitôt un mouchoir.

— Quel sens de la mise en scène ! souffla Andrew à Nathan. Je me demande combien de temps ils ont répété !

— Madame Elliot, dit Ebden, je suis désolé d'avoir dû vous imposer tout cela. Désirez-vous que je demande une suspension de séance, que vous ayez le temps de vous remettre ?

Andrew songea à faire objection, mais il sentit aussitôt que c'était inutile. Le numéro était parfaitement au point.

— Non, répondit Rebecca. Je veux en terminer le plus vite possible.

— Bien sûr.

Le procureur se tourna vers le juge :

— Je n'ai plus de questions, Votre Honneur.

— Merci, maître Ebden. À vous, maître Davenport.

— Merci, Votre Honneur.

Andrew sortit un chronomètre de sa poche, le plaça sur la table, puis se leva avec lenteur, sentant tous les regards posés sur lui. À coup sûr, il tenait le rôle du bourreau face à une sainte sans défense. Il s'avança jusqu'à la barre et resta silencieux quelques instants.

— Madame Elliot, dit-il, je ne vous retiendrai pas plus longtemps qu'il ne faut, vu ce que vous avez déjà enduré, mais je dois vous poser deux ou trois questions. Car, après tout, mon client risque la peine de mort, et ce presque uniquement en raison de votre témoignage.

— Oui, bien sûr, répondit Rebecca en écrasant furtivement une larme.

— Madame Elliot, vous avez déclaré au tribunal que votre union était très heureuse.

— Oui, nous étions très dévoués l'un à l'autre.

— Si vous n'avez pas assisté au débat, c'était uniquement parce que M. Elliot vous avait demandé de le suivre à la télévision, et de prendre des notes, pour que vous puissiez en discuter ensuite ?

— C'est exact.

— Je suis toutefois surpris que vous n'ayez accompagné votre mari à aucune réunion électorale pendant le mois précédent.

— Je suis certaine que si. Mais il faut vous souvenir que ma tâche était avant tout de m'occuper de la maison, et de rendre les choses aussi faciles que possible à Ralph, qui passait des heures sur la route à faire campagne.

— Avez-vous conservé les notes que vous avez prises pendant le débat ?

Elle hésita :

— Non, je les ai données à Ralph après en avoir discuté avec lui.

— Vous avez dit au tribunal que vous aviez des opinions très fermes sur certaines des questions soulevées pendant le débat.

— En effet.

— Puis-je vous demander lesquelles, madame Elliot ?

Rebecca hésita de nouveau :

— Je ne m'en souviens plus exactement. C'était il y a plusieurs mois...

— Madame Elliot, c'est le seul événement auquel vous vous soyez intéressée de toute la campagne. Je pensais que vous vous rappelleriez une ou deux des questions sur lesquelles, d'après vos dires, vous aviez un point de vue bien défini.

— Oui... non... oui... je crois que c'était l'assurance santé.

Andrew revint à la table de la défense et prit l'un de ses blocs-notes :

— Je crains qu'il ne vous faille réfléchir davantage. J'ai moi aussi suivi ce débat, pour des raisons que vous comprendrez sans peine, et j'ai été surpris que, précisément, il n'ait aucunement été question de l'assurance santé.

— Objection, Votre Honneur ! s'écria Ebner. La défense n'a pas à se comporter en témoin.

— Accordée. Tenez-vous-en aux faits, maître Davenport.

— Il y a toutefois quelque chose qui vous a beaucoup frappée, madame Elliot, reprit Andrew. C'est quand M. Cartwright a lancé à votre mari : « Je vous liquiderai. »

— Oui, c'était horrible à entendre alors que tout le pays assistait au débat !

— Mais justement, madame Elliot, tout le pays ne pouvait pas y assister. Cette déclaration a été faite après la fin de l'émission.

— Alors, c'est que Ralph m'en a parlé pendant que nous dînions.

— Je ne crois pas, madame Elliot. Je soupçonne que vous n'avez pas regardé ce débat, pas plus que vous n'avez assisté à aucune des réunions électorales de votre mari.

— Mais si !

— Vous pouvez sans doute nous citer ne serait-ce qu'une seule de ces réunions, et nous dire où elle avait lieu ?

Rebecca se remit à pleurer ; mais l'effet paraissait beaucoup moins convaincant, cette fois.

— Revenons-en au fameux « je vous liquiderai », prononcé la veille, après la fin de l'émission, reprit Andrew. En fait, M. Cartwright n'a pas dit cela. Il a dit : « Je vous liquiderai quand même », et tous ceux qui étaient là ont parfaitement compris qu'il faisait référence au scrutin du lendemain.

— Il a tué mon mari ! s'exclama Rebecca.

— Madame Elliot, avant que j'en arrive à ce sujet, il vous faudra répondre à d'autres questions. Permettez-moi de revenir aux événements de la soirée. Après avoir regardé un débat dont vous n'avez gardé aucun souvenir, puis discuté en détail avec votre époux de questions dont vous ne vous souvenez pas, vous êtes allée vous coucher pendant qu'il se rendait dans son bureau, pour travailler au discours par lequel il accepterait officiellement d'être candidat du parti républicain.

— C'est exactement ce qu'il s'est passé ! répondit Rebecca d'un ton hautain.

— Mais il était très en retard dans les sondages. Pourquoi rédiger un discours qu'il n'aurait jamais l'occasion de prononcer ?

— Ralph était convaincu qu'il allait l'emporter, surtout après l'éclat de M. Cartwright, et...

— Et ?

Rebecca resta muette.

— Peut-être vous et lui saviez quelque chose que les autres ignoraient... Mais nous y reviendrons dans un instant. Vous dites que vous êtes allée vous coucher vers minuit.

— Oui !

— Et, quand vous avez été réveillée par un coup de feu, vous avez regardé l'heure à la pendule posée sur votre table de nuit.

— Oui. Il était 2 heures du matin.

— Vous n'aviez donc pas de montre au poignet ?

— Non. Je place toujours mes bijoux dans un petit coffre que Ralph avait fait installer dans notre chambre. Il y a eu beaucoup de cambriolages dans les environs, ces temps-ci.

— C'était judicieux de sa part. Vous pensez toujours que c'est le premier coup de feu qui vous a réveillée ?

— J'en suis certaine.

— Combien de temps s'est-il écoulé entre le premier et le second, madame Elliot ? Ne répondez pas tout de suite : je ne voudrais pas que vous commettiez une erreur qui, comme tant d'autres de vos déclarations, devrait être rectifiée ensuite.

— Objection, Votre Honneur ! Mme Elliot n'est pas...

— Accordée. Cette remarque sera supprimée du compte rendu. Tenez-vous-en aux faits, maître Davenport.

— Je m'y efforcerai, Votre Honneur, répondit Andrew, sans quitter des yeux le jury qui, lui, s'en souviendrait. Madame Elliot, estimez-vous avoir eu un délai suffisant pour répondre ? Combien de temps entre le premier et le second coup de feu ?

— Trois ou quatre minutes.

Andrew eut un grand sourire à l'adresse du procureur, revint à la table de la défense et prit le chronomètre, qu'il plaça dans une de ses poches.

— Madame Elliot, en entendant le premier coup de feu, pourquoi n'avez-vous pas appelé la police aussitôt ? Pourquoi avoir attendu trois ou quatre minutes avant le second ?

— Parce que je n'étais pas vraiment sûre. Je dormais depuis un moment.

— Mais vous avez ouvert la porte de votre chambre et avez été horrifiée d'entendre M. Cartwright menacer votre mari de le tuer. Vous avez donc certainement pensé que votre mari était en danger. Dans ces conditions, pourquoi ne pas fermer à clé la porte de votre chambre et téléphoner à la police sur-le-champ ?

Rebecca se tourna vers le procureur.

— Non, madame Elliot. Cette fois, M. Ebden ne pourra vous venir en aide, parce qu'il n'a pas prévu cette question – ce qui, pour être juste, n'est pas de sa faute, puisque vous ne lui avez raconté qu'une partie de toute l'histoire.

— Objection ! lança le procureur en se dressant d'un bond.

— Accordée, dit le juge. Maître Davenport, veuillez vous contenter d'interroger le témoin en nous épargnant vos opinions. Nous ne sommes pas au Sénat !

— Votre Honneur, je vous prie d'accepter mes excuses, mais dans ce cas précis, je sais quelle est la réponse. Mme Elliot n'a pas appelé la police parce qu'elle redoutait que le premier coup de feu ait été tiré par son mari.

— Objection ! répéta Ebden.

Sa voix fut couverte par les exclamations de l'assistance, et il fallut un certain temps au juge pour ramener le calme.

— Non ! Non ! s'exclama Rebecca. D'après ce que Nathan hurlait à l'adresse de Ralph, j'ai eu la certitude que c'est lui qui avait tiré.

— Alors, pourquoi ne pas avoir alerté la police ? répéta Andrew. Pourquoi attendre trois ou quatre minutes, et le second coup de feu ?

— Tout s'est passé si vite... Je n'ai pas eu le temps de réfléchir.

— Madame Elliot, quel est votre roman favori ?

— Objection ! lança le procureur. Cela n'a aucun rapport avec l'affaire !

— Objection repoussée. J'ai le sentiment que nous allons être fixés, maître Ebden.

— En effet, Votre Honneur, confirma Andrew sans quitter le témoin des yeux. Madame Elliot, soyez certaine qu'il ne s'agit pas d'un piège.

— Je ne sais trop que répondre... je dirais Hemingway.

— Moi aussi ! sourit Andrew en sortant le chronomètre de sa poche. Votre Honneur, m'accordez-vous la permission de quitter la salle d'audiences quelques instants ?

— Dans quel but, maître Davenport ?

— J'entends prouver que mon client n'a pas tiré le premier coup de feu.

Le juge Kravats acquiesça de la tête :

— Soyez bref !

Andrew appuya sur le déclencheur, remit le chronomètre dans sa poche et sortit.

— Votre Honneur, s'exclama le procureur, il me faut protester ! La défense fait de ce procès un véritable cirque !

— Maître Ebden, s'il se révèle que c'est bien le cas, je ne manquerai pas de le réprimander dès son retour.

— Tout cela n'est pas très équitable pour le témoin !

— Je crois que si. Comme M. Davenport nous l'a rappelé, son client risque la peine de mort, et ce uniquement en fonction du témoignage de Mme Elliot.

Le procureur se rassit et se mit à discuter avec ses assistants. Puis il se leva de nouveau :

— Votre Honneur, je réclame que Mme Elliot soit dispensée de questions supplémentaires, au motif que la défense n'est plus en mesure de mener un examen contradictoire, ayant quitté la salle d'audience sans explication.

— Maître Ebden, j'accéderai à votre requête si M. Davenport ne revient pas dans moins de quatre minutes.

— Votre Honneur, persista le procureur, je dois...

Il fut à ce moment interrompu par des exclamations : Andrew revenait dans la salle. Il se dirigea tout droit vers la barre des témoins et tendit à Rebecca un exemplaire de *Pour qui sonne le glas*, avant de se tourner vers le juge, à qui il remit le chronomètre :

— Votre Honneur, la cour accepterait-elle de noter pendant combien de temps je me suis absenté ?

Le juge Kravats examina le cadran de l'appareil :

— Trois minutes et quarante-neuf secondes.

— Madame Elliot, reprit Andrew, pendant ce délai, j'ai eu le temps de quitter le tribunal, de me rendre à la bibliothèque publique, de l'autre côté de la rue, d'y trouver l'ouvrage d'Hemingway, et de revenir ici. Mais vous, vous n'avez pas eu le temps de rentrer dans votre chambre, d'appeler la police et de réclamer son assistance, alors que vous pensiez que votre mari était en danger de mort. Si vous ne l'avez pas fait, c'est parce que vous saviez qu'il avait tiré le premier coup de feu, et que vous en redoutiez les conséquences.

Rebecca perdait peu à peu son calme :

— Mais même si c'était vrai, c'est la seconde balle qui compte, celle qui l'a tué ! Vous avez peut-être oublié que la première s'est logée dans le plafond ! Peut-être voulez-vous sous-entendre que mon mari s'est suicidé ?

— Pas du tout ! Mais pourquoi ne pas dire exactement au tribunal ce que vous avez fait en entendant le second coup de feu ?

— Je suis allée en haut des marches et j'ai aperçu M. Cartwright sortir en courant.

— Il ne vous a pas vue ?

— Non, il a seulement jeté un coup d'œil dans ma direction.

— Je ne crois pas, madame Elliot. Je pense que vous l'avez parfaitement vu quand il est passé calmement à votre hauteur dans le couloir.

— C'est impossible ! J'étais en haut de l'escalier !

Andrew se dirigea vers la table de la défense et y prit une photo qu'il revint montrer à Rebecca :

— Comme vous le verrez d'après ce cliché, madame Elliot, quiconque serait sorti du bureau de votre mari, avant de traverser le couloir et de franchir la porte d'entrée, n'aurait pu être observé du haut des marches.

Il fit une pause, pour que les jurés comprennent bien l'importance de cette remarque, puis poursuivit :

— Non, madame Elliot. La vérité est que vous étiez non pas en haut de l'escalier, mais dans le couloir, quand M. Cartwright est sorti du bureau. Au cas où vous aimeriez que je demande au juge Kravats d'ordonner une suspension de séance, afin que les jurés puissent se rendre chez vous et juger de la véracité de vos dires, je serais ravi de m'exécuter.

— Peut-être étais-je en fait au milieu de l'escalier.

— Vous n'étiez pas du tout dans l'escalier, madame Elliot. Vous étiez dans le couloir, et non en peignoir, comme vous l'affirmez également, mais dans une robe bleue que vous portiez déjà lors d'un cocktail en début de soirée ; ce qui explique d'ailleurs que vous n'ayez pas vu le débat télévisé !

— J'étais en peignoir, et il y a des photos pour le prouver.

Andrew retourna à la table de la défense et y prit un cliché, avant de dire au juge :

— En effet, il s'agit de la référence cent vingt-deux, Votre Honneur.

Le juge, l'accusation et les jurés se mirent à fouiller dans leurs dossiers, tandis qu'Andrew donnait son exemplaire à Rebecca.

— Vous voyez bien ! s'exclama-t-elle. Je suis là, assise dans le couloir, en peignoir !

— Tout à fait, madame Elliot. Le cliché a été pris par le photographe de la police. Je l'ai fait agrandir pour que les détails soient plus clairs. Votre Honneur, je sollicite la permission de joindre cet agrandissement aux preuves et témoignages présentés devant le tribunal.

— Objection ! s'écria Ebden. Nous n'avons pas eu l'occasion d'étudier ce document.

— Maître Ebden, répondit le juge, il fait partie des preuves officielles, et vous l'avez en votre possession depuis des semaines. Objection repoussée.

Andrew alla donner un exemplaire de l'agrandissement au procureur et à Rebecca, tandis qu'un huissier faisait de même pour les jurés.

— Dites au tribunal ce que vous voyez, demanda-t-il à Rebecca.

— C'est une photo de moi assise dans le couloir, en peignoir.

— J'en conviens, mais que portez-vous au poignet gauche et autour du cou ?

Tous les membres du jury étudiaient le document avec la plus vive attention.

Rebecca blêmit.

— Je crois qu'il s'agit de votre montre-bracelet et de votre collier de perles, reprit Andrew comme elle ne répondait pas. Vous vous souvenez ? Les bijoux que vous mettiez toujours dans le coffre de votre chambre avant de vous coucher, parce qu'il y avait eu des cambriolages dans les environs ?

Il se tourna vers Culver et Petrovski, assis au premier rang :

— Comme nous l'a rappelé l'inspecteur Petrovski, ce sont les petites erreurs qui trahissent les amateurs.

Puis il regarda Rebecca droit dans les yeux :

— Peut-être avez-vous oublié d'enlever votre montre et votre collier, mais pas votre robe. Parce que vous avez fait tout cela après avoir tué votre mari.

Dans le public, plusieurs personnes se levèrent aussitôt, et le juge Kravats eut bien du mal à ramener l'ordre. Ebden lança d'une voix forte :

— Objection ! Pourquoi diable le fait d'avoir porté un bracelet-montre prouverait-il que Mme Elliot a tué son mari ?

— Je suis d'accord avec vous, répondit le juge, qui se tourna vers Andrew : c'est un raisonnement un peu osé, maître Davenport.

— Alors, je serai ravi de le détailler point par point pour l'accusation. Quand M. Cartwright est arrivé chez les Elliot, il a entendu qu'ils se querellaient et, après qu'il a frappé à la porte, c'est Ralph Elliot qui est venu ouvrir, tandis que son épouse restait invisible. Je suis prêt à croire qu'elle est montée en haut de l'escalier pour pouvoir écouter ce qui se disait sans être vue. Mais, quand le premier coup de feu a été tiré, elle est redescendue dans le couloir pour mieux suivre la querelle entre son mari et mon client. Trois ou quatre minutes plus tard, M. Cartwright est sorti du bureau et a croisé Mme Elliot, avant d'ouvrir la porte de la demeure. Il lui a jeté un coup d'œil avant de partir, et c'est pourquoi il a plus tard déclaré à la police qu'elle portait une robe bleue et un collier de perles. Si les jurés examinent de près l'agrandissement que je leur ai communiqué, ils constateront, si je ne me trompe, qu'elle y porte les mêmes perles qu'aujourd'hui. Toutefois, ne nous fions pas aux propos de mon client, mais à votre propre déposition, madame Elliot.

Andrew en lut à voix haute un extrait :

« J'ai descendu l'escalier en courant, et je suis allée dans le bureau en redoutant le pire. Mon mari était effondré dans un coin de la pièce, du sang lui coulait de la bouche, alors j'ai aussitôt décroché le téléphone pour appeler M. Culver chez lui. »

— C'est bien ce que j'ai fait! M. Culver l'a d'ailleurs confirmé! lança Rebecca.

— Mais pourquoi l'appeler en premier lieu?

— Parce que mon mari avait été assassiné!

Andrew se tourna vers les jurés:

— Si je voyais ma femme effondrée dans un coin de la pièce, avec du sang lui coulant de la bouche, ma première idée serait de voir si elle est encore vivante! Et, si c'était le cas, j'appellerais, non la police, mais une ambulance. Ce que vous n'avez fait à aucun moment, madame Elliot. Et pourquoi? Parce que vous saviez déjà que votre mari était mort. Permettez-moi de répéter ce que vous avez déclaré lors de votre interrogatoire par l'accusation : « J'ai soudain eu envie de vomir, et j'ai bien cru que j'allais m'évanouir. Je suis retournée dans le couloir, où je suis tombée à terre. » Vous n'avez pas pris la peine de vérifier si votre mari vivait encore, mais c'était inutile : vous saviez qu'il était mort. Après tout, c'est vous qui l'aviez tué.

— Alors, pourquoi n'a-t-on pas trouvé de traces de poudre sur mon peignoir? hurla Rebecca par-dessus le vacarme qui régnait dans la salle.

— Parce que quand vous l'avez tué, vous n'étiez pas en peignoir, madame Elliot. Vous portiez cette robe bleue que vous aviez déjà en début de soirée. C'est seulement après avoir tué Ralph que vous vous êtes précipitée à l'étage pour vous changer. Malheureusement, l'inspecteur Petrovski a réussi, non sans dépasser la vitesse autorisée, à être chez vous six minutes plus tard, si bien que vous avez dû redescendre au rez-de-chaussée en toute hâte, en oubliant d'ôter votre montre et votre collier. Plus ennuyeux encore, vous n'avez pas eu le temps de refermer la porte d'entrée. Si, comme vous l'affirmez, M. Cartwright avait tué votre mari, vous vous seriez empressée de la fermer à clé, pour qu'il ne puisse revenir s'en prendre à vous. Mais l'inspecteur

Petrovski, homme consciencieux, est arrivé un peu trop vite pour vous ; il nous a signalé qu'il avait été surpris de trouver cette porte ouverte. La vérité est qu'une fois M. Cartwright parti, vous êtes entrée dans le bureau, avez pris l'arme, et compris que c'était l'occasion ou jamais d'être débarrassée d'un époux que vous méprisiez depuis des années. Le coup de feu entendu par M. Cartwright alors qu'il s'éloignait en voiture était bien celui qui a tué votre mari, mais ce n'est pas mon client qui a appuyé sur la détente : c'est vous. M. Cartwright vous a simplement donné un alibi parfait. Si vous vous étiez souvenue d'ôter votre montre et votre collier avant de redescendre, de refermer la porte et de téléphoner à une ambulance, vous auriez réussi le crime parfait, et mon patient aurait été condamné à mort.

— Je ne l'ai pas tué !

— Alors, qui ? Cela ne peut être M. Cartwright, qui a quitté la maison avant le second coup de feu. Il a déclaré à M. Culver que Ralph Elliot était encore vivant quand il l'avait quitté, et n'a pas jugé utile de changer de vêtements.

De nouveau, Andrew se tourna vers les jurés, qui tous fixaient Rebecca Elliot.

Elle se couvrit les yeux des deux mains et chuchota :

— C'est Ralph qui aurait dû passer en jugement. Il est seul responsable de sa propre mort.

Le brouhaha fut tel que le juge Kravats ne réussit à en triompher qu'avec la plus grande difficulté.

— Mais comment serait-ce possible ? demanda Andrew. L'inspecteur Petrovski nous a fait remarquer qu'il était très difficile de se suicider en éloignant le canon de son arme à plus d'un mètre cinquante.

— C'est lui qui me l'a demandé.

Ebden se dressa d'un bond au milieu des exclamations.

— Objection, Votre Honneur ! Le témoin est soumis à…

— Repoussée ! s'exclama le juge. Rasseyez-vous et ne bougez plus ! Que voulez-vous dire, madame Elliot ?

Rebecca se tourna vers lui :

— Votre Honneur, Ralph voulait désespérément gagner cette élection, à n'importe quel prix. Quand

M. Cartwright lui a appris que son fils Luke s'était suicidé, il a compris qu'il n'avait plus aucune chance de devenir gouverneur. Il s'est mis à marcher de long en large dans la pièce, puis il a claqué des doigts et dit : « J'ai la solution, mais tu vas devoir t'en charger. »

— Que voulait-il dire ?

— D'abord, je n'ai pas compris, Votre Honneur. Puis il s'est mis à hurler : « Nous n'avons pas le temps de discuter ! Sinon, il va s'en tirer, et jamais nous ne pourrons le rendre responsable. Alors, je vais t'expliquer ce que tu vas faire. D'abord, tu me tires dans l'épaule, puis tu appelles le chef de la police et tu lui racontes que tu étais dans la chambre quand tu as entendu le premier coup de feu. Tu descendais en courant quand tu as entendu le second, et c'est là que tu as vu Cartwright sortir de la maison précipitamment. »

— Mais pourquoi avez-vous accepté de vous prêter à une manœuvre aussi répugnante ?

— Je n'ai rien accepté du tout ! Je lui ai répondu que je ne voulais pas être impliquée dans tout ça, et qu'il n'avait qu'à se tirer dessus lui-même.

— Comment a-t-il réagi ?

— Il a dit qu'il ne pouvait pas, parce que la police s'en rendrait compte, mais que si c'était moi qui m'en chargeais, personne ne le saurait.

— Vous avez donc accepté.

— Non. Je lui ai répondu qu'il n'en était pas question. Nathan ne m'a jamais fait aucun mal. Mais Ralph s'est emparé de l'arme et m'a lancé : « Si tu refuses, il n'y a qu'une solution : il va falloir que je te tue. » J'étais terrifiée. Il a ajouté : « Je dirai à tout le monde que Nathan Cartwright a tué ma femme, qui tentait de venir à mon secours. Les électeurs me plaindront quand je jouerai le rôle du veuf éploré. » Et il a ri avant de me dire : « Et surtout, ne va pas croire que j'en suis incapable ! »

Elle se tut un instant :

— Il a pris un mouchoir dans sa poche et m'a recommandé de l'enrouler autour de ma main, pour qu'il n'y ait pas d'empreintes. J'ai pris l'arme, je l'ai pointée vers l'épaule de Ralph, puis j'ai tiré en fermant les yeux. Quand je les ai rouverts, il était effondré dans un coin de la pièce, et je n'ai pas eu besoin de vérifier qu'il était mort. J'ai paniqué, j'ai laissé tomber l'arme, puis j'ai couru au premier étage et j'ai appelé le chef de la police, comme Ralph me l'avait demandé. Je venais d'enfiler mon peignoir quand j'ai entendu la sirène. En regardant à travers les rideaux, j'ai vu une voiture de police s'engager sur le chemin d'accès. Je suis descendue en courant, mais je n'ai pas eu le temps de refermer la porte. Je me suis assise par terre juste avant que l'inspecteur Petrovski n'arrive.

Rebecca baissa la tête et se mit à verser des larmes qui, cette fois, paraissaient authentiques.

Le procureur discutait avec ses assistants ; Andrew les observa, en se gardant bien d'intervenir, puis revint prendre place à côté de Nathan. Ebden finit par se lever :

— Votre Honneur, le ministère public abandonne toute accusation contre M. Cartwright.

Le public applaudit spontanément, et le vacarme était tel que personne n'entendit le juge prononcer la libération de l'accusé, congédier le jury et déclarer l'affaire close. Nathan dut hurler « merci ! » à l'oreille d'Andrew, avant d'ajouter :

— Je vous serai redevable toute ma vie, sans pouvoir vous rendre la pareille.

Su Ling fit alors son apparition et enlaça son mari :

— Nathan, mon Dieu !

— Gouverneur suffira, répondit Andrew.

Nathan et sa femme éclatèrent de rire, pour la première fois depuis bien longtemps. Lucy survint à son tour et lança :

— Bien joué, papa ! Je suis fière de toi !

— Nathan, expliqua Andrew, voici ma fille Lucy, qui heureusement n'est pas assez âgée pour voter pour vous. Lucy, où est donc ta mère ? C'est elle qui a provoqué tout cela !

— Maman est à la maison. Tu lui avais dit qu'il se passerait au moins une semaine avant que M. Cartwright ne témoigne.

— Transmettez mes remerciements à votre épouse! dit Su Ling. Nous nous souviendrons toujours que c'est elle qui vous a convaincu de défendre mon mari. Peut-être pourrions-nous tous nous retrouver, un de ces jours?

— Pas avant le scrutin! répliqua Andrew. J'espère que, d'ici là, il y aura au moins un membre de ma famille qui votera pour moi!

Il se tourna vers Nathan :

— Savez-vous pourquoi je me suis donné tant de mal sur cette affaire?

— Vous ne pouviez supporter l'idée d'avoir à passer les prochaines semaines en compagnie de Barbara Hunter.

— Il y a de ça.

Andrew s'apprêtait à aller saluer le procureur et son équipe quand il aperçut Rebecca Elliot, toujours assise à la barre. Elle baissait la tête et semblait désespérée.

— Vous n'allez pas me croire, dit-il à Nathan, mais j'ai vraiment de la peine pour elle.

— Et il y a de quoi! Ralph Elliot l'aurait en effet probablement tuée s'il avait pensé que ça lui permettrait de remporter le scrutin.

VI
RÉVÉLATIONS

49

Le lendemain du procès, Andrew était au Sénat, dans son bureau, à lire les journaux.

— Quelle bande d'ingrats! dit-il à sa fille en lui passant le *Hartford Courant*, qui donnait les derniers sondages d'opinion.

— Tu aurais dû le laisser se démerder, répondit Lucy.

— Je vois que tu t'exprimes toujours avec autant d'élégance! Je me demande si ça valait la peine de dépenser autant d'argent pour t'envoyer à Hotchkiss. Et je ne parle même pas de ce que Vassar va me coûter!

— Je ne suis pas sûre d'aller à Vassar.

— C'est de ça dont tu voulais me parler?

— Eh bien... oui et non.

Sa fille avait en effet demandé à le voir dans son bureau, sans que sa mère en soit informée.

— Alors, quel est le problème? demanda-t-il.

Lucy baissa la tête pour ne pas croiser son regard:

— Je suis enceinte.

Andrew resta silencieux un instant:

— C'est George, le père? finit-il par demander.

— Oui.

— Tu vas l'épouser?

— Non. Je l'adore, mais je ne suis pas amoureuse de lui.

— Ce qui ne t'a pas empêchée de faire l'amour avec lui.

— Papa! C'était le samedi soir suivant mon élection à la présidence, et nous avions tous un peu bu. Pour être franche, j'en avais assez que toutes les filles de ma classe m'appellent la présidente vierge. Tant qu'à perdre ma virginité, il valait mieux que ça se fasse avec George, non? À dire vrai, je ne sais pas lequel de nous deux a séduit l'autre.

— Qu'est-ce qu'il pense de tout ça? Après tout, c'est son enfant autant que le tien, et il m'a toujours semblé prendre les choses très au sérieux en ce qui te concerne.

— Il n'est pas au courant.

— Tu ne lui as rien dit? s'exclama Andrew, incrédule.

— Non.

— Et ta mère?

— Non plus. Tu es le seul à le savoir.

— Il va pourtant falloir lui apprendre avant que ça soit évident pour tout le monde.

— Pas si j'ai une IVG.

— C'est vraiment ce que tu veux?

— Oui! Mais n'en dis rien à maman, elle ne comprendrait pas.

— Je ne suis pas sûr de comprendre non plus.

— Alors, tu es pour que les femmes choisissent, mais pas ta fille?

— Ça ne durera pas, dit Nathan, qui contemplait la manchette du *Hartford Courant*.

— Quoi donc? demanda sa femme en lui versant du café.

— Mon avance de sept points dans les sondages. D'ici quelques semaines, les électeurs ne se souviendront même plus lequel de nous deux passait en justice.

— Elle, en tout cas, elle n'oubliera pas! remarqua Su Ling en regardant, par-dessus l'épaule de son mari, une photo de Rebecca Elliot sortant du tribunal, l'air hagard et la chevelure en bataille. On se demande vraiment pourquoi elle l'a épousé.

— Je l'ai échappé belle, en tout cas! Et puis, en y réfléchissant bien, c'est grâce à Elliot si nous sommes ensemble. S'il n'avait pas plagié mon essai, ce qui m'a empêché d'entrer à Yale, nous ne nous serions jamais rencontrés.

— Si seulement j'avais pu avoir d'autres enfants ! Luke me manque tant.

— Je sais. Mais jamais je ne regretterai d'avoir grimpé cette colline-là, ce jour-là.

— Et je suis heureuse de m'être trompée de chemin ! Mais j'aurais donné ma vie si cela avait pu sauver celle de Luke.

— Comme tous les parents, sans doute. Comme ta mère, qui a tout sacrifié pour toi, et qui ne méritait pas d'être traitée aussi cruellement.

— Ne t'inquiète pas pour elle ! Je suis passée la voir hier, la boutique était pleine de vieux dégoûtants persuadés qu'elle avait un salon de massage à l'étage ! Elle dit que si tu deviens gouverneur, elle va lancer dans tout l'État une chaîne de blanchisseries dont le slogan sera : « Nous lavons votre linge sale en public ! » Qui va avoir le privilège de ta compagnie, aujourd'hui ?

— Les braves gens de New Canaan, répondit Nathan.

— Quand comptes-tu rentrer ?

— Vers minuit, sans doute.

— Alors, réveille-moi.

— Bonjour Lucy, lança Jimmy en entrant dans le bureau d'Andrew. Le grand homme est-il visible ?

— Bien sûr, répondit la jeune fille, qui se leva et sortit de la pièce.

Jimmy la suivit des yeux. Était-ce son imagination, ou avait-elle pleuré ?

— Salut Jimmy ! Tu as vu ? dit Andrew en repoussant son journal, où l'on apercevait la photo de Rebecca Elliot.

— Qu'est-ce qu'elle va devenir ? demanda Jimmy.

— Je ne crois pas que les autorités aient d'autre choix que de la faire passer en justice. Mais, si je faisais partie du jury, je voterais pour l'acquittement. Son histoire est parfaitement crédible.

— Oui, mais toi, tu connaissais Elliot ! Est-ce que tu serais resté chez Alexander, Dupont & Bell s'il n'y était pas entré ?

— C'est le destin, dit simplement Andrew, qui paraissait penser à autre chose. Qu'est-ce que tu m'as prévu ?

— Nous allons passer la journée à Madison.

— Une journée entière ? C'est une place forte des Républicains.

— Une voix est une voix ! De plus, le reste de l'État vote déjà électroniquement, mais Madison est l'une des dernières circonscriptions à préférer marquer les bulletins d'une croix.

— Ce qui ne les empêche pas d'être valides.

— C'est vrai. Mais on n'accorde jamais d'importance à Madison, parce qu'ils ne commencent le décompte que le lendemain du scrutin, alors que le résultat d'ensemble a déjà été proclamé. C'est absurde, mais c'est une de ces traditions que la ville rechigne à sacrifier sur l'autel de la technologie moderne.

— Tu tiens vraiment à ce que j'y passe une journée ?

— Si la majorité est inférieure à cinq mille voix, Madison deviendra d'un seul coup la ville la plus importante de l'État.

— Tu crois que ça sera aussi serré ? Le président Bush a encore beaucoup d'avance dans les sondages.

— C'est vrai. Mais Clinton le grignote chaque jour. Personne ne peut prédire aujourd'hui qui entrera à la Maison-Blanche, comme dans la demeure du gouverneur, d'ailleurs.

Andrew ne répondit rien.

— Tu as l'air un peu préoccupé, ce matin, dit Jimmy. Si tu as un problème, on peut en discuter, si tu veux.

— On dirait que Nathan va l'emporter haut la main, lança Julia, qui lisait le journal.

— Il y a encore plusieurs semaines avant qu'on ne vote, fit remarquer Tom.

— Finalement, si Nathan est élu gouverneur, tu vas t'ennuyer. La banque Fairchild va te paraître bien morne, après ce que vous avez vécu.

— La vérité est que j'ai perdu tout intérêt pour la finance le jour où Russell a fusionné avec Fairchild.

— Mais tu vas devenir président de la plus grande banque de l'État !

— Pas si Nathan l'emporte !

— Que veux-tu dire ?

— S'il devient gouverneur, il m'a demandé d'être son secrétaire général.

— Mais qui sera président de Fairchild & Russell ?

— Toi, bien sûr ! Tout le monde sait que tu es la plus qualifiée !

— Jamais la banque n'acceptera d'être présidée par une femme ! L'état d'esprit est bien trop traditionnel !

— Julia, nous vivons dans la dernière décennie du xxe siècle. Grâce à toi, notre clientèle est féminine à près de 50 %.

— Mais, si Nathan perd, il redeviendra président de Fairchild, et tu seras son adjoint, si bien que la question cessera de se poser.

— Je n'en suis pas si sûr. N'oublie pas que Jimmy Overmann, le sénateur qui représente le Connecticut à Washington, a annoncé qu'il ne se représenterait pas. Nathan serait le candidat idéal. Je ne sais pas lequel des deux deviendra gouverneur, mais je ne serais pas surpris que l'autre n'aille représenter l'État dans la capitale. Je pense d'ailleurs qu'un jour, Nathan et Andrew s'affronteront dans la course à la présidence !

— Tu penses vraiment que je serais à la hauteur comme présidente de Fairchild ?

— Je l'ai su le jour où nous nous sommes rencontrés. Je craignais simplement que tu ne me trouves pas à la hauteur comme époux.

— Les hommes seront toujours aussi lents ! soupira Julia. Je le savais le soir même, chez Nathan et Su Ling. Ma vie serait bien différente si l'autre Julia Kirkbridge avait abouti à la même conclusion.

— Et la mienne, donc ! répondit Tom.

50

Andrew contempla la foule enthousiaste qui l'acclamait et répondit par des signes de la main. Il avait prononcé sept discours à Madison depuis le début de la journée : aux coins de certaines rues, sur des marchés, devant une bibliothèque... Mais il était surpris d'être aussi bien accueilli lors de la réunion du soir à l'hôtel de ville.

Une énorme bannière était tendue d'un bout à l'autre de l'estrade ; on y lisait, en grosses lettres rouges et bleues : « VENEZ ÉCOUTER LE VAINQUEUR. » Paul Holbourn, le maire indépendant de Madison, l'avait laissée en place après que Nathan était venu prendre la parole en ville, quelques jours plus tôt : s'il se faisait réélire depuis quatorze ans, c'était grâce à sa gestion méticuleuse de l'argent des contribuables.

À la fin de son discours, Andrew fut salué par une véritable ovation, sans rapport avec l'habituelle mise en scène lors de laquelle un groupe de membres du parti, soigneusement placés dans la foule, se dresse d'un bond dès que le candidat a achevé sa dernière phrase. Cette fois, l'assistance se leva spontanément d'un seul élan. Si seulement Annie avait été là !

Quand le président de séance hurla dans le micro : « Mesdames et messieurs, voici le prochain gouverneur du Connecticut ! », Andrew y crut, pour la première fois. Clinton était au coude à coude avec Bush dans les sondages, et Perot, le candidat indépendant, mordait toujours davantage sur l'électorat républicain. Ce qui, bien entendu, profitait à Andrew. Il espérait simplement que quatre semaines lui suffiraient pour rattraper son retard sur Nathan Cartwright.

Le président de séance le raccompagna jusqu'au parking :

— Vous n'avez pas de chauffeur ? demanda-t-il, un peu surpris.

— Ma fille est allée au cinéma, Annie assiste à une réunion de charité, Jimmy préside un dîner à l'occasion duquel on collectera des fonds... Comme nous sommes à moins de soixante-dix kilomètres de chez moi, j'ai pensé que je pourrais me débrouiller seul, répondit Andrew avant de s'installer derrière le volant.

Il démarra et, pour la première fois de la journée, commença à se détendre un peu. Mais, très vite, ses pensées revinrent à Lucy, comme chaque fois qu'il était seul. Fallait-il vraiment, comme elle le demandait, ne rien dire à sa mère ?

Ce soir-là, Nathan dîna avec quatre industriels, qui pourraient faire d'importantes contributions financières à sa campagne. Ils lui expliquèrent clairement ce qu'ils attendaient d'un gouverneur républicain : s'ils n'étaient pas toujours d'accord avec les idées de Nathan, un peu trop modernes à leur goût, ils comptaient bien barrer la route au candidat démocrate.

C'est bien après minuit qu'Ed Chambers, de Chambers Foods, suggéra que, peut-être, il conviendrait de le laisser rentrer chez lui prendre une bonne nuit de sommeil. Comme toujours dans ce cas, Tom se leva aussitôt, et Nathan serra la main de ses hôtes, en leur confirmant que, sans eux, il n'aurait aucune chance de l'emporter — ce qui était aussi flatteur qu'exact.

Sur le chemin du retour, il alluma la radio, qu'il éteignit juste après le bulletin météo ; le présentateur y mettait les automobilistes en garde contre les plaques de verglas sur la route. Puis il s'endormit. Tom décida de ne pas le réveiller et renonça à écouter la dernière édition du journal.

C'est ainsi que Nathan et lui manquèrent la nouvelle.

Une ambulance arriva sur les lieux quelques minutes après l'accident, et les infirmiers appelèrent aussitôt les pompiers : le conducteur était coincé à l'intérieur de sa voiture et il était impossible d'ouvrir la portière.

C'est en vérifiant, sur leur ordinateur, le numéro de la plaque d'immatriculation que les policiers comprirent qui était ainsi prisonnier de son véhicule. Sans doute le sénateur s'était-il endormi au volant : il n'y avait pas de traces de pneus sur la route.

Les infirmiers, quant à eux, avaient contacté par radio l'hôpital, où il fut décidé de prévenir aussitôt Ben Renwick, le chirurgien.

— Combien de personnes dans la voiture ? demanda-t-il.

— Rien que le sénateur.

— Qu'est-ce qu'il fabriquait à rouler seul en pleine nuit ? Quelle est l'étendue de ses blessures ?

— Plusieurs fractures, dont au moins trois côtes et une cheville, répondit le médecin de garde, mais je crains surtout l'hémorragie. Il a fallu une heure aux pompiers pour le sortir du véhicule.

— Bon, veillez à ce que toute l'équipe soit prête quand j'arriverai. Je préviendrai sa femme et sa mère.

Annie attendait à l'entrée des urgences de l'hôpital, par un vent glacial, quand l'ambulance arriva en trombe. Les sirènes des policiers accompagnant le véhicule lui firent comprendre que c'était bien son mari qu'on amenait. Bien qu'Andrew fût toujours inconscient, ils lui permirent de lui tenir la main tandis qu'on le transportait jusqu'à la salle d'opération. À voir ses blessures, elle se demanda s'il serait possible de le sauver.

Pourquoi diable ne l'avait-elle pas accompagné à Madison ? Elle aurait ainsi pu conduire sur le chemin du retour, comme d'habitude. Il lui avait dit que tout irait bien, qu'il lui serait agréable de conduire, que cela lui donnerait un peu de temps pour réfléchir. Il était à quelques kilomètres de chez eux quand il avait quitté la route.

Ruth Davenport arriva à l'hôpital quelques minutes plus tard et, après s'être renseignée auprès du personnel de garde, apprit à Annie qu'Andrew ne pouvait être en de meilleures mains que celles du Dr Renwick, « le meilleur chirurgien du Connecticut » ! Elle ne précisa pas qu'on ne le tirait du lit que lorsque les chances de survie du patient étaient faibles.

Martha Gates arriva ensuite, et Ruth lui répéta ce qu'elle avait appris. Outre ses fractures, Andrew avait subi un éclatement de la rate, et les médecins s'inquiétaient beaucoup d'éventuelles hémorragies internes.

— Saint-Patrick est un grand hôpital, ils ont assez de réserves de sang pour faire face à un problème de ce genre, non ? demanda la veuve de Harry Gates.

— En temps normal, oui, mais Andrew est AB négatif, le plus rare des groupes sanguins ; tout ce dont l'hôpital disposait a été utilisé le mois dernier, lors de l'accident d'un bus scolaire sur la Route 95, et ils n'ont pas eu le temps de reconstituer leurs réserves.

Une lampe à arc illumina brusquement l'entrée de l'hôpital.

— Les vautours arrivent ! constata Ruth en regardant par la fenêtre, avant de se tourner vers sa bru : Annie, je crois qu'il serait judicieux de parler aux médias. C'est peut-être notre seule chance de trouver rapidement un donneur de sang.

Le dimanche matin, quand elle se leva, Su Ling décida de ne réveiller Nathan qu'au dernier moment : après tout, elle ignorait à quelle heure il avait pu rentrer.

Se dirigeant vers la cuisine, elle se prépara du café, puis entama la lecture des journaux. Les citoyens de Madison semblaient avoir bien accueilli le discours d'Andrew, et les derniers sondages d'opinion montraient qu'il n'avait plus que trois points de retard sur Nathan.

Ensuite, comme toujours, Su Ling alluma la télévision, pour suivre le bulletin météo. Cette fois, elle vit apparaître Annie Davenport. Que pouvait-elle faire devant l'hôpital Saint-Patrick ? Andrew voulait-il annoncer une initiative quelconque sur l'assurance santé ? La déclaration de sa femme lui prouva qu'il n'en était rien. Montant l'escalier rapidement, elle réveilla Nathan, à qui elle apprit la nouvelle. Encore à moitié endormi, il l'écouta lui répéter ce que la femme de son adversaire venait de dire. Puis il parut s'éveiller d'un coup, sortit du lit en hâte et s'habilla, sans même prendre la peine de se raser ou de prendre une douche. Su Ling l'attendait déjà dans la voiture, et démarra dès qu'il y monta. Ce n'est qu'à l'intérieur qu'il noua ses lacets.

La radio était branchée sur une station diffusant des nouvelles vingt-quatre heures sur vingt-quatre. Celles d'Andrew n'étaient pas rassurantes : il était sous poumon d'acier, et les médecins craignaient pour sa vie s'il n'était pas possible de trouver, le plus tôt possible, un donneur capable de fournir près de deux litres de sang de groupe AB négatif.

Su Ling fit le trajet jusqu'à Saint-Patrick en une douzaine de minutes : il lui suffit simplement de ne tenir aucun compte de la limitation de vitesse, ce qui ne s'avéra pas trop dangereux en ce dimanche matin. Elle se gara tandis que Nathan courait vers l'entrée de l'hôpital. Apercevant Annie au bout du couloir, il l'appela aussitôt. Elle parut stupéfaite de le voir, et sa première réaction fut de penser : *Pourquoi court-il donc ?*

— Je suis venu dès que j'ai appris la nouvelle, lança-t-il aux trois femmes. Je suis du même groupe sanguin que lui !

— AB négatif ? demanda Annie, incrédule.

— Oui.

— Merci, mon Dieu ! s'exclama Martha.

Ruth, quant à elle, se hâta d'entrer dans le service de réanimation, pour revenir quelques instants plus tard en compagnie du Dr Renwick.

— Monsieur Cartwright, dit-il, je suis le Dr Renwick, et je suis...

— Le principal chirurgien de l'hôpital ! Je vous connais de réputation, répondit Nathan en lui serrant la main.

— Tout est prêt pour la prise de sang.

— Alors, allons-y ! s'exclama Nathan en ôtant sa veste.

— Pour commencer, nous nous livrerons à quelques tests, vérifierons que votre sang est bien compatible, et l'examinerons en quête de virus HIV ou de l'hépatite B.

— Pas de problème.

— Je dois toutefois vous prévenir, monsieur Cartwright, qu'il me faudra plus de deux litres, si nous voulons que le sénateur Davenport survive. Cela implique que vous signiez divers formulaires en présence d'un avocat.

— Un avocat ? Pourquoi donc ?

— Il y a des chances, certes réduites, pour que vous subissiez certains effets secondaires et, de toute façon, vous serez très affaibli après la transfusion. Il se pourrait que vous deviez rester à l'hôpital quelques jours.

— Décidément, le sénateur ne recule devant rien pour me tenir à l'écart de la campagne !

Les trois femmes sourirent, pour la première fois de la journée. Nathan suivit le Dr Renwick dans son bureau, tandis que Su Ling s'efforçait de réconforter Annie.

— Je signerai tout ce que vous voulez ! dit-il au chirurgien.

— Sauf le document qui me pose le plus de problème ! répondit Renwick. C'est un bulletin de vote par correspondance, et je ne sais plus pour lequel de vous deux je veux voter !

51

— Se priver de près de deux litres de sang ne semble pas avoir affecté M. Cartwright, dit l'infirmière en tendant ses derniers relevés médicaux au Dr Renwick.

— En effet, répondit-il en les parcourant. Mais ces deux litres ont fait toute la différence pour le sénateur Davenport : ils lui ont sauvé la vie.

— Je l'ai bien prévenu qu'il devrait prendre quinze jours de repos, élections ou pas !

— N'y comptons pas. Je suis sûr qu'il voudra sortir dès la fin de la semaine !

— Hélas ! Et que faire pour l'en empêcher ?

— Rien. En attendant, demandez-leur à tous deux un rendez-vous, j'aimerais les voir ensemble aussitôt que possible.

— Très bien, docteur, répondit l'infirmière en griffonnant sur son bloc-notes.

Quand elle fut sortie, Renwick reprit le dossier qu'il avait retourné pour que sa visiteuse ne puisse y lire *Nathan & Peter Cartwright* et, une fois de plus, en relut le contenu. Cela faisait trois jours qu'il ne pensait qu'à cela.

Le soir, avant son départ, il l'enferma dans son coffre-fort. Après tout, cela pouvait attendre quelques jours. Mais il lui fallait discuter avec les deux hommes de ce qui demeurait secret depuis quarante-trois ans.

Nathan quitta Saint-Patrick le jeudi soir, et aucun des membres du personnel de l'hôpital n'imaginait qu'Andrew serait encore là le lundi suivant, bien que sa mère ait

414

tenté de le convaincre de se reposer un peu – à quoi il répondait que le scrutin aurait lieu dans quinze jours.

Ben Renwick continua à lutter avec sa conscience, comme sans doute le Dr Greenwood, quatre décennies plus tôt. Il parvint toutefois à une conclusion différente : pas d'autre choix que de dire la vérité aux deux intéressés.

Ceux-ci acceptèrent de le rencontrer le mardi matin, à 6 heures : c'était le seul moment de la journée où ils étaient tous deux disponibles.

Nathan fut le premier arrivé, suivi quelques instants après d'Andrew, clopinant sur ses béquilles, et mécontent de voir que son sauveur était là avant lui.

— Dès que je serai sorti de ce plâtre, je vous botterai le cul ! lança-t-il au médecin.

— Vous ne devriez pas parler comme ça au Dr Renwick, après tout ce qu'il a fait pour vous ! s'amusa Nathan.

— Et pourquoi pas ? Il m'a rempli de votre sang, et je ne suis plus que l'ombre de moi-même !

— Pas du tout ! Vous êtes beaucoup mieux qu'avant – mais toujours moins bien que moi.

— Les enfants, les enfants ! s'écria le médecin, j'ai à discuter avec vous de choses autrement sérieuses !

Tous deux se turent d'un coup pendant qu'il allait ouvrir son coffre-fort, d'où il sortit un dossier qu'il plaça sur son bureau.

— J'ai passé plusieurs jours à chercher comment vous faire part, à tous les deux, des informations confidentielles que ce dossier contient. Ces informations ne seraient jamais venues à ma connaissance sans l'accident de voiture du sénateur, ce qui a rendu nécessaire l'examen de vos dossiers médicaux respectifs. Je ne vous demanderai qu'une chose : ce que je vais vous révéler doit rester un secret, à moins que vous soyez prêts l'un et l'autre, je dis bien l'un et l'autre, à le rendre public.

— Pas de problème ! répondit Andrew.

— Moi non plus ! dit Nathan. Après tout, je suis accompagné de mon avocat !

— Même si cela doit influencer le résultat des élections ? demanda le Dr Renwick.

Les deux hommes hésitèrent un instant, puis firent oui de la tête.

— Alors, je commencerai par préciser que ce que je vais vous apprendre n'est pas une possibilité, ni même une simple probabilité, mais un fait qu'il est impossible de nier.

Le médecin ouvrit le dossier :

— Sénateur Davenport, monsieur Cartwright, il me faut vous informer qu'après un examen approfondi de vos ADN, il ne peut demeurer aucun doute : vous êtes non seulement frères, mais jumeaux dizygotes.

— Ce qui signifie que nous ne sommes pas identiques, intervint Andrew.

— En effet, dit le Dr Renwick. On croit toujours que les jumeaux doivent se ressembler comme deux gouttes d'eau, mais c'est une légende.

— Mais cela n'explique pas... commença Nathan.

— Toutes les réponses à vos questions sont ici, dans ce dossier, y compris qui sont vos parents naturels, et comment vous avez été séparés. Vous pourrez le consulter tout à loisir.

Il y eut un silence qu'Andrew rompit :

— Je n'ai pas besoin d'en prendre connaissance, déclara-t-il à la grande surprise du médecin. Je n'ignore rien de Nathan Cartwright, y compris la mort de son jumeau à sa naissance.

— Ma mère a encore une photo de nous deux près de son lit, soupira Nathan. Elle parle souvent de mon frère, de ce qu'il aurait pu devenir...

Il se tourna vers Andrew :

— Elle serait fière de l'homme qui a sauvé son fils ! Mais Mme Davenport sait-elle que le sénateur n'est pas son enfant ?

— Pas à ma connaissance, répondit Renwick.

— Comment en êtes-vous si sûr ? demanda Andrew.

— Parce que, dans les nombreux documents que contient ce dossier, j'ai trouvé une lettre du médecin qui vous a mis au monde tous les deux, le Dr Greenwood. Elle ne devait être ouverte que s'il y avait, s'agissant de vos naissances, une querelle qui pourrait porter tort à la réputation de l'hôpital. Elle précise qu'une seule autre personne connaissait la vérité.

— Et qui donc ? demandèrent Nathan et Andrew presque en même temps.

— Une certaine Mlle Heather Nichol. Mais Greenwood et elle sont décédés, si bien qu'on ne peut rien confirmer.

— C'était ma gouvernante ! s'écria Andrew. D'après ce dont je me souviens, elle aurait fait n'importe quoi pour faire plaisir à ma mère.

Il se tourna vers Nathan :

— Je préférerais cependant que mes parents ne soient jamais informés de la vérité.

— Ça me semble évident ! répondit Nathan. À quoi bon leur imposer une telle épreuve ? Si ta mère apprenait que tu n'es pas son fils, et ma mère que Peter n'est pas mort... mieux vaut ne pas imaginer leurs souffrances.

— C'est vrai, dit Andrew. Mes parents seront bientôt octogénaires, pourquoi ressusciter les fantômes du passé ? Mais je me demande ce qu'il serait arrivé si je m'étais retrouvé dans ton berceau, et toi dans le mien.

— Nous n'en saurons jamais rien, répondit Nathan. Toutefois, une chose demeure certaine : je serai le prochain gouverneur du Connecticut.

— Et comment en es-tu si sûr ?

— J'ai pris de l'avance dès le début : je suis né six minutes avant toi.

— Avantage ridicule que j'ai rattrapé aussitôt !

— Allons, allons ! intervint le Dr Renwick. Nous sommes donc bien d'accord ? Toute information démontrant votre parenté doit être détruite ?

— Oui !

— Oui !

Le médecin ouvrit le dossier et en sortit d'abord un certificat de naissance qu'il déposa dans la broyeuse à documents. Lui succéda une lettre de trois pages, datée du 11 mai 1949 et signée du Dr Greenwood, puis divers documents hospitaliers tous datés de la même année. Ne restait plus que le dossier lui-même, que Renwick déchira en quatre morceaux avant de le faire disparaître dans la machine.

Andrew se leva, un peu difficilement, et tendit la main à Nathan :

— Je te verrai dans la demeure du gouverneur.

— Tu peux en être sûr ! répondit Nathan en le serrant dans ses bras. Ma première initiative sera d'y faire installer une rampe pour les handicapés, afin que tu puisses me rendre visite régulièrement.

— Bon, il faut que j'y aille, dit Andrew en serrant la main du Dr Renwick : j'ai une élection à gagner !

Il se dirigea vers la sortie, mais Nathan le précéda :

— On m'a appris à tenir la porte aux femmes, aux personnes âgés et aux invalides, expliqua-t-il.

— Tu pourras ajouter les futurs gouverneurs à ta liste !

— As-tu lu mon article sur l'aide aux handicapés ? demanda Nathan en le suivant dans le couloir.

— Non. Pourquoi me préoccuper d'idées fumeuses qui jamais ne pourront être mises en œuvre ?

— Je ne regrette qu'une chose, dit Nathan. Je pense que nous nous serions bien amusés ensemble, quand nous étions petits.

52

Le Dr Renwick avait vu juste : le sénateur Davenport sortit de l'hôpital pendant le week-end. Quinze jours plus tard, personne n'aurait pu croire qu'il avait failli mourir dans un accident de voiture.

Il ne restait plus que quelques jours avant les élections ; Clinton prenait de l'avance dans les sondages et Perot continuait à mordre sur l'électorat républicain. Nathan et Andrew parcoururent le Connecticut à un rythme qui aurait effrayé un coureur de fond. Quand une chaîne de télévision locale leur proposa une série de trois débats, ils acceptèrent aussitôt.

Tout le monde convint qu'Andrew avait remporté le premier, ce qui lui valut de passer en tête dans les sondages. Nathan réduisit aussitôt ses déplacements, et consacra beaucoup de temps à se préparer pour le second duel, dont il sortit vainqueur, ce qui lui permit de reprendre l'avantage.

Le troisième débat prenait donc une importance décisive, à tel point qu'aucun des deux hommes, redoutant de commettre des bourdes, ne put l'emporter : ce fut un match nul. Une chaîne rivale avait d'ailleurs programmé, au même moment, un match de football américain qui attira dix fois plus de téléspectateurs. Les sondages du lendemain accordaient 46 % des intentions de vote à chaque candidat, 8 % des électeurs restant indécis.

— Mais où étaient-ils donc au cours des six derniers mois ? demanda Andrew.

— Tout le monde n'est pas aussi fasciné que toi par la politique ! répondit Annie.

Lors de la dernière semaine, il loua un hélicoptère, tandis que Nathan faisait usage d'un avion appartenant à la banque, afin de parcourir l'État tout entier. Le pourcentage d'électeurs sans opinion tomba à 6 %. Les deux hommes avaient l'impression d'avoir rendu visite à tous les centres commerciaux, usines, gares, hôtels de ville et hôpitaux du Connecticut ; mais ils savaient qu'en définitive, le vainqueur serait celui qui disposait de la machine électorale la mieux huilée. Personne n'en était plus conscient que Tom et Jimmy, mais ils étaient vraiment à court d'idées nouvelles, et se préoccupaient avant tout de ce qui pourrait mal tourner à la dernière minute.

Pour Nathan, le jour du scrutin se réduisit à une longue suite de pistes d'atterrissage et de grandes rues. Dès que son appareil touchait le sol, il se ruait vers la voiture qui l'attendait, puis se rendait à l'entrée de chaque agglomération, pour faire de grands signes à quiconque lui témoignait le moindre intérêt, avant d'avancer avec lenteur jusqu'au centre-ville. Après quoi, il repartait à toute allure et décollait pour sa prochaine destination.

Andrew passa la matinée du scrutin à Hartford, pour rameuter ses électeurs, avant de partir en hélicoptère visiter les circonscriptions démocrates les plus densément peuplées. Le soir, les commentateurs politiques discutèrent en vain pour savoir lequel des deux candidats avait tiré le meilleur parti des dernières heures précédant l'élection.

Les deux hommes atterrirent à l'aéroport de Hartford quelques minutes après la fermeture des bureaux de vote. En temps normal, les candidats prennent soin de s'éviter mais, cette fois, chacun se dirigea droit vers l'autre.

— Sénateur, dit Nathan, il faudra que je vous voie dès demain matin ; je ne pourrai signer votre projet de loi sur l'éducation qu'après y avoir apporté certains changements.

— Il entrera en vigueur dès demain ! rétorqua Andrew. Ce sera ma première décision de gouverneur.

Leurs entourages étant restés à l'écart, l'un et l'autre se détendirent, heureux de pouvoir discuter un peu en privé.

— Comment va Lucy? demanda Nathan. Elle a résolu ses problèmes?

— Comment sais-tu ça?

— Un membre de mon équipe nous l'a appris voilà une quinzaine de jours. Je lui ai fait clairement comprendre qu'il n'était pas question d'exploiter ça politiquement, et que je le flanquerais à la porte s'il recommençait.

— Je t'en suis reconnaissant! Je n'ai rien dit à Annie. Lucy est allée passer quelques jours à New York, chez Logan Fitzgerald, puis elle est revenue me donner un coup de main pour la campagne.

— Si seulement j'avais vu grandir ma nièce! Moi qui aurais adoré avoir une fille.

— Elle ferait volontiers l'échange de parents! soupira Andrew. J'ai même dû augmenter son argent de poche pour qu'elle cesse de me rappeler à quel point tu es merveilleux.

— Tu feras mes amitiés à ma nièce. Au fait, je ne te l'ai jamais dit, mais après ton intervention dans la classe de Mlle Hudson, Luke avait accroché ta photo au mur de sa chambre.

— Ça nous met donc à égalité. Tu sais, si tu gagnes, Lucy compte prendre une sorte d'année sabbatique avant d'aller en fac, et travailler dans ton équipe. En revanche, si c'est moi qui suis élu, elle m'a fait clairement comprendre que je ne devais pas y compter!

— Je serai ravi d'accepter son offre!

Leurs assistants vinrent leur dire qu'il était temps d'y aller.

— Que faisons-nous en fin de soirée? demanda Andrew en souriant.

— À minuit, si l'un de nous deux est nettement en tête, l'autre l'appellera pour reconnaître sa défaite.

— Très bien! Je crois que vous connaissez mon numéro...

— J'attendrai votre appel, sénateur, répondit Nathan.

Ils se serrèrent la main, puis repartirent chacun de leur côté.

Une escouade de la garde nationale escorta chaque adversaire jusqu'à son domicile. Les ordres étaient clairs : si le candidat que vous protégez l'emporte, vous serez désormais chargés d'assurer la sécurité du gouverneur. S'il perd, vous avez quartier libre.

Aucun des deux détachements ne prit beaucoup de repos pendant le week-end.

53

Nathan alluma la radio dès qu'il fut monté en voiture. Les premiers sondages à la sortie des urnes montraient que Bill Clinton entrerait à la Maison-Blanche en janvier ; le président Bush devrait sans doute reconnaître sa défaite avant minuit. Une vie entière consacrée à la politique, un an de campagne, un jour de scrutin, et votre carrière prenait fin d'un coup.

Dans tout le pays, d'autres commentateurs laissaient entendre que le Congrès et le Sénat allaient également passer sous contrôle démocrate. Dan Rather, le présentateur de CBS, nota qu'en plusieurs endroits on ne pouvait faire de pronostic :

— C'est ainsi que, dans le Connecticut, les résultats de l'élection au poste de gouverneur sont très serrés, à tel point que même les sondages recueillis après la fermeture des bureaux de vote ne permettent pas de prédire le résultat. Mais je cède la parole à notre correspondant à Little Rock, qui se trouve devant la demeure du gouverneur Clinton.

Arrivant chez lui, Nathan fut accueilli par deux équipes de télévision, un reporter d'une radio locale, plusieurs journalistes... et Tom.

— Ne me dis rien ! lança Nathan. Les résultats sont très serrés, je le sais déjà ! Quand pouvons-nous espérer avoir des chiffres significatifs ?

— Les premiers devraient nous parvenir dans moins d'une heure. Si c'est Bristol, on y vote généralement Démocrate.

— Oui, mais avec quel écart ?

Ils se rendirent à la cuisine. Su Ling était scotchée au poste de télévision, et une odeur de brûlé venait du four.

Andrew vit Bill Clinton saluer la foule depuis le balcon de la demeure du gouverneur de l'Arkansas. Il l'avait rencontré lors de la convention démocrate, à New York, sans lui accorder l'ombre d'une chance. À l'époque, le président Bush, au sortir de la guerre du Golfe, était au sommet de sa popularité.

— Clinton a certes gagné, dit-il, mais c'est surtout Bush qui a perdu.

Sur l'écran, Bill et Hillary s'étreignaient, sous le regard un peu perplexe de Chelsea, leur fille de douze ans. Andrew songea à Lucy, qui venait d'avorter : cela aurait fait la une des journaux si jamais il s'était présenté à la présidence.

Elle entra dans la pièce en coup de vent :

— Comme, pour les quatre ans à venir, tu n'auras plus droit qu'à des cérémonies officielles, maman et moi t'avons préparé tes plats favoris : épis de maïs, spaghettis bolognaise et crème brûlée – mais seulement si tu as gagné d'ici minuit !

— Pas tout en même temps ! s'exclama Andrew.

Il se tourna vers Jimmy, qui était resté pendu au téléphone depuis son arrivée :

— Quand aurons-nous les premiers résultats ?

— D'ici quelques minutes. Bristol se flatte toujours d'être la première à annoncer les siens, et nous devrons y disposer d'un avantage d'environ 4 % si nous voulons gagner dans tout l'État.

— Et si nous sommes en dessous ?

— Nous aurons des problèmes.

Nathan regarda sa montre. Il était un peu plus de 21 heures à Hartford mais, en Californie, les gens votaient encore. NBC avait été la première à annoncer que Bill Clinton serait le prochain président des États-Unis.

Il entama courageusement un steak carbonisé.

— Enfin de vraies nouvelles ! s'exclama Tom. La participation électorale dans le Connecticut est de 51 %, soit deux points de plus que la moyenne nationale. Mais je ne sais pas trop quel sens donner à ça.

Nathan hocha la tête, sans quitter des yeux l'écran de télévision. Il repoussa son assiette en voyant apparaître un journaliste de CBS, en direct de Bristol :

— Dan, nous attendons les résultats d'une minute à l'autre, et cela nous donnera une première indication sur la course au poste de gouverneur. Si les Démocrates l'emportent par... un instant, les résultats me parviennent... les Démocrates ont gagné à Bristol !

Chez les Davenport, Lucy se dressa d'un bond, mais Andrew resta impassible. Les chiffres apparurent en bas de l'écran : Davenport, huit mille six cent quatre voix ; Cartwright, huit mille trois cent soixante-dix-neuf.

— Ça fait 3 % ! dit Nathan. Quels sont les prochains résultats ?

— Sans doute Waterbury, répondit Tom. Et là, nous devrions faire un bon score, parce que...

Les deux candidats passèrent la soirée à se ronger les sangs : au cours des deux heures qui suivirent, chacun d'eux passa en tête, puis fut distancé, puis reprit l'avantage, une bonne quinzaine de fois. Le présentateur local trouva le temps d'annoncer que le président Bush avait téléphoné à Bill Clinton pour reconnaître sa défaite et lui souhaiter bonne chance.

— ... mais revenons-en à l'élection du gouverneur du Connecticut : à l'heure où je vous parle, les Démocrates mènent par un million cent soixante-dix mille cent quarante et une voix contre un million cent soixante-neuf mille neuf cent quatre-vingt-onze aux Républicains, soit un avantage de seulement cent cinquante voix pour le sénateur Davenport. Mais nous n'aurons les chiffres définitifs que demain midi, puisque la circonscription de Madison respecte, une fois de plus, sa vieille tradition : on ne commencera à y compter les bulletins de vote qu'à partir de demain matin, 10 heures.

— Qu'est-ce que tu en penses ? demanda Nathan à Tom, qui ne cessait d'entrer des chiffres sur sa calculatrice.

— La dernière fois, les Républicains avaient gagné à Madison par trois cent douze voix d'écart.

— Alors, nous avons nos chances?

— Si seulement c'était aussi simple! Mais il y a une complication supplémentaire à prendre en compte.

— Et quoi donc?

— L'actuel gouverneur est né et a grandi à Madison, si bien qu'il avait sans doute bénéficié d'un avantage personnel là-bas.

— J'aurais dû m'y rendre encore une fois! soupira Nathan.

— Tu y es allé à deux reprises, et Andrew une seule.

— Je devrais l'appeler pour lui dire que je n'ai aucune intention de reconnaître ma défaite.

Tom acquiesça de la tête tandis que Nathan se dirigeait vers le téléphone. Il connaissait par cœur le numéro privé d'Andrew: il l'avait composé chaque soir pendant le procès.

— Bonjour! dit une voix. Ici la résidence du gouverneur!

— Ça m'étonnerait! rétorqua Nathan.

— Bonsoir, monsieur Cartwright, dit Lucy. Vous vouliez parler au gouverneur?

— Non, simplement à ton père.

— Ah, vous admettez avoir perdu!

— Pas du tout! C'est lui qui devra s'y résigner demain. Et, à ce moment-là, si tu es sage, je t'offrirai un poste dans mon équipe.

Andrew s'empara du téléphone:

— Excusez-la, Nathan! Je présume que vous appeliez pour dire que tout était remis à demain midi, quand nous nous retrouverons à Madison?

— Oui, nous rejouerons *Le Train sifflera trois fois*, et je compte bien jouer le rôle de Gary Cooper.

— Je vous attendrai dans la grand-rue, shérif!

— Estimez-vous heureux de n'avoir pas eu affaire à Ralph Elliot!

— Et pourquoi donc?

— À l'heure qu'il est, il serait à Madison, occupé à bourrer les urnes.

— Cela n'aurait rien changé! S'il avait été mon adversaire, j'aurais déjà remporté une victoire écrasante!

VII
LES NOMBRES

54

Il fallut près d'une heure à Nathan pour se rendre à Madison par la route. Lorsqu'il arriva dans les faubourgs de la ville, elle donnait l'impression d'avoir été choisie pour le Super Bowl. L'autoroute était saturée de voitures décorées d'emblèmes bleus, rouges et blancs, et dont le pare-brise arrière s'ornait des symboles des deux grands partis, l'âne et l'éléphant. Quand Nathan prit la sortie menant à Madison – douze mille trois cent soixante-douze habitants –, la moitié des véhicules le suivirent, comme une limaille de fer attirée par un aimant.

— En ne comptant que ceux qui sont en âge de voter, ça doit faire dans les cinq mille électeurs, dit Nathan.

— Pas forcément ; sans doute plus. N'oublie pas que Madison est un endroit où les retraités viennent rendre visite à leurs parents.

— Ce qui devrait nous être bénéfique.

Tom soupira :

— J'ai renoncé aux prédictions.

Il était inutile de chercher leur chemin jusqu'à l'hôtel de ville, tout le monde semblant se diriger dans la même direction et suivant aveuglément celui qui roulait juste devant. Le centre-ville paraissait envahi par des mères poussant des landaus, la rue principale étant saturée de piétons débordant des trottoirs. Quand la voiture de Nathan fut bloquée par le fauteuil roulant d'un infirme, il comprit qu'il était temps d'arrêter la voiture et de continuer à pied. Ce qui, bien entendu, ne fit que le ralentir davantage : dès qu'on l'eut reconnu, les gens se

précipitèrent pour lui serrer la main ; certains lui demandèrent même de poser avec leur femme pour une photo.

— Je suis heureux de voir que ta campagne de
réélection a déjà commencé ! lança Tom pour le taquiner.

— Il faut d'abord que je me fasse élire !

Nathan monta les marches de l'hôtel de ville, serrant
toujours les mains de ses supporters, comme si on était
encore la veille du scrutin et non le lendemain. Tom
aperçut le maire au milieu de la foule.

— Paul Holbourn ! chuchota-t-il. Il a déjà accompli
trois mandats, et vient de se faire réélire pour le quatrième à soixante-dix-sept ans, sans que personne se
soit présenté contre lui.

— Nathan ! C'est bon de vous revoir ! s'écria le maire
comme s'ils étaient de vieux amis, alors qu'ils ne s'étaient
vus qu'une fois.

— J'en suis ravi également, monsieur le maire,
répondit Nathan en lui serrant la main. Tous mes com-
pliments pour votre réélection !

— Merci ! dit Holbourn. Le sénateur Davenport est
arrivé voilà quelques minutes, et il attend dans mon
bureau. Nous devrions peut-être aller l'y rejoindre.

Comme ils entraient dans l'édifice, le maire ajouta :

— Je voulais simplement consacrer quelques instants
à expliquer à l'un comme à l'autre comment nous pro-
cédons à Madison.

Une meute d'officiels et de journalistes les suivit jusqu'au bureau du maire, où Nathan et Su Ling retrouvèrent Andrew, Annie, et près d'une trentaine de personnes
estimant avoir le droit de prendre part à cette réunion.

— Je vais commencer ! s'exclama Paul Holbourn.
Mesdames, messieurs, monsieur le futur gouverneur, le
décompte commencera ce matin, à 10 heures précises,
comme c'est la coutume à Madison depuis plus d'un
siècle ; je ne vois pas pourquoi l'opération devrait être
avancée sous prétexte qu'elle intéresse un peu plus de
monde que d'habitude.

Andrew sourit : le maire entendait en fait savourer
chaque instant de son petit moment de gloire.

— La cité, poursuivit Holbourn, compte dix mille neuf cent quarante-deux électeurs inscrits, répartis dans onze districts. Les vingt-deux urnes ont été, comme toujours, rassemblées quelques minutes après la fin du scrutin, puis déposées dans un coffre-fort sous la garde du chef de la police, qui les a bouclées pour la nuit.

La petite plaisanterie suscita quelques rires polis, qui déconcentrèrent un peu le maire ; il parut hésiter, jusqu'à ce qu'un de ses proches lui chuchote à l'oreille : « Les urnes ! »

— Oui, oui, bien sûr. Elles ont été apportées à l'hôtel de ville dès 9 heures, et j'ai chargé le secrétaire de mairie de vérifier que les sceaux étaient intacts. À 10 heures, je les romprai : elles seront vidées de leurs bulletins de vote, qui seront rassemblés sur une table située au centre de notre grande salle. Le premier décompte se bornera à établir combien de gens ont voté. Cela fait, ils seront triés de manière à former trois piles : l'une pour le candidat républicain, la deuxième pour le candidat démocrate, la troisième pour ceux qui pourraient prêter à discussion. Je me permettrai d'ajouter qu'ils sont rares à Madison car, pour beaucoup d'entre nous, c'était peut-être la dernière occasion de voter.

Il y eut de nouveaux petits rires, mais un peu crispés, cette fois.

— Ma dernière tâche sera de proclamer le résultat, ce qui permettra de savoir qui est élu gouverneur de notre cher Connecticut. J'espère que tout sera terminé à midi. Quelqu'un veut-il des précisions supplémentaires ?

Tom et Jimmy se mirent à parler en même temps, puis le premier céda la parole au second, se doutant que tous deux voulaient poser la même question.

— De combien de personnes disposez-vous pour dépouiller les bulletins ?

— Vingt, toutes employées du conseil municipal.

— De combien de scrutateurs acceptez-vous la présence ? demanda Tom.

— J'autoriserai dix représentants de chaque parti, dont chacun se placera derrière une des personnes chargées du décompte, mais sans tenter à aucun moment de leur adresser la parole. S'ils ont une question, ils devront en référer au secrétaire de mairie et, si elle reste irrésolue, à moi. Bon, je vais vous mener jusqu'à notre grande salle, bâtie en 1867, et dont nous sommes extrêmement fiers.

Elle pouvait contenir un peu moins d'un millier de personnes : la population de Madison ne la remplissait que rarement. Ce jour-là, pourtant, avant même l'arrivée du maire, de ses adjoints, des candidats, de leurs épouses et de leurs équipes, on s'y serait cru dans le métro aux heures de pointe. Nathan espéra simplement que le chef des pompiers n'était pas présent ; les règles de sécurité n'étaient sûrement pas respectées, la salle excédant très largement sa capacité d'accueil.

Paul Holbourn se fraya difficilement un chemin jusqu'à l'estrade et vint s'installer derrière un micro :

— Mesdames et messieurs, je m'appelle Paul Holbourn, et seuls les étrangers à Madison ignorent que j'en suis le maire ! Aujourd'hui, je suis chargé d'organiser le dépouillement des bulletins de vote de notre ville. J'ai déjà expliqué aux candidats la procédure que j'entends suivre, et que je vais vous réexposer...

Une fois son homélie terminée, il tenta vaillamment de retourner au centre de la salle, mais n'y serait jamais parvenu si sa présence n'avait pas été absolument nécessaire au bon déroulement des opérations.

Le secrétaire de mairie lui tendit une paire de ciseaux avec lesquels il brisa les sceaux des vingt-deux urnes. Puis les employés de mairie les vidèrent et commencèrent à entasser les bulletins sur la table, sous les regards attentifs de Tom et Jimmy. Les personnes chargées du décompte commencèrent par en faire des groupes de dix, eux-mêmes rassemblés par centaines, ce qui demanda près d'une heure. Après quoi, le secrétaire de mairie compta les piles ainsi obtenues : cinquante-neuf, dont une comptait moins de cent bulletins.

Le maire souffla dans le micro, ce qui donna un son un peu semblable à celui d'un train pénétrant dans un tunnel, puis déclara :

— Mesdames et messieurs, cinq mille neuf cent trente-quatre citoyens de Madison ont pris part au vote ; soit, me dit-on, 54 % des électeurs inscrits. 1 % de plus que la moyenne du Connecticut.

— Ce qui pourrait tourner à notre avantage, chuchota Tom à Nathan.

— D'ordinaire, c'est plutôt bon pour les Démocrates.

— Pas quand l'âge moyen de l'électorat est de soixante-trois ans !

— La tâche suivante, poursuivit Holbourn, sera de séparer les voix des deux partis avant d'entamer le décompte.

Ce nouvel exercice prit encore plus de temps, ce qui ne surprit personne, le maire et ses adjoints se voyant régulièrement demander de trancher des différends. Ensuite, tout commença pour de bon.

Nathan aurait aimé faire le tour de la salle et suivre le processus, mais il y avait tant de monde qu'il dut se contenter des rapports que ses assistants lui faisaient régulièrement. Tom en conclut que Nathan avait l'avantage, mais que cela ne suffirait peut-être pas à compenser le chiffre définitif de cent dix-huit voix d'avance qu'Andrew possédait sur l'ensemble de l'État.

Il fallut une heure de plus pour venir à bout du décompte, à l'issue duquel les deux piles de bulletins furent placées l'une en face de l'autre. Holbourn invita alors Nathan et Andrew à le rejoindre au centre de la pièce. Il leur expliqua que seize bulletins avaient été rejetés, et qu'il souhaitait avoir leur avis avant de décider si, oui ou non, on les considérerait comme nuls.

Huit d'entre eux ne portaient aucun signe désignant un candidat. Ceux-ci convinrent qu'ils étaient nuls. Il en alla de même pour deux autres, sur lesquels on avait écrit : « Cartwright aurait dû passer sur la chaise électrique ! » et « Pas d'avocat aux postes officiels ! » Les six derniers, bien que dépourvus de croix, se répartissaient également entre les deux adversaires, si bien que le maire suggéra de les valider. Jimmy et Tom acceptèrent après les avoir examinés.

Holbourn donna ensuite le signal du décompte proprement dit. Les personnes qui en étaient chargées entassèrent devant elles les bulletins, par groupes de cent. Nathan et Andrew s'efforcèrent, de loin, de savoir s'ils avaient gagné ou perdu suffisamment de voix pour devoir changer de papier à lettres au cours des quatre prochaines années.

L'opération terminée, le secrétaire de mairie tendit au maire un bout de papier sur lequel deux chiffres étaient griffonnés. Le silence se fit d'un coup : tout le monde voulait connaître le résultat.

— Les Républicains, annonça Holbourn, gagnent par trois mille dix-neuf voix à deux mille neuf cent cinq.

Il serra la main des deux candidats, manifestement persuadé que sa tâche était terminée.

Au bout de quelques instants, les supporters d'Andrew crièrent victoire : s'ils avaient perdu Madison de cent quatorze voix, ils en gardaient quatre d'avance au niveau de l'État. Holbourn se dirigeait vers son bureau, songeant déjà à prendre un déjeuner bien mérité, quand Tom le rattrapa, lui expliqua la situation et, au nom de Nathan, réclama un nouveau décompte. Le maire revint dans la grande salle et annonça qu'il avait toujours eu l'intention d'y procéder.

Certains des employés municipaux chargés de compter les bulletins s'apprêtaient déjà à partir ; ils se hâtèrent de reprendre leur place. Andrew écouta avec attention ce que Jimmy lui murmurait à l'oreille, puis fit non de la tête.

Jimmy faisait remarquer qu'au sens strict, Holbourn n'avait pas l'autorité nécessaire pour ordonner un nouveau décompte : Andrew avait perdu à Madison, et lui seul aurait pu en redemander un. Le lendemain, le *Washington Post* devait défendre un point de vue analogue : Nathan avait battu son rival avec une marge de plus de 1 % des voix, ce qui rendait tout décompte inutile. Il est vrai, ajoutait le journal, que s'y refuser aurait pu provoquer une émeute, sans compter d'interminables actions en justice.

Une fois de plus, les piles furent comptées et recomptées, puis vérifiées avec le plus grand soin. Ce qui permit de découvrir que trois d'entre elles comptaient cent un bulletins, et une autre quatre-vingt-dix-huit seulement. Le secrétaire de mairie ne transmit les résultats au maire que lorsqu'il fut sûr qu'il n'y avait plus de problème. Trois mille vingt et une voix pour Cartwright, deux mille neuf cent cinq pour Davenport. L'avantage de celui-ci au niveau de l'État se réduisait ainsi à deux voix.

Tom réclama immédiatement un troisième décompte, sans être très sûr d'en avoir le droit. Holbourn acquiesça de la tête et se dirigea vers le micro :

— J'autorise un décompte supplémentaire. Mais, si les Démocrates, pour la troisième fois consécutive, gardent la majorité, si réduite soit-elle, je déclarerai Andrew Davenport nouveau gouverneur du Connecticut.

Quarante minutes plus tard, l'opération avait pris fin. Les résultats avaient été confirmés, et chacun croyait la bataille terminée, quand l'un des scrutateurs de Nathan leva la main et expliqua au maire, venu le rejoindre, que dans une pile d'Andrew, un bulletin aurait dû être attribué à Nathan.

— Il n'y a qu'un moyen d'en être sûr, répondit Holbourn en s'emparant de la pile, tandis que la foule se mettait à psalmodier : « Un, deux, trois... »

Jimmy se joignit au décompte qu'Andrew suivit sans mot dire.

— Trente-neuf, quarante, quarante et un...

Puis le silence se fit d'un coup : le scrutateur avait raison, le quarante-deuxième bulletin portait une croix devant le nom de Nathan Cartwright. Le maire, son secrétaire de mairie, Tom et Jimmy l'examinèrent avec soin et convinrent qu'il y avait eu erreur. Ce qui impliquait qu'au niveau de l'État, les deux candidats se retrouvaient à égalité.

Holbourn paraissait exténué : il annonça qu'il y aurait une pause d'une heure, afin que tout le monde puisse se reposer un peu, avant un quatrième décompte qui commencerait à 14 heures. Il invita Nathan et Andrew à venir déjeuner en sa compagnie, mais ils refusèrent poliment, n'ayant aucune intention de quitter la salle, ni même de s'éloigner de quelques pas de la grande table où les bulletins étaient entassés.

— Mais que va-t-il se passer si nous restons à égalité? demanda Nathan à Tom, qui était déjà plongé dans le *Code électoral du Connecticut.*

Su Ling, quant à elle, sortit de la salle, suivant de près le maire et ses employés. Quand elle aperçut « BIBLIOTHÈQUE » écrit en lettres d'or sur une porte de chêne, elle s'arrêta et entra, puis s'assit dans un fauteuil devant un rayonnage et tenta de se détendre, pour la première fois de la journée.

— Vous aussi? demanda une voix.

Levant les yeux, Su Ling vit Annie Davenport, assise à l'autre bout de la pièce.

— C'était ça ou attendre encore une heure...

— ... ou déjeuner avec le maire et l'entendre citer saint Paul pour exalter les vertus de Madison!

Toutes deux éclatèrent de rire.

— Si seulement tout avait été décidé hier soir! dit Su Ling. Maintenant, l'un des deux va se demander toute sa vie s'il n'aurait pas dû visiter un centre commercial de plus...

— Ils auraient dû convenir de gouverner six mois chacun, puis de laisser les électeurs choisir celui qu'ils préféraient pour les trois ans à venir.

— Cela n'aurait rien réglé.

— Et pourquoi? demanda Annie.

— J'ai le sentiment que ce n'est que le premier de leurs nombreux affrontements.

— Peut-être le problème est-il qu'ils se ressemblent trop pour qu'on puisse choisir.

— Peut-être est-ce parce qu'il n'y a rien pour les séparer.

— Oui. Ma mère en fait souvent la remarque, quand ils passent à la télé. Et le fait qu'ils aient le même groupe sanguin est une coïncidence qui ne fait que renforcer ce sentiment.

— En tant que mathématicienne, je ne crois pas aux coïncidences de ce genre.

— C'est intéressant que vous pensiez cela ! dit Annie. Chaque fois que j'aborde le sujet avec Andrew, je me heurte à un mur. Peut-être que si nous pouvions additionner ce que nous savons toutes les deux...

— Nous le regretterions.

— Comment ça ?

— Si tous deux ont décidé de ne pas aborder le sujet, c'est qu'ils ont une bonne raison.

— Et vous pensez que nous devrions faire de même.

Su Ling acquiesça de la tête :

— Surtout après ce que ma mère a dû subir...

— Et ce que ma belle-mère devrait endurer, dit Annie.

Su Ling se leva :

— Espérons qu'ils ne seront pas candidats à la présidence, sinon la vérité finira par se faire jour ! Je vais retourner là-bas la première : il ne faut pas que quiconque sache que nous en avons discuté.

— Tu as mangé un peu ? demanda Nathan.

Su Ling n'eut pas à répondre : le maire arrivait, l'air satisfait, et ordonna aussitôt un nouveau décompte. Lui non plus n'avait pas déjeuné, préférant contacter le ministère de la Justice, à Washington, afin de savoir comment procéder en cas d'égalité.

Les employés municipaux firent preuve de la même méticulosité que précédemment et, quarante et une minutes plus tard, les résultats furent confirmés.

Informé, Paul Holbourn demanda aux deux candidats de l'accompagner sur l'estrade. Nathan se plaça à sa droite, Andrew à sa gauche.

— Mesdames et messieurs, pendant la pause, j'ai téléphoné au ministère de la Justice, pour savoir ce que nous devions faire dans cette situation. J'ai même sollicité un fax, signé de l'attorney général, me confirmant le caractère légal de la procédure que nous allons suivre.

Il s'interrompit un instant pour consulter le document :

— Si, lors d'une élection au poste de gouverneur, un candidat l'emporte à l'issue de trois décomptes successifs, il sera déclaré vainqueur, si réduit que soit son avantage. Mais si, trois fois de suite, lui et son adversaire sont à égalité, le résultat sera décidé en tirant à pile ou face.

Tout le monde se mit à parler en même temps, et il fallut un moment au maire pour pouvoir continuer. Il attendit que le silence se fasse, puis sortit de son gilet un dollar d'argent qu'il plaça sur son pouce, avant de regarder les deux concurrents, comme s'il cherchait leur approbation. Ils hochèrent la tête de concert.

— Face ! décida Andrew.

Paul Holbourn projeta la pièce en l'air. Elle retomba sur l'estrade, à ses pieds. Les trois hommes la contemplèrent. Le visage du trente-cinquième président des États-Unis parut leur rendre leur regard.

Ramassant la pièce, le maire fit demi-tour, se tourna vers les deux candidats et sourit à celui qui se trouvait à sa droite :

— Gouverneur, puis-je être le premier à vous féliciter ?

Cet ouvrage a été composé
par Atlant'Communication
à Sainte-Cécile (Vendée)

Impression réalisée sur CAMERON par

BRODARD & TAUPIN
GROUPE CPI

La Flèche (Sarthe)
en mars 2005
pour le compte des Éditions de l'Archipel
département éditorial
de la S.A.R.L. Écriture-Communication.

Imprimé en France
N° d'édition : 788 – N° d'impression : 29070
Dépôt légal : avril 2005